제3전정판

운동
생리학

한국스포츠개발원의
출제기준에 맞춘
스포츠지도사(2급)
시험대비 표준교재

김알찬, 박수현, 박주식,
박진기, 오경모, 이애리, 이중열 저

대경북스

제3전정판을 내면서

운동생리학은 인간의 움직임을 연구하는 학문으로, 체육학의 기반이 되는 학문이다. 또한 의학, 물리치료 및 운동처방, 간호학, 나아가 대체의학 분야에 이르기까지 그 관련영역이 점점 확대되고 있다.

운동생리학은 특히 운동으로 인한 인체의 반응과 적응이 인체의 기능적 측면 · 운동수행능력 · 건강 등에 미치는 생리적 의미를 연구하며, 나아가 운동처방능력을 갖추는 기초일 뿐만 아니라 체육관련 분야의 가장 기본적인 학문으로 자리매김하고 있다.

운동의 효과는 사람에 따라 그리고 운동의 종류에 따라 나타나는 방식이나 시기가 다르다. 예를 들어 근력을 획득해야 할 때에는 근력을 요하는 스트레스를 신체에 주어야 하고, 지구력을 얻기 위해서는 그것에 적합한 운동을 해야 한다. 즉 각자에게 필요한 운동을 선택할 때 운동생리학적 지식이 가장 중요한 지침이 되는 것이다.

체육스포츠지도 및 건강 관련 분야 전문가의 관점에서는 운동할 때 발생되는 인체의 생리적 과정을 이해하는 것이 중요한데, 그 이유는 인체를 이해하지 못하면 인체의 수행능력을 극대화할 수 있는 최적의 방법을 찾을 수 없기 때문이다.

저자들은 그동안 운동생리학을 강의하면서 이러한 어려움을 극복하고 무리없이 학습할 수 있으며, 나아가 스포츠지도사 시험 준비생들이 운동생리학의 정수에 쉽게 접근할 수 있는 교재의 필요성을 절감하게 되었다.

이 책은 스포츠지도사 시험을 응시하려는 학생들 또는 전공자들이 기본적으로 알아야 할 인체의 생리학적 지식과 운동의 발현기전, 그리고 운동 시 발생하는 생리적 변화를 이해시키는 데 중점을 두고 집필하였다.

운동생리학의 개관, 세포와 물질이동을 시작으로 에너지대사와 운동, 신경조절과 운동, 뼈대근육과 운동, 내분비계통 · 호흡계통 · 순환계통과 운동, 그리고 마지막으로 환경과 운동의 순으로 구성하였다.

이 책을 통하여 운동생리학을 이해하고, 스포츠지도사 시험에서 소정의 성과를 거둠으로써 체육관련 지도자가 되려는 모든 분들께 유용한 길잡이가 될 수 있기를 바라며, 나아가 관련 응용학문의 기초를 닦는 데 도움이 되었으면 한다. 미진한 점은 앞으로 계속해서 개정 · 보완하여 나갈 것을 약속 드린다.

2022년 2월

저 자   씀

차 례

제5장 뼈대근육과 운동

제6장 내분비계통과 운동

제7장 호흡계통과 운동

제8장 순환계통과 운동

제9장 환경과 운동

제1장

운동생리학의 개관

01 신체활동과 운동

에너지를 소비하는 근육활동에 의해서 이루어지는 신체의 움직임을 신체활동 (physical activity)이라고 한다. 움직임의 크기가 비교적 작으면 움직임(movement), 움직임의 크기가 비교적 크면 신체활동이라고 구분하는 사람도 있다. 예를 들어 손가락을 폈다 구부리면 '손가락을 움직인다'고 하고, 걷거나 노동을 하면 '신체활동을 한다'고 한다. 그런데 이것은 큰 의미가 없으므로 굳이 구분할 필요는 없다.

한편 움직임의 범위가 크고 구조화된 신체활동을 계획적으로 반복하는 것을 운동(exercise)이라고 한다. 운동을 하면 여러 신체기관의 발육발달을 촉진시키고, 심장혈관질환, 당뇨, 비만, 뼈엉성증(골다공증)과 같은 질병을 예방하거나 완화시킬 뿐만 아니라 스트레스, 불안감, 우울감 등을 줄여주고 자신감과 자기효능감을 높여 정신건강에도 크게 도움이 되는 것으로 알려져 있다.

운동 또는 신체활동이 신체적 · 정신적 건강에 도움을 주는 기전(mechanism)을 다음과 같이 설명한다.

사람의 몸은 수많은 세포로 구성되어 있고, 세포들은 세포막을 통하여 필요한 물질을 받아들이고 필요 없는 물질을 내보내는 에너지 대사작용(energy metabolism)을 끊임없이 수행함으로써 생명을 유지하고 있다.

이때 인간의 생명을 겨우 유지시킬 수 있는 최소의 에너지대사량을 기초에너지 대사량(basal metabolism)이라 한다. 인체의 세포, 조직 또는 기관들이 발육 · 발달해서 크기가 커지고 기능이 향상되려면 반드시 기초대사량보다 더 많은 에너지대사가 이루어져야 한다. 그런데 에너지대사량을 증가시킬 수 있는 가장 효율적인 방법이 신체활동 또는 운동이기 때문에 '신체활동 또는 운동을 하면 건강에 도움이 된다'고 하는 것이다.

현대인들은 교통과 통신수단의 발달, 생산활동의 기계화와 자동화, 가전제품과 인공지능의 발달 등으로 신체활동은 급격히 줄어들고 정신적 스트레스는 점점 더 증가하는 환경에서 살아가고 있다. 이렇게 신체활동이 부족한 환경에서 건강을 유지하고 인간다운 삶을 누리기 위해서는 적당한 강도 · 적당한 양의 운동을 반드시 규칙적으로 해야 한다.

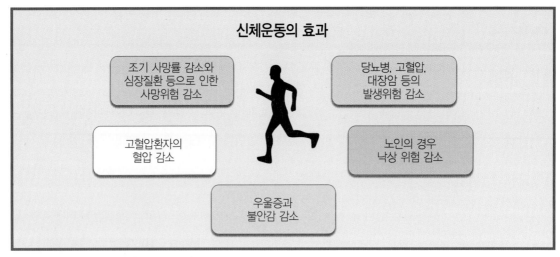

▶ **그림 1-1** 신체운동의 효과

02 항상성

인체는 항상 외부환경과 접해 있다. 흔히 인체를 둘러싸고 있는 공기나 주변에 있는 지형지물 등을 외부환경이라고 생각하지만, 공기가 드나드는 코와 기관지, 음식물이 드나드는 식도와 창자, 소변이 드나드는 방광과 요도 등도 몸속에 있지만 외부환경(external environment)에 속한다.

인체의 외부와 내부를 가르는 경계선은 상피조직(epithelium)이다. 따라서 상피조직 안쪽을 인체의 내부, 상피조직 바깥쪽을 인체의 외부라고 한다. 상피조직이 인체의 내부와 외부를 가른다는 점은 모든 상피조직이 같지만, 상피조직의 생긴 모양과 기능은 위치에 따라서 크게 차이가 난다. 예를 들어 얼굴의 피부와 겨드랑이의 피부는 모두 피부라고 부르는 상피조직이지만 모양과 기능이 확연하게 다르고, 창자의 외벽과 발바닥은 같은 상피조직이지만, 이 두 조직의 모양과 기능이 유사하다고 생각하는 사람은 단 한 명도 없을 것이다.

인체의 외부환경은 시시각각으로 크게 변하지만 인체의 내부환경에 들어 있는 세포들이 살아남을 수 있는 환경 변화의 허용범위는 아주 좁다. 예를 들어 체온의 변화가 허용되는 최대범위는 섭씨 36도 내지 39도인데, 그 범위를 1도만 벗어나도 목숨이 위태롭다. 또한 혈액 속에 들어 있는 산소의 농도를 나타내는 산소분압이 20% 떨어진 상태가 5분만 지속되어도 정신을 잃거나 사망하고, 몸속에 들어 있는 수분의 양이 10%만 줄어도 살아남기 어렵다.

　이와 같이 우리 몸속에 있는 세포들이 살아남기 위해서는 온도(체온), 습도(체액의 종류와 양), 농도(영양분과 화학물질의 농도, 산소와 이산화탄소의 분압) 등이 <u>아주 좁은 범위 안에서 일정하게 유지되어야 한다</u>는 것을 인체의 항상성(homeostasis)이라고 한다.

　그런데 인체가 접하고 있는 외부환경은 항상성을 벗어날 만큼 크게 변할 수도 있다. 예를 들어 겨울에 기온이 영하 20℃일 때 밖에 나갔다고 생각하여 보자. 영하 20℃는 체온이 변할 수 있는 범위를 크게 벗어났기 때문에 즉시 사망해야 하는데, 아무렇지도 않게 살아 있다. 왜 그럴까?

　영하 20℃의 차가운 공기가 코→목구멍→기관→기관지를 거쳐서 허파꽈리에 도달할 때까지 인체는 여러 가지 수단을 동원해서 공기의 온도를 올려 항상성을 유지할 수 있게 만들어졌기 때문이다. 즉 내부환경의 항상성을 유지하기 위해서 인체가 무엇인가 조치를 취하게 된다는 것이다.

　이때 항상성이 유지되는 것을 위협했던 차가운 공기를 자극 또는 스트레스(stress)라 하고, 항상성을 유지하기 위해서 인체가 취한 조치를 반응(reaction)이라고 한다. 다르게 표현하면 <u>외부환경에서 인체 내부환경의 항상성 유지를 위협하는 자극 또는 스트레스가 가해지면 인체는 그에 대하여 적절하게 반응해서 항상성을 유지한다.</u>

　외부로부터 가해지는 스트레스에 대해 인체가 반응하는 방향은 다음과 같다. 즉 체온이 올라가려고 하면 못 올라가게 하고, 내려가려고 하면 못 내려가게 하고, 독성물질이나 병균이 인체 내부(체내)로 들어오려고 하면 못 들어오게 가로막고, 화학물질이나 노폐물이 너무 많으면 밖으로 내보내서 줄인다. 즉 인체는 항상 변화되는 환경의 반대 방향으로 반응한다.

　이와 같이 '항상성을 유지하기 위해서 항상 반대 방향으로 반응하는 것'을 부적 피드백(negative feedback) 또는 음성 되먹이기라고 한다. 인체가 부적 피드백을 하지 않고 정적 피드백(positive feedback) 또는 양성 되먹이기를 하는 경우는 단 한 가지이다. 그것은 아기가 엄마의 뱃속에서 밖으로 나오려고 할 때 자궁목(자궁경부)

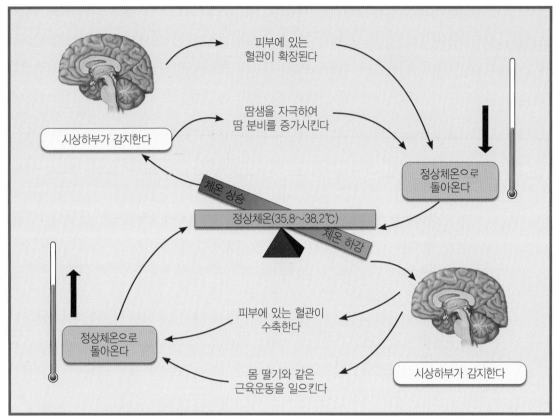

▶ **그림 1-2 항상성의 유지(체온조절)**

에 압력을 가하면 압력을 줄이는 방향으로 반응하는 것이 아니라 오히려 점점 더 세게 압력을 가하는 방향으로 반응해서 아기를 출산하는 것이다.

　한편 인체가 어떤 자극에 노출되는 횟수가 증가하면 그 자극에 대한 반응을 쉽고, 빠르고, 정확하게 할 수 있도록 변화하는 것을 적응(adaptation)이라고 한다. 예를 들어 운동이라는 자극에 자주 노출되면(운동을 꾸준히 연습하면) 그 운동을 쉽고, 빠르고, 정확하게 할 수 있도록 변화하는 것이 적응이다. 그러나 나이가 들어서 점점 운동을 잘 못하게 되는 것은 적응은 적응이지만 퇴화(degeneration)라고 한다. 즉 바람직한 방향으로 변화하는 것은 적응이고, 바람직하지 못한 방향으로 변화하는 것은 퇴화이다.

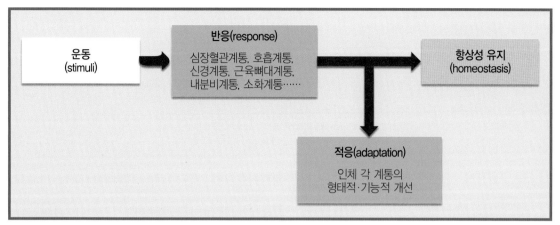

▶ **그림 1-3** 운동에 대한 인체의 반응과 적응
출처 : 정일규(2021). 휴먼퍼포먼스와 운동생리학 (전정판). 대경북스.

 체력

    인간이 태어날 때부터 가지고 있는 선천적인 능력과 후천적인 노력에 의해서 얻어진 '생명을 유지하고 신체활동을 수행할 수 있는 능력'을 체력(fitness)이라고 한다.

    체력의 첫 번째는 '생명을 유지할 수 있는 능력'인데, 이것은 '신체 외부의 환경 변화에 대응해서 신체의 내부환경을 일정한 범위 이내로 유지할 수 있는 능력' 즉 항상성을 유지하는 능력을 말한다. 이것을 방위체력(fitness for protection)이라고도 한다.

    체력의 두 번째 정의인 '신체활동을 할 수 있는 능력'은 방위체력과 상대되는 개념으로, 몸을 움직여서 일을 할 수 있는 노동력, 맹수 또는 적과 맞서서 싸울 수 있는 전투능력, 건강을 위해서 운동을 하거나 스포츠경기를 할 수 있는 운동능력 등을 말한다. 이것을 행동체력(fitness for performance) 또는 신체적 자원(physical resource)이라고도 한다.

    한편 체력에 정신적인 능력을 포함시켜야 할지 말지가 논란이 되는 경우도 있다. 체력이라는 말 자체가 '신체적인 능력'이라고 해석될 수 있기 때문이다. 그러나 사람의 몸과 마음은 불가분의 관계에 있고, 작업능력이나 운동능력에는 정신적인 요인이 크게 영향을 미칠 뿐 아니라, 병마와 싸울 때에도 그 사람의 정신력에 따라 크게 차

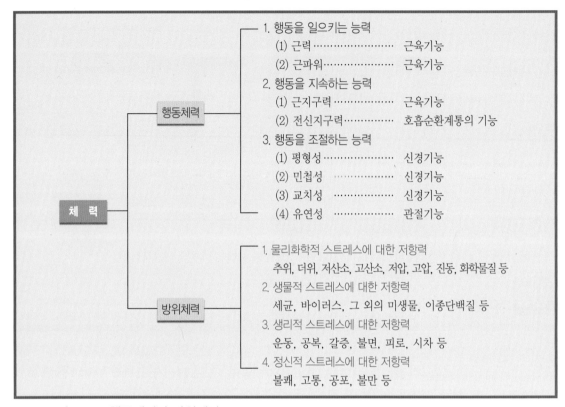

▶ **그림 1-4** 행동체력과 방위체력

체력은 넓은 개념이다. 일반상식적인 체력은 여기에서 행동체력으로 나타냈다.

이가 나는 것이 분명하므로 체력에 정신적인 능력을 포함시키는 것이 마땅하다.

그림 1-4에 있는 신경기능과 여기에서 말하는 정신력을 같거나 비슷하게 생각해서는 안 된다. 그 두 가지는 서로 다른 것으로 '힘들어도 꾹 참고 일하는 인내력, 병을 반드시 이겨내고 살아남겠다는 의지력, 반드시 이기겠다는 마음가짐' 등이 정신력이다.

이전에는 체력을 방위체력과 행동체력으로 나누는 것이 일반적이었지만 요즈음에는 건강관련체력(health-related physical fitness)과 운동관련체력(exercise-related physical fitness)으로 나누는 경우가 많다. 그러나 엄밀하게 보면 건강관련체력과 운동관련체력은 모두 행동체력에 포함되므로 행동체력 요소들을 두 가지로 분류했다고 보는 것이 합리적이다.

그림 1-5의 건강관련체력에 있는 심폐지구력(cardiorespiratory endurance)은 격

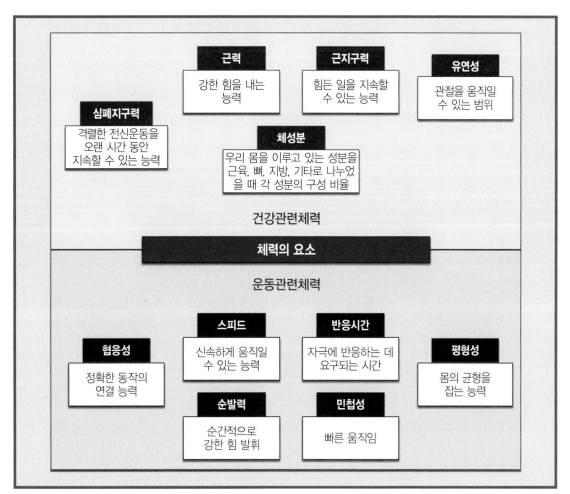

▶ **그림 1-5** 건강관련체력과 운동관련체력

렬한 전신운동을 오랜 시간 동안 지속할 수 있는 능력으로 전신지구력(general indurance)이라고 한다. 이때 이용되는 에너지가 주로 유산소에너지이기 때문에 유산소 능력(aerobic capacity)이라고도 한다.

심폐지구력은 오래달리기(1,500m달리기 또는 12분 달리기)나 왕복달리기로 그 능력을 평가한다. 이것을 정확하게 측정하고자 할 때에는 실험실에서 최대산소섭취량을 측정하기도 한다. 연구 결과에 의하면 심장혈관계통질환으로 사망할 확률은 심폐지구력이 높은 사람보다 낮은 사람이 34배 높다고 한다.

근력(muscle strength)은 근육이 1회 내지 여러 번 수축할 때 발휘하는 힘으로 근

육의 굵기와 관계가 있다. 근육은 단면적 1cm²당 약 4kg중의 근력을 발휘한다. 이때
에는 무산소에너지가 사용되므로 산소의 공급이 필요한 것이 아니라, 크레아틴인산
과 글리코겐만 충분하면 된다.

그에 반하여 근지구력(muscle endurance)은 근수축을 수십 회 이상 반복할 수
있는 능력이므로, 근지구력을 높이려면 근육에 산소를 충분히 공급해야 한다. 그런
데 근력이 세다고 해서 반드시 근지구력이 좋은 것은 아니다. 근육 모세혈관이 발달
되고, 적색근육섬유(지근섬유)가 백색근육섬유(속근섬유)보다 더 많고(비율이 더
높고), 근육섬유에서 산소를 사용하여 에너지를 생산하는 데 필요한 효소가 많은 사
람이 근지구력이 좋다. 근지구력은 최대근력의 1/3 정도를 반복해서 발휘할 수 있
는 횟수로 평가한다. 보통사람은 최대근력의 1/3을 1초에 1회의 비율로 발휘했을 경
우에 약 60회 지속할 수 있다고 한다.

유연성(flexibility)은 '관절을 움직일 수 있는 범위가 넓은 정도'라 할 수 있다. 이
것은 운동상해 예방과 전도 또는 골절 방지에 도움이 되기 때문에 건강관련체력에
포함된다. 유연성은 보통 윗몸앞으로굽히기로 평가하며, 스트레칭을 하면 유연성을
향상시킬 수 있다.

체성분(body composition)은 우리 몸을 이루고 있는 근육, 뼈, 지방, 기타 성분을
말한다. 근육이나 뼈의 구성비율이 낮으면 무기력해지거나 골절 등 부상을 당하기 쉽
고, 지방의 구성비율이 높으면 여러 가지 성인병을 유발시킬 가능성이 높다고 한다.

한편 운동관련체력은 빠르고 폭발적인 동작, 복잡한 기술 동작 등 주로 스포츠에
서 요구되는 기술을 효과적으로 발휘하는 데 필요한 스피드, 반응시간, 협응성, 순발
력, 민첩성, 평형성 등을 말한다.

❖ 스피드(speed) 신속하게 움직일 수 있는 능력

❖ 순발력(power) 빠르고 큰 힘을 낼 수 있는 능력

❖ 평형성(balance) 정적 또는 동적 상태에서 몸의 균형을 잘 유지하는 능력

❖ 협응력(coordination) 신체 각 부위가 조화를 이루면서 원활하게 움직이도록
하는 능력

❖ 민첩성(agility) 신체의 운동방향을 신속하게 바꿀 수 있는 능력

❖ 반응시간(reaction time) 빛 · 소리 · 접촉 등과 같은 자극에 반응할 때 요구되
는 시간

04 운동생리학이란

운동생리학(exercise physiology)은 여러 가지 형태의 일회적 또는 반복적인 운동을 했을 때 인체가 반응 또는 적응함으로써 초래되는 구조적인 변화 및 기능적인 변화와 그 원인을 연구하는 학문이다. 즉 운동을 수행할 수 있는 능력과 건강에 미치는 운동의 효과를 연구하는 것이 운동생리학이다.

인간이 운동을 수행할 수 있는 능력은 '신체를 이루고 있는 각 계통의 기능과 상호 조절기능이 개선되어야' 향상된다. 그러므로 운동수행능력의 향상은 특정 종목의 기록 향상에만 의미가 있는 것이 아니라 건강한 개체로 살아가는 데에 유용하게 이용할 수 있는 수단이 개선되었다는 것도 의미한다.

다음은 여러 가지 관점에서 운동생리학을 정의한 것들이다.

❖ 비교적 장기간 동안 운동의 형태로 가해진 자극에 대하여 인체가 반응하고 적응하면서 생기는 생리학적 변화를 연구하는 학문이다.

❖ 인체의 항상성을 연구하는 학문이다.

❖ 인체의 구조와 기능 사이의 관련성을 연구하는 학문이다.

❖ 인간의 운동기능과 그 발휘에 관한 응용 생리학의 한 분야인 동시에 운동의 문화적 형태인 스포츠·체육활동의 합리적 발전, 사람들의 건강 향상에 기초적인 이론을 제공 등을 목적으로 하는 스포츠의학 또는 스포츠과학의 한 분야이기도 하다.

인체의 구조적·기능적 변화는 운동의 종류, 운동하는 시기, 운동하는 방법, 그리고 운동하는 사람의 생리·심리적 특성뿐만 아니라 내·외적 조건에 따라서도 다르게 나타난다. 그러므로 운동생리학은 필연적으로 다양한 형태의 운동과 그 운동을 실시하는 사람의 내·외적 환경요인이 갖는 상호 관계를 연구영역으로 포함하고 있다.

운동생리학과 깊은 관련이 있는 분야로는 운동수행능력의 향상과 합리적인 트레이닝 방법을 연구하는 트레이닝론(training theory)과 운동처방론(exercise prescription), 스포츠활동에 적합한 식사의 질과 양을 연구하는 스포츠영양학(sports nutrition),

인체운동의 역학적 법칙을 연구하는 스포츠생체역학(sports biomechanics), 운동수행의 의학적 측면을 연구하는 스포츠의학(sports medicine) 등이 있다.

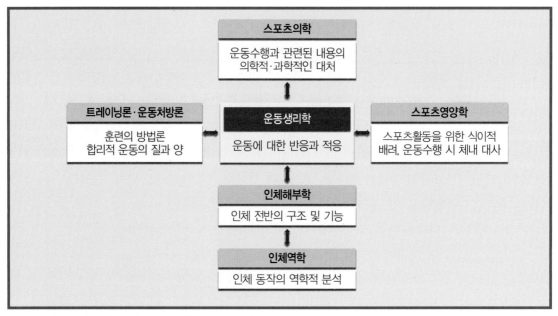

▶ **그림 1-6** 운동생리학과 관련학문 영역
출처 : 정일규(2015). 휴먼퍼포먼스와 운동생리학. 대경북스.

제2장

세포와 물질이동

01 세 포

① 세포의 구조

세포(cell)는 모든 생물의 가장 작은 구성단위이다. 세포막(cell membrane)이라고 하는 얇은 막 안에는 살아 있는 액체인 세포질(cytoplasm)이 들어 있다. 세포는 사이질액(interstitial fluid) 또는 조직액(tissue fluid)이라고 하는 액체 속에 잠겨 있고, 세포질 안에는 여러 구조체들이 들어 있다.

세포질 안에 들어 있는 구조체들은 각각 맡은 바 역할이 다르다. 그것들이 하는 역할의 최종 목표는 생명을 유지하고 자손을 번식시키는 것이다. 그러기 위해서 세포와 사이질 사이에서는 여러 가지 물질들을 주고받는다. 즉 필요한 물질을 사이질로부터 받아들여 에너지를 산출하거나 다른 물질을 합성하고, 그 과정에서 생긴 노폐물을 사이질로 배출한다.

인체에는 약 200 종류의 세포가 있는데, 가장 작은 세포는 림프구로 지름이 $5\mu m$ 정도이고, 가장 큰 세포는 난자로 지름이 $200\mu m$ 정도이며, 평균 크기는 $10 \sim 30\mu m$ 정도이다. 세포의 기본적인 구조는 크기와 관계없이 모두 같다.

세포질 안에 들어 있는 주요 구조체와 그들의 역할은 다음과 같다.

❖ **세포막(cell membrane)** 세포의 안과 밖을 나누고, 이중 인지질로 구성되어 있어서 물질을 주고받을 수 있다.

❖ **핵(nucleus)** 세포 가운데에 있으며, 현미경으로 보면 작은 공과 같이 단단하게 보인다. 핵 안에는 세포의 유전정보가 대부분 들어 있고, 그 유전정보가 세포 안에 들어 있는 소기관들은 물론이고 세포의 증식 과정도 조절한다. 세포핵은 두 겹으로 된 핵막으로 둘러싸여 있고, 핵막에는 핵구멍이라는 구멍이 뚫려 있어서 핵 속에 들어 있는 핵질과 핵을 둘러싸고 있는 물질 사이에서 물질교환이 이루어진다.

❖ **세포질(cytoplasm)** 세포막과 핵을 뺀 부분으로 대부분이 물이며, 단백질·포도당·이온 등을 포함한 콜로이드상태의 액체이다.

❖ **리보솜(ribosome)** 아미노산을 연결하여 단백질을 합성한다. 세포질그물(소포체)에 붙어 있는 부착리보솜(attached ribosome)과 세포질 안에서 이리저리 떠다니

는 유리리보솜(free ribosome)이 있다.

❖ **세포질그물(소포체)(endoplasmic reticulum)** 작은 주머니와 관이 연결되어 있는 막시스템(membrane system)으로 세포질 전체에 퍼져 있다. 관처럼 생긴 통로는 단백질과 기타 물질을 세포질의 한 구역에서 다른 구역으로 이동시키는 물질수송 역할을 한다. 리보솜이 부착된 과립세포질그물(granular ER)과 리보솜이 부착되지 않은 무과립세포질그물(agranular ER)이 있다. 과립세포질그물은 단백질합성에 관여하고, 무과립세포질그물은 지질대사와 관계가 있다.

❖ **골지체(Golgi apparatus)** 핵 근처에 쌓여 있는 작고 납작한 주머니들이다. 세포질에서 만들기 시작한 단백질을 계속해서 더 복잡한 구조로 만들거나, 탄수화물과 단백질을 합성해서 당단백질을 합성한다.

❖ **미토콘드리아(mitochondria)** 아주 작은 구조체이기 때문에 사립체(모래알갱이 같이 생긴 구조체)라고도 한다. 에너지의 기초가 되는 ATP를 합성한다.

❖ **라이소솜(lysosome)** 가수분해를 촉진시키는 효소가 들어 있어서 큰 음식물 분자를 작은 조각으로 나누는 소화작용도 할 수 있고, 세포에 침투한 미생물도 분해시킬 수 있다. 즉 세포 안으로 침투한 미생물에 의해서 세포가 파괴되는 것을 방지하는 조력자 역할을 한다.

❖ **중심소체(centriole)** 세포 안에 있는 구조체를 만들고 이동시키는 역할을 한다. 즉 세포 분열을 할 때 염색체를 좌우로 끌어당겨서 이동시킨다.

❖ **소포(vesicle)** 세포 내에서 만들어진 물질이 들어 있는 주머니로, 안의 물질은 세포막에서 방출된다.

❖ **미세융모(microvilli)** 일부 세포에만 있고, 세포의 표면적을 넓혀서 세포의 흡수능력을 증가시킨다. 예를 들어 작은창자의 속벽에 있는 세포들은 미세융모가 있어서 영양물질의 흡수속도를 증가시킨다.

❖ **섬모(cilia)** 세포의 표면에 머리카락처럼 아주 가늘게 뻗어나온 돌기로, 곤충의 더듬이처럼 세포 주위의 환경을 감지할 수 있게 해준다. 미세융모보다 약간 더 크고, 안에 미세관이 있어서 똑바로 서 있을 수 있다. 모든 세포에는 적어도 1개 이상의 섬모가 있다.

❖ **편모(flagellum)** 세포 표면에서 한 줄기로 뻗어 나온 가지로, 섬모보다 더 크고, 움직일 수 있다. 인체의 세포 중에서는 정자세포만이 편모를 가지고 있다.

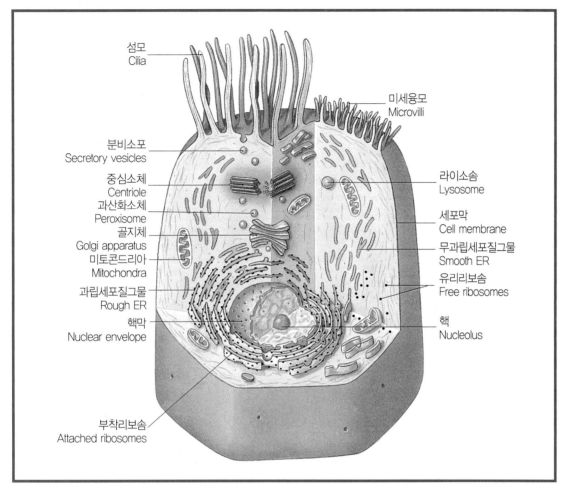

섬모
Cilia

미세융모
Microvilli

분비소포
Secretory vesicles

중심소체
Centriole

과산화소체
Peroxisome

골지체
Golgi apparatus

미토콘드리아
Mitochondra

과립세포질그물
Rough ER

핵막
Nuclear envelope

라이소솜
Lysosome

세포막
Cell membrane

무과립세포질그물
Smooth ER

유리리보솜
Free ribosomes

핵
Nucleolus

부착리보솜
Attached ribosomes

▶ **그림 2-1** 세포의 구조와 활동

❷ 유전정보와 단백질의 합성 ▪▪▪▪▪▪▪▪▪▪▪▪▪▪▪▪▪▪▪▪▪▪▪▪▪▪▪▪▪▪▪▪▪▪▪▪▪▪

■ 핵산

핵산(nucleic acid)은 세포의 '핵 안에 들어 있는 산성 물질'인데, 세포의 핵 이외
의 곳에도 들어 있다. 핵산을 만드는 기본적인 단위물질을 뉴클레오타이드(nucleotide)
라고 한다. 여러 개의 뉴클레오타이드가 연결되어 있는 복합체가 핵산이다.

뉴클레오타이드는 '염기 1개 + 당 1개 + 인산 1개 이상'으로 구성되어 있다. 뉴클레오타이드를 구성하는 염기의 종류, 당의 종류, 그리고 결합한 인산의 수에 따라 종류가 달라진다.

뉴클레오타이드를 구성하는 염기와 당의 종류는 다음과 같다.

❖ **염기** 퓨린계열 → 아데닌, 구아닌

　　　　피리미딘계열 → 사이토신, 티민, 우라실

❖ **당** 디옥시리보스(deoxyribose), 리보스(ribose)

◆ 염기를 두 가지 계열로 나누어 놓은 이유는 DNA나 RNA를 만들 때 같은 계열 끼리는 결합하지 않고 다른 계열이 상보적으로 결합되기 때문이다.

◆ 당 중에서 디옥시리보스를 가지고 있는 뉴클레오타이드가 여러 개 모여서 만들어진 핵산을 DNA, 리보스를 가지고 있는 뉴클레오타이드가 여러 개 모여서 만들어진 핵산을 RNA라고 한다.

◆ '리보스 1개 + 아데닌 1개 + 인산 3개'로 만들어진 아주 단순한 핵산이 아데노신3인산(ATP : adenosine triphosphate)이다. ATP는 세포의 에너지를 저장하고 전달하는 역할을 한다.

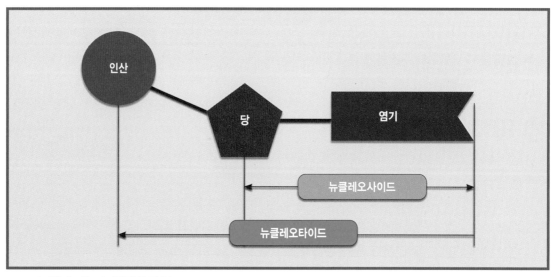

▶ **그림 2-2** 뉴클레오타이드

뉴클레오타이드는 몸속에서 다양한 방법으로 합성되며, 실험실에서 인공적으로 합성할 수도 있다. 염기와 당만 있고, 인산이 없는 물질은 뉴클레오사이드(nucleoside)라고 한다.

■ DNA와 RNA

DNA는 디옥시리보스·염기·인산으로 구성된 뉴클레오타이드의 결합체인데, 1953년 왓슨과 클리크가 X선 회절 사진을 이용하여 이중 나선 구조임을 밝혔다. DNA에 있는 두 가닥의 사다리에서 골격은 당(디옥시리보스)과 인산으로 연결되어 있고, 가닥과 가닥 사이에 있는 염기와 염기는 약한 수소 결합으로 연결되어 있다.

아데닌(A)은 티민(T)과, 구아닌(G)은 사이토신(C)과 각각 상보적(서로 모자란 부분을 보충하는 관계)으로 결합되어 있다. 이것은 염기와 염기의 결합이 비교적 결합력이 약한 수소 결합으로 되어 있어서 어떤 힘이 가해지면 이중 나선이 단일 나선으로 풀릴 수도 있다. 그러다 외부의 힘이 사라지면 다시 이중 나선으로 되돌아간다.

DNA 분자는 A, T, G, C의 4가지 염기로 암호문을 만드는데, 4가지 중 반드시 3개가 자유롭게 만나 암호문을 만든다. 따라서 AGT, AGC, ATC, ACG 등 64가지 암호문을 만들 수 있다. 이와 같이 3개의 염기로 된 암호를 코돈(codon)이라 한다. 코돈은 전령RNA상의 유전암호의 기본단위이다.

코돈이 64종류라고 해서 단백질의 종류가 64가지라는 것은 아니다. 단백질은 여러 개의 아미노산이 연결된 복합체이기 때문에 연결된 아미노산의 종류와 개수에 따라서 수없이 많은 종류의 단백질이 있을 수 있다.

DNA 가닥의 염기 배열 순서에 따라(코돈에 따라) 만들어지는 뉴클레오타이드의 종류가 달라지기 때문에 'DNA 가닥에 배열되어 있는 염기의 순서'가 바로 유전정보(genetic information)가 된다.

RNA는 리보스·염기·인산으로 구성되는 뉴클레오타이드의 결합체이고, RNA의 염기는 아데닌·구아닌·우라실·사이토신이다. 즉 RNA에는 DNA의 티민(thymine) 대신에 우라실(uracil)이 들어 있고, 우라실은 항상 아데닌(adenine)과 짝이 된다.

그림 2-3처럼 대부분의 경우 DNA는 염기쌍을 이루는 데 반하여 RNA는 염기쌍을 이루지 않기 때문에 1가닥의 나선 구조를 이루고 있다.

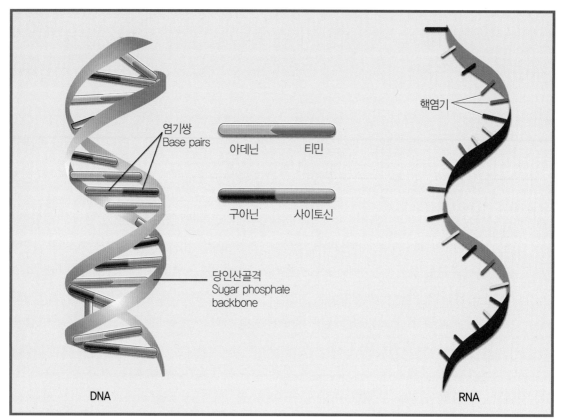

염기쌍
Base pairs

아데닌   티민

구아닌   사이토신

당인산골격
Sugar phosphate
backbone

DNA

핵염기

RNA

▶ **그림 2-3**   DNA와 RNA의 구조

■ 단백질의 합성

신체를 성장시키거나 파손된 신체의 일부를 수리해야 할 때에는 단백질을 새로 만들어야(합성해야) 한다. 이때 신체의 부위에 적합한 단백질을 정확하게 합성해야 한다. 예를 들어 손톱을 자라게 하려고 단백질을 합성했는데 잘못해서 눈동자를 만드는 단백질을 합성했다고 하면 어떻게 될지 상상해보면 알 수 있을 것이다.

그런데 인간의 모든 유전정보는 DNA 안에 저장되어 있고, DNA 1개에 저장되어 있는 유전정보의 양은 대단히 많다. 이 때문에 DNA의 극히 일부만 복사해서 복사본을 만든 다음, 그 복사본을 보고 단백질을 합성한다. 이때 복사본에 해당하는 것을 전령 RNA(mRNA : messenger RNA)라고 한다.

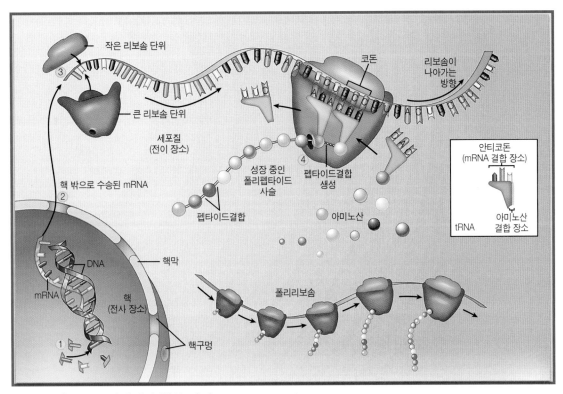

▶ **그림 2-4** 단백질의 합성 과정

① 단백질합성은 전사로부터 시작된다. 전사 과정 중에 세포핵 안에 있는 DNA 분자에 있는 일련의 유전자 순서에 따라 mRNA 분자가 만들어진다. mRNA 분자가 완성되면 DNA 분자에서 떨어져 나온다.

② 그다음에는 커다란 핵구멍을 통해 mRNA가 핵을 떠나 세포질로 이동한다.

③ 핵 밖에서 리보솜의 아단위가 mRNA 분자의 머리에 붙으면 전이과정이 시작된다.

④ 전이과정 중에 tRNA분자가 mRNA 코돈에 암호로 기록된 특정 아미노산을 리보솜 안으로 가져온다. 아미노산들이 적절한 순서로 배열되면 펩타이드결합을 하여 폴리펩타이드라는 긴 가닥을 만든다. 완전한 단백질분자를 만들기 위해 여러 개의 폴리펩타이드가 사슬로 연결될 때도 있다.

세포 내에서 단백질이 합성되는 과정을 요약하면 다음과 같다.

◆ 세포의 핵 안에 뭉쳐진 상태로 있던 DNA의 사슬이 풀려(복사하려는 부분만) 나선형 구조가 뚜렷하게 나타난다.

◆ 전령 RNA가 DNA의 염기에 맞추어 늘어서고 이어진다. 이것은 사진의 음화(negative)와 비슷하기 때문에 DNA의 복사본이라고 한다. 이와 같이 DNA의 일부를 복사해서 전령 RNA를 만드는 과정을 전사(轉寫, transcription)라고 한다.

● 전령 RNA가 핵에서 나오면 과립세포질그물에 부착된 리보솜에 붙는다.

● 전령 RNA의 염기 3개가 하나의 단위(코돈, codon)가 되어서 특정한 아미노산을 지정한다.
● 코돈을 보고 전달 RNA(transfer RNA : tRNA)가 코돈이 나타내는 특정 아미노산을 리보솜이 있는 곳으로 운반해 온다.
● 전달 RNA가 운반해오는 아미노산을 리보솜이 차례차례 연결해나간다. 이 과정을 유전자 암호를 해독(translation)한다고 한다.
● 필요한 단백질이 완성되면 그 단백질을 사용할 곳으로 보낸다.

❸ 세포의 증식

　'사람'이라고 하는 하나의 유기체(살아 있는 생물)가 '태어나서 성장하여 성인이 된 다음 자손을 남기기 위해서 아이를 낳고, 늙어서 죽는' 과정을 거치는 데 걸리는 시간, 즉 수명은 사람마다 다르기는 하지만 평균 80~90년 정도이다.

　그러나 신체를 이루고 있는 세포의 수명은 개체의 수명과는 전혀 다르다. 세포가 있는 위치와 하는 역할에 따라 수명이 각각 달라서 짧게는 2~3일, 길게는 2~3개월 정도 된다. 어떤 사람이 70년을 살았다고 하면 그 사람을 구성하고 있던 세포들은 수천 또는 수만 번 태어나서 죽기를 반복한 것이다.

■ 체세포 분열

　사람이 태어난 다음 성장하려면 신체를 구성하는 세포의 크기 자체가 커지거나, 세포의 수가 증가해야 한다. 세포의 크기가 커지려면 단백질을 합성하고, 세포질의 양을 증가시켜야 한다. 그리고 세포의 수를 증가시키려면 하나의 세포를 둘로 분열시켜야 한다.

　인체를 구성하고 있는 하나의 세포를 크기는 작아지지만 유전자는 똑 같이 가지고 있는 두 개의 세포로 쪼개는(복제하는) 것을 체세포 분열(somatic cell division)이라고 한다.

　체세포 분열 과정을 요약하면 표 2-1과 같다.

▶ **표 2-1** 체세포 분열 과정

시기 구분		내용 설명	그림
사이기 (interphase)		● 휴지기(休止期) 또는 간기(間期)라고 한다. ● 유전정보를 가지고 있는 DNA를 스스로 복제해서 원본과 복사본 2개를 가지게 된다*. ● 세포의 일생 중에서 대부분의 시간은 사이기 상태이다. ● DNA분자가 뭉쳐져 있지 않고 긴 실 모양이기 때문에 염색사라고 한다.	
분열기	전기	● DNA 복제가 끝나면 염색사들이 뭉쳐서 염색체가 된다. ● 핵막이 사라져서 염색체가 이동할 수 있는 공간을 확보한다. ● 원본과 복사본이 묶여 있는 것 전체를 염색분체, 묶여 있는 곳을 중심절이라 한다. ● 실 모양의 긴 DNA분자를 몇 토막으로 자른 다음 막대기 형태로 두껍게 만든 것이 염색체이다.	
	중기	● 염색체들이 세포의 적도면에 일렬로 늘어선다. ● 중심소체(centriole)로부터 방추사가 나와서 중심절에 붙는다. ● 방추사가 중심절에 부착된다.	
	후기	● 염색체가 작은 그림처럼 나뉜 다음 방추사에 의해서 세포의 양쪽 가로 끌려간다. ● 분열고랑이 생기기 시작한다.	
	말기	● 나뉘진 염색체가 서로 섞일 염려가 없을 정도로 떨어지면 핵막이 나타난다. ● 염색체가 점차적으로 염색사 형태로 바뀐다. ● 세포질이 나뉘진다.	

스스로 복제하는 과정을 좀더 자세하게 설명하면 다음과 같다(표 2-1에서 *부분).

▶DNA 분자의 한쪽 끝부터 이중 나선형 구조로 변하면서 사다리 모양이 분명해진다. → ▶사다리의 두 다리 사이를 연결하고 있던 염기의 수소결합이 풀리면서 2개의 외줄 사다리 모양이 된다. → ▶각각의 외줄 사다리에 붙어 있는 1개의 염기가 염색질 안에서 보상염기(아데닌은 구아닌, 티민은 사이토신)를 끌어와서 결합한다. → ▶그러면 2개의 외줄 사다리 같이 생겼던 것이 2개의 두 줄 사다리 모양으로 바뀐다.

■ 생식세포 분열

종(種)을 보존하기 위해서 세포분열을 한다는 의미에서는 생식세포 분열이라 한다. 본래 23쌍(46개)이었던 염색체의 수가 세포분열을 하고 나면 반으로(23개로) 줄어드는 세포분열이라는 의미에서 감수분열(meiosis)이라고 한다. 생식세포 분열은 남성의 고환과 여성의 난소에서만 일어나는 아주 특별한 세포분열이다.

생식세포 분열을 시작하는 세포가 모세포(mother cell)이다. 모세포는 보통의 체세포보다 크기가 크지만 유전인자(염색체)는 똑같이 23쌍 가지고 있다. 모세포가 생식세포로 분열된 결과로 생긴 세포가 딸세포(daughter cell)이다. 딸세포의 유전인자는 모세포의 절반인 23개이다.

남성의 딸세포(정자)와 여성의 딸세포(난자)가 합쳐진 것이 수정란(fertilized ovum)이다. 수정란은 체세포 분열, 단백질 합성, 필요한 물질 흡수 등을 계속하면서 태아 → 신생아 → 유아 → 소아 … 로 성장한다.

생식세포 분열 과정을 요약하면 표 2-2와 같다.

▶ **표 2-2** 생식세포 분열 과정

시기 구분	내용 설명	그림
사이기 (interphase)	● 체세포 분열과 같다. 즉 자가 복제를 해서 원본과 복사본을 염색사 형태로 함께 가지고 있다.	

생식세포 제1분열기	전기	●체세포 분열에서와 같이 염색체가 형성되기 시작하고, 핵막이 사라지며, 방추사가 생기기 시작한다. ●그러나 원본과 복사본이 하나로 묶인 염색분체 2개가 단단히 결합되어 있는 상태로 나타난다. 즉 상동염색체의 염색분체가 묶여 있는 2가염색체가 나타난다.	상동 염색체 2가 염색체
	중기	●2가염색체의 상태로 적도에 정렬하고, 방추사가 중심절에 붙는다.	
	후기	●상동염색체끼리 결합되어 있는 것을 분리해서 양쪽으로 하나씩 끌고 간다.	
	말기	●핵막이 생기고 세포질이 분리되어 2개의 딸세포가 된다. ●그러므로 딸세포의 유전인자(염색체)는 23쌍이 아니라 23개이다. 원본과 복사본은 그대로 붙어 있다.	

생식세포 제1분열기	전기	● 딸세포가 가지고 있는 원본 염색체와 복사본 염색체를 분리 하는 것이 제2분열이다. 그러므로 염색체의 수는 변하지 않 는다. ● 제1분열이 끝나자마자 핵막이 사라지고, 방추사가 다시 생기 면서 제2분열이 시작된다.	
	중기	● 적도에 염색체가 정렬하고, 방추사가 중심절에 부착된다. ● 체세포 분열과 마찬가지로 원본염색체와 복사본염색체만 서 로 붙어 있다.	
	후기	● 방추사가 원본염색체와 복사본염색체를 분리해서 양쪽 가로 끌고 간다. ● 핵막과 분열고랑이 생기기 시작한다.	
	말기	● 원본과 복사본을 나누어 놓은 것이므로 염색체의 수에는 변 함이 없이 그대로 23개씩이다. ● 결과적으로 염색체가 23개인 딸세포 4개가 완성되었다.	

체세포 분열과 생식세포 분열의 차이점을 알기 쉽게 정리하면 표 2-3과 같다.

▶ **표 2-3**   체세포 분열과 생식세포 분열의 차이

구분		체세포 분열	생식세포 분열
분열하는 횟수		1회	연속 2회
생성되는 딸세포의 수		2개	4개
염색체 수의 변화		변화 없다($2n{\rightarrow}2n$)	반으로 줄어든다($2n{\rightarrow}n$)
2가염색체 형성 여부		형성되지 않는다.	형성된다.(1분열에서만)
세포분열 장소	동물	온몸의 체세포	정소, 난소
	식물	생장점, 형성층	꽃밥, 밑씨
분열 결과 (세포분열의 의의)		생장, 재생, 무성생식	유성생식을 위한 생식세포의 형성

02 세포막을 통한 물질의 이동

우리의 몸에 있는 세포들이 생명을 유지하고, 크기가 커지거나 작아지고(성장과 노쇠), 자손을 번식시키기(증식) 위해서는 세포의 안과 밖에서 물질을 주고받아야 한다. 즉 세포막을 통해서 물질이 이동할 수 있어야 한다.

세포막을 통해서 물질이 이동하는 방법을 크게 수동적인 방법과 능동적인 방법으로 나눈다. 자연에서 물이 위에서 아래로 흐르듯이 내버려두어도 저절로 세포막을 통과해서 물질이 이동하는 것이 수동적 수송(passive transport)이다. 자동차나 배를 이용해서 필요한 물건을 나르듯이 에너지를 사용해서 세포의 밖에서 안으로, 또는 안에서 밖으로 물질을 이동하는 것이 능동적 수송(active transport)이다.

세포막을 통해서 물질이 이동하는 방법을 알기 위해서는 세포막의 구조와 특별한 성질을 먼저 알아야 한다.

① 세포막의 구조와 특성 ···

　세포막은 두 겹의 인지질층에 소량의 단백질과 포도당이 박혀 있고, 콜레스테롤 분자가 양쪽 표면을 덮고 있는 구조이다. 인지질층의 한쪽(세포막의 바깥쪽)은 물과 쉽게 붙어 있을 수 있는 친수성이고, 반대쪽은 물을 싫어하고 기름과 쉽게 붙어 있을 수 있는 소수성이다.

　세포막이 두 겹의 인지질층으로 구성되어 있기 때문에 세포막 안쪽에 들어 있는 핵산이나 아미노산과 같은 물질은 세포막을 통과하기 어렵고, 물이나 산소 같은 물질은 세포막을 쉽게 통과할 수 있다.

　세포막의 바깥쪽 표면에 붙어 있는 포도당사슬(glucose chain)은 자신의 세포와 외부에서 침입해 들어온 세포를 구별하는 역할을 한다. 세포막에 박혀 있는 단백질은 분자의 크기가 큰 물질을 이동시키는 통로 역할을 하거나, 세포막의 안과 밖 사이에 메시지를 전달하는 소통 창구 역할(메신저의 역할, 수용체의 역할)을 한다.

　그러므로 아무런 물질이나 세포막을 자유롭게 통과할 수 있는 것이 아니라 "세포막을 통과해서 안 또는 밖으로 이동할 수 있는 물질은 정해져 있다." 세포막의 이

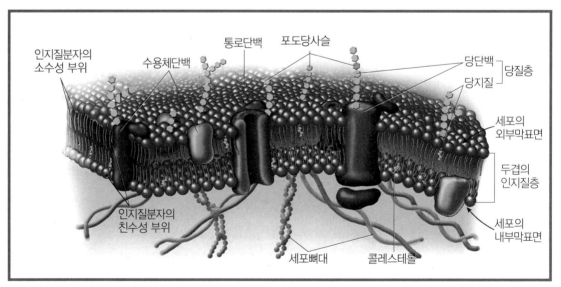

▶ **그림 2-5** 세포막의 구조

러한 특성을 "세포막은 반투막이다." 또는 "세포막은 물질을 선택적으로 투과시킨다."라고 표현한다.

❷ 수동적 수송

기본적인 자연법칙 중에 "모든 물질은 서로 섞여서 균등하게 되려고 한다."라는 법칙이 있다. 예를 들어 쌀과 모래를 함께 놓아두면 저절로 섞일 수는 있지만, 쌀은 쌀끼리 모이고, 모래는 모래끼리 모여서 따로따로 갈라지지 않는다. 또 찬물과 더운 물을 놓아두면 찬물은 더 차가워지고 더운물은 더 뜨거워지는 것이 아니라, 시간이 지나면 온도가 같아진다.

이러한 자연법칙에 따라서 세포의 안과 밖에 있는 물질이 이동해서 서로 균등하게 되려는 것이 수동적 수송(passive transport)이다. 물질은 저절로 이동하므로 자연적 이동이라고 하는 것이 더 타당하지만, 능동적 수송(active transport)과 대비시키려고 수동적 수송이라고 한다. 물질이 저절로 세포막을 통과해서 이동하는 수동적 수송에는 확산, 삼투, 투석, 여과가 있다.

■ 확산

그림 2-6의 첫 번째 그림의 왼쪽처럼 농도가 높은 용액과 농도가 낮은 용액이 세포막을 사이에 두고 나누어져 있다고 하자. 시간이 지나면 오른쪽과 같이 세포막 양쪽에 있는 용액의 농도가 저절로 같게 되는 것을 확산(diffusion)이라고 한다.

확산이 일어나려면 다음의 두 가지 조건이 충족되어야 한다.

◆ 세포막 양쪽에 있는 용액의 농도가 달라야 한다. 농도차이가 크면 빠른 속도로 확산이 일어나고, 농도차이가 적으면 확산되는 속도가 느려진다. 농도차이가 없어지면 더 이상 확산이 일어나지 않는다.

◆ 용액에 녹아 있는 물질의 분자 크기가 세포막을 통과할 수 있을 정도로 작아야 한다. 혈액 속에 있는 적혈구나 단백질은 분자 크기가 너무 크기 때문에 세포막 안과 밖의 농도차이가 있더라도 확산이 일어나지 않는다.

분자의 크기가 너무 커서 확산이 되지 않는 물질 중에서 일부의 물질은 세포막을 통과해서 확산이 일어나는데, 그것을 촉진확산이라고 한다. 앞 절 '세포막의 구조와 특성'에서 세포막에 단백질이 박혀 있다는 것과, 세포막에 박혀 있는 단백질은 "분자의 크기가 큰 물질의 통로 역할을 한다."고 한 것을 기억하는가?

그림 2-6의 오른쪽 그림에서 통로 단백질은 구멍이 커서 그냥 지나갈 수 있도록 허용하고, 운반체 단백질은 구멍이 위아래로 벌어지면서 단백질을 통과시킨다. 이 때도 에너지가 소비되지 않기 때문에 확산에 포함시킨다. 세포막의 아무데나 통과할 수 있는 것을 단순확산(simple diffusion), 세포막에 박혀 있는 단백질을 통과하는 것을 촉진확산(facilitated diffusion)이라고 한다.

인체에서 확산에 의해서 물질이 이동하는 예로는 허파꽈리에서 산소와 이산화탄소를 교환하는 것과 신경임펄스가 전도될 때 나트륨이온이 신경세포 안으로 이동하는 것 등이 있다.

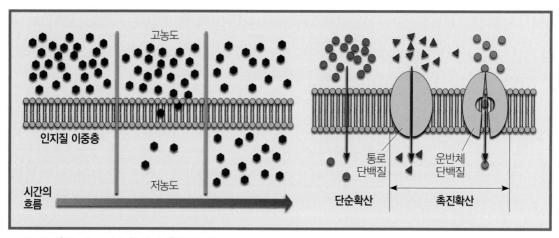

▶ **그림 2-6** 단순확산과 촉진확산

■ **삼투**

확산을 다른 각도에서 설명하면 '세포막을 사이에 두고 있는 두 용액의 농도가 다를 때 녹아 있는 물질의 분자가 이동해서 두 용액의 농도가 균일하게 되는 것'이라고 할 수 있다. 그런데 녹아 있는 물질의 분자가 너무 커서 통로 단백질이나 운반체 단백질을 이용한 촉진확산도 안 되면 어떻게 될까?

답은 물 분자의 이동이다. 녹아 있는 물질의 분자가 너무 커서 세포막을 통해서
이동할 수 없으면 분자의 크기가 아주 작은 편인 물 분자가 대신 이동해서 양쪽의
농도를 균일하게 만드는데, 이것을 삼투(osmosis)라고 한다.

　그림 2-7의 왼쪽은 저농도와 고농도의 반투막(세포막)을 사이에 두고 같은 양의
물이 들어 있다. 그런데 시간이 지나면 물 분자가 고농도쪽으로 이동한다. 그러면 저
농도였던 용액은 물이 줄었으므로 농도가 조금 올라가고, 고농도였던 용액은 물이
증가했으므로 농도가 조금 내려간다. 그러면서 시간이 어느 정도 더 흐르면 양쪽 용
액의 농도가 같아진다. 그렇지만 용액의 양은 고농도였던 쪽이 더 많게 된다.

　한마디로 삼투란 녹아 있는 물질 분자는 가만히 있고 물 분자가 이동해서 두 용액
의 농도를 똑 같게 만드는 것이다. 우리가 농도가 '높다' 또는 '낮다'고 하는 것은 녹
아 있는 물질의 양에 따라서 판단한다. 그러나 물의 양을 기준으로 생각한다면 저농
도 용액은 물의 농도가 높고, 고농도 용액은 물의 농도가 낮다. 그러므로 삼투는 '물
의 농도가 높은 곳에서 물의 농도가 낮은 곳으로 물이 이동하는 것'이라고 설명하는
사람도 있다.

　그림 2-7에서 볼 수 있듯이 삼투가 진행되면 어느 한쪽 용액의 양이 더 많아지
기 때문에 수압에 차이가 생기는데, 그것을 삼투압(osmotic pressure)이라고 한다.
삼투압은 물이 많은 곳에서 적은 곳으로(고농도에서 저농도로) 이동시키려는 것이

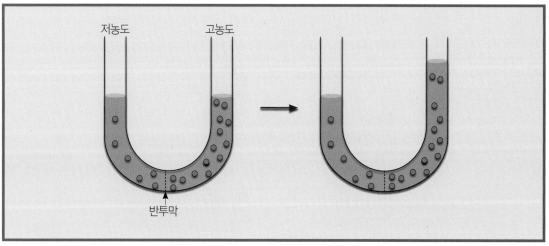

▶ **그림 2-7**　삼투

기 때문에 삼투는 한없이 계속될 수 없다.

인체에서 삼투가 일어나는 예로는 혈액 속에 들어 있는 적혈구는 분자가 너무 커서 세포막을 통해서 이동할 수 없어서 물 분자가 이동하는 것이다. 링거주사를 맞을 때 링거액의 농도가 적혈구의 세포질보다 농도가 높으면 적혈구의 세포질 안에 있는 물이 빠져나와서 적혈구가 쪼글쪼글해지고, 반대이면 적혈구 안으로 물이 들어가서 적혈구가 팽팽해지다가 결국에는 터져버린다. 이러한 현상을 삼투성용혈(osmotic hemolysis)이라 한다. 삼투성용혈을 예방하기 위해서는 링거액과 혈액의 농도를 정확하게 맞추어야 한다.

■ 투석

용액(solution)은 물(용매) 속에 한두 가지 물질이 녹아서 이온 또는 분자 상태로 들어 있는 것을 말한다. 그러나 미숫가루 음료에는 설탕처럼 물에 녹아 있는 물질도 있지만, 쌀가루나 콩가루처럼 물과 그냥 섞여 있는 입자도 있다. 이와 같이 용액에 녹아 있는 물질과 섞여 있는(분산되어 있는) 물질이 동시에 존재하고 있는 용액을 콜로이드(colloid)라고 한다.

우리 몸속에 있는 혈액에는 적혈구·백혈구·림프구와 같은 세포도 들어 있고, 혈소판·탄수화물·지방·단백질·호르몬·비타민처럼 분산되어 있는 물질도 있으며,

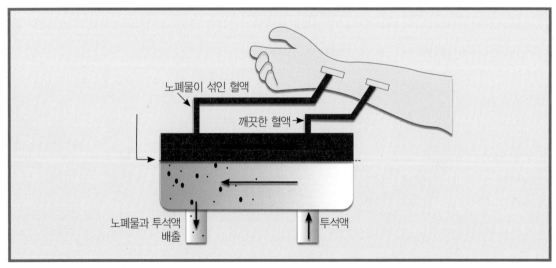

▶ **그림 2-8** 투석

요소질소와 나트륨처럼 녹아 있는 물질도 있다. 즉 혈액은 전형적인 콜로이드이다.

평소에는 콩팥에서 혈액에 들어 있는 불필요한 물질들을 걸러내서 혈액을 정화시키지만, 콩팥에 이상이 생기면 투석을 한다. 투석은 그림 2-8처럼 반투막을 사이에 두고 한쪽에는 혈액(콜로이드), 반대쪽에는 투석액(맑은 물)이 흐르도록 만든 장치이다.

그러면 혈액 중에 있는 물질 중에서 크기가 큰 세포나 단백질과 같은 것들은 반투막을 빠져나가지 못하고, 요소질소와 나트륨은 분자 또는 이온의 크기가 작기 때문에 반투막을 빠져나간다. 이때 투석액을 계속해서 바꿔주면 반투막을 빠져나간 요소질소와 나트륨이 계속 흘러나가므로 농도가 높아지지 않고 계속해서 혈액이 정화된다. 이와 같이 콜로이드에 반투막을 접촉시켜서 작은 입자들만 걸러내는 것을 투석(dialysis)이라고 한다.

■ 여과

두부를 만들 때에는 콩을 맷돌로 갈아서 끓인 물을 천으로 만든 주머니 안에 넣고 긴 막대기로 압력을 가하여 천에서 두부가 빠져나오게 한다. 이와 같이 막의 안쪽과 바깥쪽의 압력이 다르면 압력이 높은 쪽에서 낮은 쪽으로 막을 통하여 물질이 이동하는 현상을 여과(filtration)라고 한다.

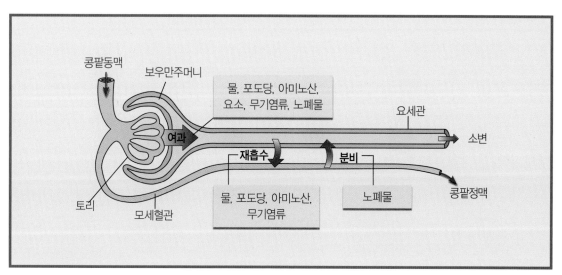

▶ **그림 2-9** 여과

체내에서는 콩팥의 토리(사구체)에서 혈액을 여과한다. 그림 2-9에서 볼 수 있는 것처럼 혈액은 콩팥동맥에서 토리를 지나 콩팥정맥쪽으로 흐른다. 이때 토리의 모세관을 지나가는 혈액의 압력이 대단히 높기 때문에 혈액 속에 들어 있는 액체 성분(물, 포도당, 아미노산, 요소, 무기염류, 노폐물 등)이 토리의 혈관벽에 있는 구멍을 통해서 밖으로(보우만주머니 안으로) 빠져나오게 된다.

토리에서 여과된 액체 성분의 약 98%는 재흡수되어서 콩팥정맥 안으로 다시 들어가고, 남은 2%와 다시 버려지는(분비되는) 노폐물은 소변으로 배출된다.

❸ 능동적 수송

확산·삼투·투석·여과와 같은 수동적 수송은 모두 "높은 곳에 있는 물은 저절로 낮은 곳으로 흐른다."는 자연법칙을 따르는 것이다. 즉 농도가 높든 압력이 높든 전위가 높든 물질은 높은 쪽에서 낮은 쪽으로 저절로 이동하게 된다.

그러나 세포가 생명을 유지하기 위해서는 저절로 흘러들어오는 물질 외에 꼭 필요한 물질을 외부에서 끌어 들여오거나 불필요한 물질을 세포 밖으로 끌고 나가서 버려야 한다. 이때는 물질이동이 저절로 일어나는 것이 아니라 일부러 이동시켜야 하기 때문에 에너지를 소비해야 한다. 에너지를 사용해서 물질을 이동시키는 것을 능동

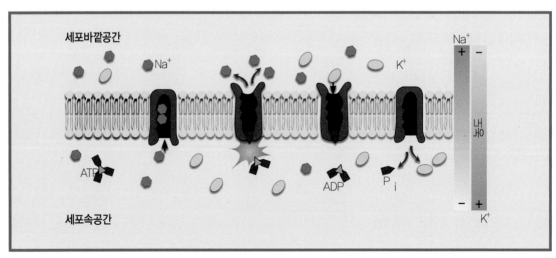

▶ **그림 2-10** 능동적 수송(나트륨-칼륨펌프의 ADP 방출)

적 수송(active transport)이라고 한다. 능동적 수송에는 이온펌프와 포식(포음)작용이
있다.

■ 이온펌프

세포막을 가로질러 이온을 능동적으로 수송하는 것을 이온펌프(ion pump)라 한
다. 인체에서 일어나는 이온펌프에는 나트륨-칼륨펌프, 나트륨펌프, 칼륨펌프, 칼슘
펌프, 수소펌프 등이 있다. 어떤 이온펌프가 되었든 농도기울기 또는 전위기울기를
거슬러 올라가는 것이기 때문에 ATP를 분해할 때 생기는 에너지를 이용해야 하고,
운반체 단백질이 있어야 이온펌프가 작동되기 때문에 운반체 단백질 자체를 펌프
(pump)라고 한다.

세포막은 두 겹의 인지질층으로 구성되어 있기 때문에 투과할 수 있는 가능성이
분자 또는 이온마다 다르다. 예를 들어 작고 전하가 없는 분자(무극성 분자)는 통과
하기 쉽고, 크고 전하가 있는 분자(이온)는 통과하기가 어렵다. 그러므로 전하를 가
지고 있는 이온을 세포막을 투과해서 반대쪽으로 이동시키려면 에너지를 사용해야
이동이 가능하다.

인체의 대표적인 이온펌프는 나트륨-칼륨펌프(sodium-potassium pump)이다.
그림 2-11과 같이 세포막에 박혀 있는 운반체 단백질에 ATP가 결합하면 3개의

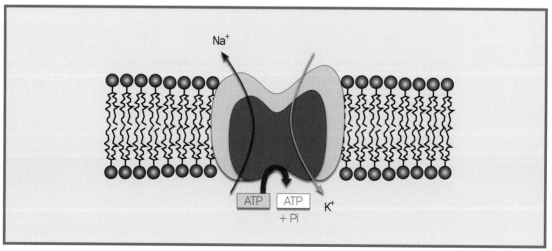

▶ **그림 2-11** 나트륨-칼륨펌프

Na^+ 이온을 세포막 밖으로 펌프함과 동시에 2개의 K^+ 이온을 세포막 안으로 펌프한다. 이러한 펌프 작용이 계속해서 일어나면 세포막 밖에 있는 +이온의 수가 더 많아지기 때문에 세포막 밖은 +, 세포막 안은 −로 분극된다. 이것이 바로 신경세포가 평소에 분극되어 있는 이유이다.

평소에 ATP를 사용해서 신경세포의 바깥쪽을 +, 안쪽을 −로 분극시켜 놓고 있다가 신경임펄스가 도착하면 순간적으로 Na^+ 이온의 투과성이 높아져서 세포막 안쪽으로 쏟아져 들어가면 세포 안과 세포 밖의 전위차가 없어지는 것이 탈분극(de-polarization)이다. 그다음에는 다시 나트륨-칼륨펌프가 작동해서 다시 분극되는 것이 재분극(repolarization)이다. 즉 나트륨-칼륨펌프가 있기 때문에 신경세포가 자극을 빠른 속도로 전달할 수 있다.

그밖에 '창자에서 영양물질을 흡수하는 것'과 콩팥의 토리(사구체)에서 혈관 밖으로 빠져나간 여과액 중에 포함되어 있는 영양물질과 이온을 다시 혈관 안으로 빨아들이는 재흡수과정도 나트륨-칼륨펌프가 있기 때문에 가능하다.

■ 포음작용

큰 분자로 이루어진 물질이 세포막 밖에 있을 때 그 물질을 직접 세포 안으로 끌어 들이는 것을 포음작용(pinocytosis)이라 한다. 예를 들어 상당히 큰 수용성 단백질 덩어리나 다량의 염류가 세포외액(조직액)에 있으면 그림 2-12처럼 그 부위의 세포막이 함몰되면서 세포체로 둘러싸버린 다음 세포체 안에 주머니 모양을 만든다.

포음작용과 정반대방향으로 거대분자의 물질이 이동되는 과정을 토세포작용(emiocytosis)이라 한다. 즉 세포 내에 큰 소포(분비과립)가 먼저 생기고, 이것이 점점 세포의 표면 쪽으로 밀려나간 후 세포막의 일부가 터지면서 그 내용물이 세포 밖으로 유출되는 것이다.

이때 세포 안으로 운반된 외부 물질에 라이소솜이 결합해서 분해하여 없애버리게 된다. 세포가 고형물질을 섭취하여 소화하는 과정이 포식작용(phagocytosis)이다. 포식작용의 대상이 되는 물질은 다른 세포들, 세균, 죽은 세포 일부, 외부 입자 등이다.

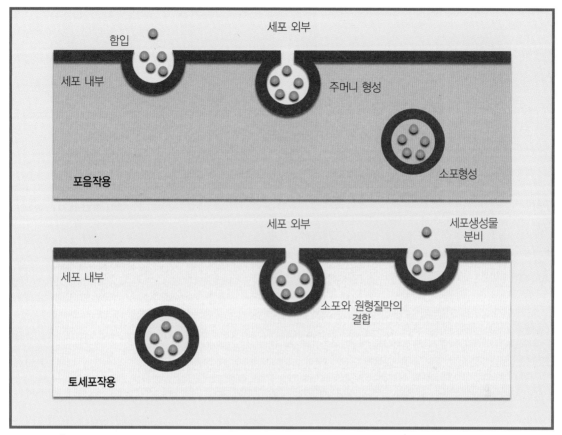

▶ **그림 2-12** 포음작용

제3장

에너지대사와 운동

01 에너지와 대사의 개념

❶ 일과 에너지

'일을 한다'고 하면 땅을 파거나 집을 짓는 것을 연상하게 된다. 이때 땅을 파는 일과 집을 짓는 일의 공통점은 '힘을 들여서 물건(흙 또는 건축 자재)의 위치를 옮겨놓는 것'이다. 그래서

일=사용한 힘 × 옮겨놓은 거리

로 정의한다. 예를 들어 5뉴턴의 힘을 들여서 3미터 이동시켰다면

한 일= 5뉴턴 × 3미터= 15뉴턴 · 미터= 15줄

이 된다.

여기에서 힘, 거리, 일의 단위는 중 · 고등학교에서 이미 배웠지만 기억이 잘 나지 않으면(단위가 당장 중요한 것은 아니므로) 그냥 넘어가기로 하자. 그러나 "힘을 많이 들이거나 이동시킨 거리가 멀수록 한 일의 양이 많다."는 것은 반드시 기억해야 한다.

그리고 사람이 일을 하든 기계가 일을 하든 일을 할 수 있는 능력이 있을 수도 있고 없을 수도 있는데, '일을 할 수 있는 능력'을 에너지(energy)라고 한다. 즉 일을 할 수 있는 능력이 많으면 "에너지가 많다."고 하고, 일을 할 수 있는 능력이 조금밖에 없으면 "에너지가 적다."고 한다.

사람이 일을 할 수 있는 능력이 있는 것은 무엇인가를 먹었기 때문이고, 포클레인이 일을 할 수 있는 것은 기름을 넣었기 때문이다. 사람이 아무것도 먹지 않았다면 일을 할 수 있는 능력은 물론이고 생명을 유지하는 것도 불가능하고, 포클레인에 기름을 넣지 않으면 일을 하는 것은 고사하고 움직이지도 못할 것이다. 그래서 사람이 먹는 음식물이나 기계에 넣는 기름을 에너지원(source of energy)이라고 한다.

사람의 에너지원인 음식물에는 탄수화물 · 단백질 · 지방질, 비타민, 무기염류, 비타민, 수분 등이 들어 있다. 그중에서 탄수화물 · 단백질 · 지방질은 에너지와 직접적으로 관계가 있는 영양소이고, 나머지 영양소들은 에너지를 만드는 데에 간접적으로 도움을 주거나 생명을 유지하는 데에만 관여한다.

❷ 대사

우리가 음식물로 섭취한 영양소들이 체내에서 변화하는 과정을 물질대사(metabolism)라 한다. 특히 에너지와 관련이 깊은 물질대사를 에너지대사(energy metabolism)라고 한다. 그러므로 음식물로 섭취한 탄수화물(당질) · 단백질 · 지방질(지질)이 어떤 화학반응을 거치면서 다른 물질로 변화하는 과정이 에너지대사이다. 에너지대사 과정에서는 반드시 에너지가 방출되거나 저장된다.

에너지대사 과정 중에서 에너지가 저장되는 것을 동화작용(anabolism), 에너지가 방출되는 것을 이화작용(catabolism)이라고 한다.

녹색식물이 태양광선의 에너지를 이용해서 물과 이산화탄소를 합성해서 포도당을 만드는 탄소동화작용(carbon dioxide assimilation)을 하듯이, 우리의 몸속에서도 저분자 물질을 이용해서 고분자 화합물로 만드는 동화작용이 일어나고 있다.

손톱이나 머리카락이 자라는 것은 저분자 화합물질인 아미노산을 이용해서 고분자 화합물질인 단백질을 만드는 동화작용이다. 그리고 에너지 물질인 아데노신3인산(ATP : adenosine triphosphate)에서 방출되는 에너지를 이용해서 저분자 탄수화물인 글루코스를 고분자 탄수화물인 글리코겐으로 변환시켜서 간이나 근육에 저장하는 것도 동화작용이다.

우리가 섭취한 탄수화물 · 단백질 · 지방질 등의 영양소가 소화작용에 의해서 글루코스 · 아미노산 · 지방질 등 단순한 물질로 변화되어 우리의 몸안으로 흡수되는 것이 이화작용이다. 또한 창자(장)에서 흡수된 글루코스나 지방질이 근육에서 물과 이산화탄소로 변하면서 에너지를 방출하는 것도 이화작용이다.

일반적으로 동화작용을 거치면 에너지가 물질의 결합 에너지로 저장되기 때문에 물질분자의 크기가 커진다. 그러나 이화작용을 거치면 결합 에너지가 방출되면서 물질이 분해되기 때문에 물질분자의 크기가 작아진다.

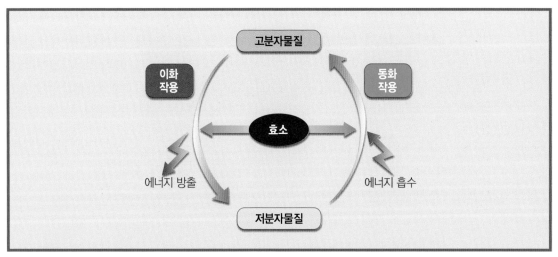

▶ **그림 3-1** 동화작용과 이화작용

❸ 일과 에너지의 단위

일과 에너지를 설명할 때 일은 '힘×거리'로 계산하고, 에너지는 일을 할 수 있는 능력이라고 하였다. 그러므로 일의 단위와 에너지의 단위는 무조건 같아야 한다. 예를 들어 3뉴턴의 힘을 들여 5미터 이동시키면 '3뉴턴 × 5미터 = 15뉴턴 · 미터'의 일을 했다고 해야 한다.

1뉴턴의 힘이 얼마나 센 힘인지 알아야 몇 뉴턴이라고 하면 어느 정도의 힘인지 짐작할 수 있을 텐데, 우리들의 생활습관으로는 1뉴턴의 힘이 어느 정도의 힘인지 도저히 알 수 없다. 그래서 우리가 평소에 어떤 물건을 들 때 사용하는 킬로그램중이라는 단위를 사용하면 알기 쉽다.

1킬로그램중이라는 힘은 '1킬로그램인 물체를 드는 데 필요한 힘'이라는 뜻이므로 힘의 세기를 쉽게 짐작할 수 있다. 예를 들어 '3킬로그램중×5미터=15킬로그램중 · 미터'라고 계산했다고 하면 "3킬로그램짜리 물건을 들고 5미터 이동했다!"는 것을 알 수 있다.

이와 같이 일의 단위로 '킬로그램중 · 미터'를 사용하면 편리한 점이 한두 가지가 아니다. 예를 들어 체중이 60킬로그램중인 사람이 계단을 걸어서 20미터 높이까지 올라갔다고 할 때 이 사람이 한 일은 얼마인가?

계단의 경사가 급하면 올라갈 때 힘이 많이 들고, 경사가 완만하면 힘이 조금 들 것이다. 그런데 경사가 몇 도나 되는지도 알 수 없고, 계단을 따라서 이동한 거리가 몇 미터나 되는지도 알 수 없잖은가! 그런데 이 문제가 2급 생활체육지도사 자격시험에 나왔다고 하면 어떻게 할 것인가?

걱정할 것이 없다. 계단이 완만하면 힘이 덜 드는 대신에 거리가 멀어질 것이고, 계단이 급경사이면 힘이 많이 드는 대신에 거리가 짧아질 것이므로

◆ 계단의 경사가 완만할 때

◆ 계단의 경사가 급경사일 때

◆ 밧줄을 타고 수직으로 올라갔을 때

한 일은 모두 같을 것이다. 그러므로 한 일은 '60킬로그램중×20미터=1200킬로그램중 · 미터'가 된다.

이 원리는 계단 오르기, 등산, 트레드밀에서 달리기, 밧줄타고 오르기 등에서 어떤 방법으로 갔든 상관없이 올라간 수직 높이가 같으면 "같은 일을 한 것이다. 또는 같은 에너지를 사용한 것이다."라고 이해하면 된다.

그러나 자전거에르고미터를 이용해서 운동을 했을 때에는 수직방향으로는 움직이지 않았으므로 위와 같은 원리를 이용해서 계산할 수는 없고,

한 일 = 마찰력×이동한 거리 = 마찰력×바퀴의 둘레×회전 수

= 마찰력×바퀴의 둘레×회전속도(분당 회전수, RPM)×운동한 시간(분)

▶ **그림 3-2** 오르기

으로 계산해야 한다.

그러나 운동을 시작하기 전에 마찰력과 RPM(revolution per minute)을 세팅하고, 운동을 시작할 때 스타트 버튼, 운동을 마칠 때 엔드 버튼을 누르면 자동적으로 한 일(운동량) 또는 에너지 소모량이 계산된다.

④ 열에너지와 음식물의 열량

위와 같이 계산하는 것을 쉽게 이해할 수 있더라도 그것은 물리학이나 생체역학에서 사용하는 방법이지 생리학에서 사용하는 방법은 아니다. 생리학에서는 일 또는 에너지를 한 일로 계산하는 것이 아니라 열량으로 계산하는 경우가 훨씬 더 많기 때문이다.

열량의 단위는 칼로리(cal)를 사용하며, 다음과 같이 정의한다.

1칼로리(1cal)= 순수한 물 1그램의 온도를 1도씨(1℃) 올리는 데 필요한 열량

열량의 단위인 '칼로리'와 일의 단위인 '뉴턴 · 미터' 또는 '킬로그램중 · 미터' 사이의 관계를 처음으로 밝힌 사람이 영국의 물리학자 줄(Joule)이다.

그는 물통 속에 프로펠러를 설치하고 그 프로펠러를 공중에 매달려 있는 추가 내려오는 힘으로 돌리게 만들었다. 즉 추가 내려오면서 프로펠러를 돌리면 물이 휘저어지면서 물의 온도가 올라갈 수 있도록 만든 것이다.

그는 추의 무게와 내려온 거리를 이용해서 '한 일'의 양을 계산하고, 통 속에 들어 있는 물의 양과 온도 변화를 이용해서 발생한 열량을 계산해서 다음과 같은 관계를 알아냈는데, 이것을 줄의 법칙(Joule's law)이라고 한다.

1뉴턴 · 미터= 1N · m= 1줄= 1J= 0.24칼로리= 0.24cal
1킬로그램중 · 미터= 1kgw · m= 2.39칼로리= 2.39cal
1칼로리= 1cal= 4.186줄= 4.186J
1칼로리= 1cal= 0.418킬로그램중 · 미터= 0.418kgw · m

줄의 법칙을 이용하면 계단 오르기나 자전거를 타면서 한 운동량(킬로그램중·미터)을 열량(칼로리)으로 변환시킬 수도 있고, 섭취한 음식물이 가지고 있는 열량으로 그 사람이 할 수 있는 일의 양을 짐작할 수도 있어서 편리하다.

우리가 음식으로 섭취하는 탄수화물(당질)·지방질·단백질은 체내에서 여러 가지 화학반응을 거치면서 결국에는 물과 이산화탄소로 분해된다. 이 과정에서 발생시키는 전체 열량을 측정한 것을 그 음식물의 열량이라고 한다. 그러나 체내에서 음식물이 발생시키는 열량을 측정할 수는 없기 때문에 봄베열량계(Bomb calorimeter)라는 기구를 이용해서 측정한다.

봄베열량계는 그림 3-3처럼 스테인리스로 만든 밀폐된 통(이 통을 봄베라고 한다) 속에 식품을 매달아 놓고, 봄베 통 안에는 식품 연소에 필요한 양의 산소를 넣어둔다. 외부에서 전기로 불꽃을 일으켜서 식품을 태우면 발생한 열 때문에 봄베 통 주위에 있는 물의 온도가 올라간다. 그러면 물의 양과 변화한 온도를 이용해서 식품이 타면서 발생시킨 열량을 알아낼 수 있다.

봄베열량계로 식품 1그램이 연소되면서 발생시키는 열량을 측정하면 탄수화물(당질)이 약 4.1kcal, 지방질이 약 9.45kcal, 단백질이 약 5.65kcal이다.

그러나 음식물이 체내에서는

◆ 섭취한 음식물의 영양소가 모두 흡수되지도 않고,

◆ 흡수된 영양소가 완전하게 연소되지도 않으며,

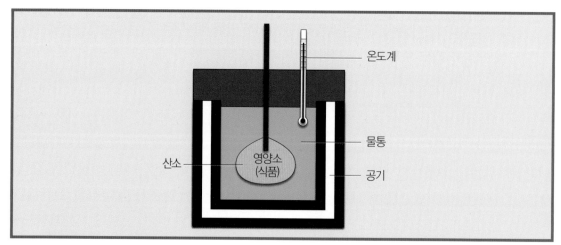

▶ **그림 3-3** 봄베열량계

◆ 단백질의 질소 성분은 많은 양이 연소되지 않고 소변 등으로 배설되기 때문에

음식물 1g의 열량은 탄수화물 4kcal, 지방질 9kcal, 단백질 4kcal로 계산한다.

02 인체의 에너지대사 시스템

❶ ATP

지구상에 있는 모든 동식물의 세포가 직접 이용할 수 있는 에너지원은 ATP 한 가지밖에 없다. 따라서 사람이 섭취한 음식물에 저장되어 있는 에너지를 이용하려면 탄수화물이나 지방을 분해해서 나오는 에너지를 이용해서 ATP를 만들어야 한다. 그러면 세포가 ATP를 이용해서 열을 발생시키거나 몸을 움직이게 할 수 있다.

'유전정보와 단백질의 합성(pp. 31~36)'을 공부할 때 '리보스 1개 + 아데닌 1개 + 인산 3개'로 만들어진 아주 단순한 핵산을 ATP라 하고, ATP는 "세포의 에너지를 저장하고 전달하는 역할을 한다."고 한 것을 기억하는가?

ATP에서 A는 아데노신, T는 3개(tri), P는 인을 나타낸다. ATP에서 인이 1개 떨어져나가 2개(di)가 결합되어 있는 물질을 아데노신이인산(ADP : adenosine diphosphate)이라 하고, ADP에서 인 1개가 또 떨어져나가 1개(mono)만 결합되어 있는 물질은 아

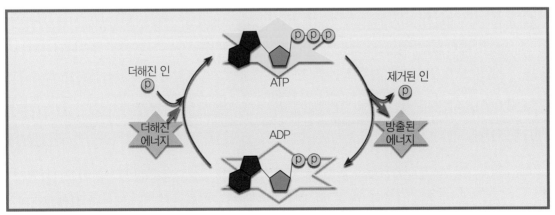

▶ **그림 3-4** ATP와 ADP의 순환

데노신인산(AMP : adenosine monophosphate)이라고 한다. 이때 떨어져 나와서 리보스나 아데닌과 결합되어 있지 않은 인을 '떨어져 있는(유리되어 있는) 인'이라는 뜻으로 유리 인(Pi)이라고 한다.

❷ ATP의 합성과정 ▪▪

살아 있는 생물체는 생존하고 성장하며 번식하기 위해 일을 해야 하고, 일을 효과적으로 수행하기 위해서는 에너지가 필요하다. 사람이 생명을 유지하거나 움직이기 위해서 필요한 에너지를 조달하는 기본적인 방법은 소화과정을 거쳐 흡수된 영양소를 호흡기관을 통해 받아들인 산소를 이용하여 산화시켜서 만들어내는 것이다.

우리가 섭취한 음식물이 소화되어 흡수되는 과정은 복잡하기도 하고 시간도 많이 걸린다. 음식물을 섭취할 당시 탄수화물·단백질·지방질의 형태는 음식물의 종류에 따라서 다르지만, 창자에서 흡수될 때는 형태가 일정하다.

예를 들어 탄수화물은 포도당(포도), 젖당(엄마의 젖), 과당(과일), 전분(감자) 등의 형태로 섭취하지만, 창자에서 흡수될 때에는 모두 글루코스 형태이다. 또 육류·곡류·생선에 들어 있는 단백질의 형태는 각기 다르지만, 창자에서 흡수될 때에는 모두 아미노산 형태이다. 마찬가지로 식물성 지방질과 동물성 지방질의 형태는 크게 다르지만 모두 지방산의 형태로 흡수된다.

다시 말하면 탄수화물·단백질·지방질은 음식물의 종류에 따라서 여러 가지 형태로 존재하지만, 그것들의 기본적인 단위는 글루코스(탄수화물), 아미노산(단백질), 지방산(지방질)이다. 그 기본적인 단위들이 2개 이상 연결된 복합체가 탄수화물·단백질·지방질이다.

우리 몸에 흡수된 글루코스, 아미노산, 그리고 지방산은 간과 신체 조직의 세포에서 일어나는 화학반응에 의해서 ① 신체를 구성하는 물질, ② 열과 ATP를 합성하는 에너지, ③ 나중에 사용하기 위한 저장물질, ④ 사용하고 남은 폐기물질 등으로 변화된다.

그중에서 ATP를 합성하는 과정을 ATP합성과정 또는 에너지대사 시스템이라 한다. 그리고 ATP를 합성·분해하는 과정에는 ATPase라고 하는 효소가 작용하는 것으로 알려져 있다.

에너지대사 시스템에는 다음과 같은 종류가 있다. 각 시스템에 따라서 ATP를 합성하는 속도와 합성되는 ATP 분자의 수가 다르다.

인원질과정(ATP-PCr시스템)

사람의 근육세포 안에는 평소에 소량의 ATP와 크레아틴인산(PCr)이 저장되어 있다가 대뇌에서 근육을 움직이라는 명령이 내려오면 맨 먼저 ATP를 분해해서 ADP로 만들면서 방출되는 에너지를 이용해서 근육을 움직이게 된다.

저장되어 있던 ATP가 소진되어 가는데도 근육을 더 움직여야 하면 크레아틴인산은 크레아틴키나제(creatine kinase)라는 효소의 도움을 받아 크레아틴과 인산으로 분해된다. 그때 방출되는 에너지를 근육이 이용하면 되겠지만, 앞에서 말한 대로 근육은 ATP가 ADP로 분해되면서 나오는 에너지만 이용할 수 있기 때문에 ATP를 합성해서 다시 보충해야 한다.

저장되어 있던 ATP가 ADP로 분해되었기 때문에 ADP가 새로 생겼고, 새로 생긴 ADP에 유리된 인을 다시 결합시키면 ATP가 합성된다. 크레아틴인산에서 인이 떨어져 나오면서 방출되는 에너지와 ADP에 인을 결합시키는 데에 필요한 에너지는 똑같기 때문에 크레아틴인산이 모두 고갈될 때까지 계속해서 ATP를 합성할 수 있다.

위와 같이 ATP를 합성하는 과정을 인을 포함하고 있는 물질을 이용해서 ATP를 합성하는 과정이라는 뜻으로 인원질과정 또는 크레아틴인산을 이용해서 ATP를 합성하는 시스템이라는 뜻으로 ATP-PCr시스템이라고 한다. 인원질과정으로 ATP를 합성할 때에는 산소가 전혀 필요하지 않기 때문에 무산소과정(anaerobic system)이라고도 한다.

인원질과정은 ATP와 크레아틴인산 모두 근육에 직접 저장하고 있기 때문에 가장 빠른 속도로 ATP를 합성할 수 있는 시스템이지만, 크레아틴인산 1분자당 ATP분자 1개만 생산할 수 있기 때문에 공급할 수 있는 ATP의 양이 적다.

인원질과정으로 ATP 합성을 지속할 수 있는 시간은 사람마다 다르지만 대략 7~10초 정도이다. 10초 이내에 운동이 끝나버리는 단거리달리기나 뛰기운동·던지기운동·역도 등 매우 짧은 시간에 폭발적인 힘을 발휘해야 하는 고강도 운동에서는 필요한 에너지를 주로 인원질과정으로 공급한다.

▶ **그림 3-5** 인원질과정(ATP-PCr시스템)

무산소당분해과정(젖산시스템)

글루코스 형태로 흡수된 탄수화물(당질)은 혈액에 글루코스 형태로 녹아 있거나, 글리코겐(glycogen) 형태로 근육세포 또는 간세포에 저장되어 있다.

그림 3-6처럼 글루코스 1분자가 2개의 피루브산(pyruvate) 분자로 분해되는 것을 당분해과정(glycolysis)이라고 한다. 이때 나오는 에너지를 이용해서 2개의 ADP 분자를 2개의 ATP분자로 합성하지만, 동시에 2개 NAD^+를 2개의 NADH로 변환시키기도 한다. 여기에서 NAD^+(nicotinamide adenine dinucleotide)는 일종의 조효소로, 이것이 없으면 글루코스가 분해되지 않는다. NADH는 NAD^+에 수소(H)가 결합된 물질이라는 뜻이다.

근육이 계속해서 활동을 하려면 ATP를 계속해서 공급해 주어야 하는데, 그러면 NAD^+가 NADH로 자꾸 변해서 NAD^+가 부족하게 된다. NAD^+가 없으면 글루코스를 분해할 수 없다고 하였으므로 어떻게 해서든지 NAD^+를 다시 만들어야 한다. 그러기 위해서는 2개의 NADH에서 수소를 떼어내서 NAD^+로 하게 하고, 떼어낸 수소를 어떻게 할 수 없으므로 피루브산과 결합시켜서 젖산으로 만든다. 즉 NADH에서 떼어낸 수소를 피루브산과 결합시켜서 만든 것이 젖산이다.

결과적으로 글루코스가 젖산으로 변하면서 ADP를 ATP로 합성한 셈이므로 젖산시스템, 산소가 필요하다는 말이 없었으므로 무산소과정, 당(글루코스)을 분해하였으므로 당분해과정 또는 해당과정이라고 한다. 그리고 피루브산이 수소와 결합해서 젖산으로 변하는 것을 '피루브산이 발효된다.'고 한다.

젖산시스템에서는 글루코스 1분자를 이용해서 2개의 ATP분자를 만들어내므로 인원질과정보다는 더 많은 양의 ATP를 공급할 수 있어서 약 3 ~ 4분 동안 운동할

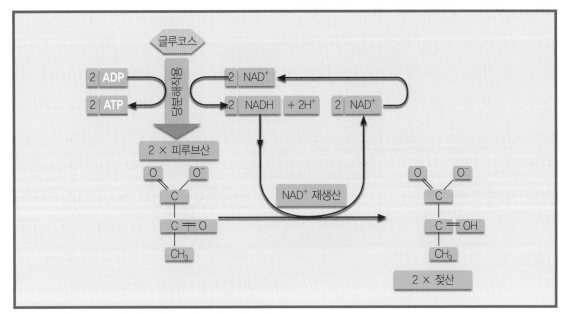

▶ **그림 3-6**   젖산시스템(무산소당분해과정)

수 있다. 그러나 젖산시스템에서는 당분해과정과 피루브산이 젖산으로 변하는 2개의 과정이 일어나야 하므로 인원질과정보다 ATP를 합성하는 속도가 느리다. 그래서 400m 또는 800m 달리기처럼 1~3분 동안에 최대의 노력을 해야 하는 운동을 할 때는 주로 젖산시스템에 의해서 에너지가 공급된다.

젖산시스템에서 최후의 산물로 만들어진 젖산이 근육에 점점 많이 쌓이면 근육의 수축력이 떨어지고 피로를 느끼게 되기 때문에 젖산을 피로물질이라고 한다. 근육에 젖산이 너무 많이 쌓이면 더 이상 근육을 수축시키지 못하는 상태가 되는데, 이것을 피로에 의한 근육의 마비라고 한다.

그러므로 피로에 의한 근육의 마비가 오기 전에 젖산시스템에서 생긴 젖산을 근육이 아닌 곳으로 보내서 제거해야 운동을 계속할 수 있다. 이러한 사실을 처음으로 발견한 사람이 미국의 생리학자 Cori이기 때문에 이것을 코리회로(Cori cycle)라고 한다.

그림 3-7은 코리회로를 그린 것이다. 오른쪽에 있는 근육 안에서 글루코스가 당분해작용을 거치면서 2개의 ATP를 합성하고 2개의 피루브산이 되었다가 다시 2개의 젖산으로 변하는 것까지가 젖산시스템이었다.

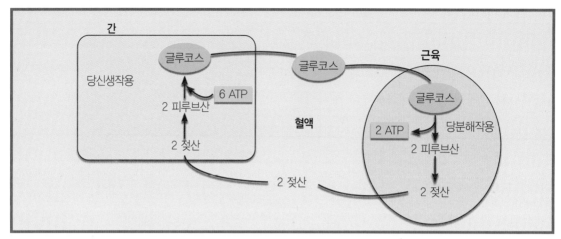

▶ **그림 3-7** Cori회로

젖산이 근육에 많이 쌓이면 근육이 수축을 할 수 없기 때문에 젖산을 제거하기 위해서 근육에 있는 젖산을 혈액이 간으로 운송한다. 젖산이 간에 도착하면 그림의 왼쪽에서 볼 수 있는 것처럼 젖산에서 수소를 떼어내서 다시 피루브산으로 되돌려 놓는다. 이때 젖산에서 수소를 떼어내는 역할을 하는 효소를 젖산탈수소효소(lactate dehydrogenase)라고 한다.

그다음에는 젖산탈수소효소의 도움으로 만들어진 피루브산을 글루코스로 다시 되돌려 놓아야 한다. 이 과정은 근육에서 일어났던 글루코스가 피루브산으로 분해되는 당분해과정과 정반대 과정이기 때문에 당신생합성과정(gluconeogenesis)이라 한다. 이때에는 ATP를 합성하는 것이 아니라 ATP를 분해해서 나오는 에너지를 투입해야 한다. 그러기 때문에 운동이 끝나고 쉬는 시간에 당신생합성과정이 일어난다.

맨 마지막 단계는 간에서 만들어진 글루코스를 근육으로 다시 운송하는 것인데, 그 임무는 혈액이 담당한다. 그러면 글루코스로 시작되었던 당분해과정이 완전히 한 바퀴를 돌아서 다시 제자리로 돌아왔기 때문에 'Cori회로'라고 한다.

Cori회로를 다시 한 번 요약해서 살펴보면 근육에서 당분해과정 → 피루브산의 발효과정 → 간에서 젖산의 탈수소과정 → 당신생합성 과정이 일어난다. 그리고 간과 근육 사이를 혈액의 운송과정이 연결해준다.

Cori회로는 젖산을 제거하는 역할뿐만 아니라 젖산을 영양물질로 재생해서 사용한다는 데에도 큰 의의가 있다.

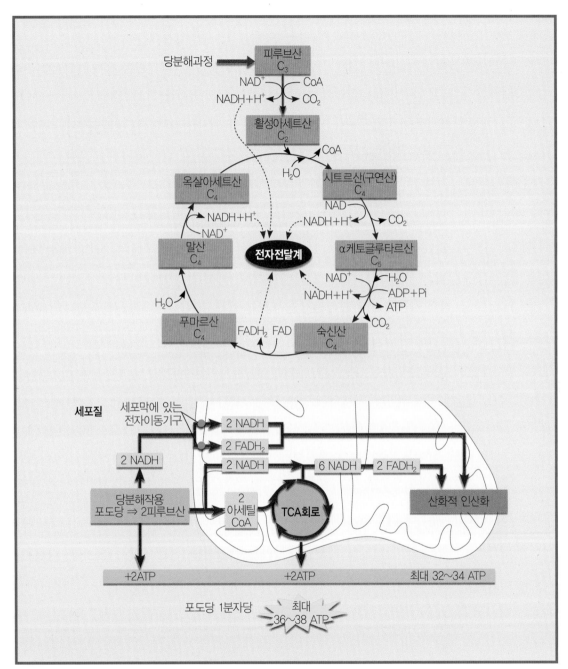

▶ **그림 3-8** 크렙스회로의 중간 생성물과 합성되는 ATP의 양

■ 유산소과정

앞에서 설명한 산소를 사용하지 않고 ATP를 합성하는 무산소과정은 세포의 세포질 내에서 이루어진다. 그러나 산소를 이용하여 ATP를 합성하는 유산소과정은 세포의 미토콘드리아 내에서 이루어진다.

유산소과정에서는 유산소당분해과정, 크렙스사이클(회로), 전자전달계 등 3단계의 반응이 순차적으로 일어난다.

❖ **유산소당분해과정** 글루코스가 피루브산으로 분해되면서 2개의 ATP가 합성됨과 동시에 NAD^+가 NADH로 환원되는 것은 젖산시스템과 같다. 다만 젖산시스템에서는 산소가 부족한 상태에서 당분해작용이 일어났기 때문에 피루브산이 젖산으로 발효되는 반면, 유산소당분해과정에서는 "산소가 풍부하기 때문에 피루브산이 아세틸조효소A(Acetyl-CoA)로 분해되어 다음 단계인 크렙스사이클로 넘어간다."는 것이 다르다. 피루브산이 아세틸조효소A로 분해되는 과정에서 3개의 ATP가 합성된다.

❖ **크렙스사이클(회로)** 처음 발견한 사람의 이름을 따서 Krebs cycle, 처음에 생성되는 물질의 이름을 따서 시트르산(구연산)회로, 최초로 생성되는 물질이 tricarboxylic acid로 잘못 알고 있을 때 붙여진 TCA회로 등 이름이 3가지나 된다. 유산소당분해과정에서 피루브산이 분해되어 만들어진 아세틸조효소 A(Acetyl-CoA)가 세포 안에 있는 미토콘드리아로 들어가서 이산화탄소로 변하면서(산화되면서, 호흡작용에 의해 흡입한 산소를 이용) 많은 양의 에너지가 나온다. 방출되는 에너지 중 일부는 ATP를 합성하는 데 사용되고, 나머지는 $NADH+H^+$와 $FADH_2$에 저장된다. 크렙스회로의 자세한 내용은 그림 3-8에 있다. 미토콘드리아 안에서 산소를 이용해서 ATP를 합성하는 것을 산화적 인산화(oxidative phosphorylation)라고 한다.

❖ **전자전달계** 아세틸조효소A를 이산화탄소로 산화시키는 과정에서 생성된 $NADH+H^+$, $FADH_2$가 (호흡과정을 통해서 얻은)산소와 결합하여 물을 형성하는 화학반응을 전자전달계(electron transport system)라고 한다. 수소에서 산소로 전자가 전달되면서 생성된 많은 에너지 중 일부는 고에너지 인산 형태의 강력한 화학에너지(AMP, ADP, ATP, PCr 등)로 저장되고, 나머지는 열로 손실된다. 즉 근수축에 필요한 ATP는 미토콘드리아 내에서 전자전달계에 의해 이루

어지는 산화적 인산화과정에 의해서 합성된다.

유산소과정은 복잡한 화학반응이 여러 차례 일어나면서 ATP를 합성하는 데 필요한 에너지뿐만 아니라 체온을 유지하는 데에 필요한 열에너지도 방출하기 때문에 에너지를 공급하는 속도가 가장 느리다.

그러나 앞의 무산소과정에서는 합성하는 ATP의 수가 2개 내지 3개밖에 안 되었지만, 유산소과정에서는 약 38개의 ATP를 합성하기 때문에 근육 운동에 필요한 에너지를 장시간 공급할 수 있다. 이론적으로는 탄수화물이나 지방질과 같은 에너지물질과 호흡을 통해서 공급되는 산소가 소진되지 않는 한은 계속적으로 에너지를 공급할 수 있다.

❸ 에너지의 전환

사람이 운동을 하기 위해 필요로 하는 에너지를 공급하기 위한 영양소를 에너지원(source of energy)이라 한다. 에너지원에는 탄수화물·지방질·단백질이 있다. 비타민이나 무기질·수분 등도 꼭 필요한 영양소이기는 하지만, 그것들은 에너지를 만드는 것을 도와주는 물질이지 에너지를 만들기 위해서 소비해야 하는 에너지원은 아니다.

사람이 어떤 목적을 달성하기 위해서 몸을 움직여야 할 때 그에 필요한 에너지를 조달하는 방법이 전환될 수도 있고, 에너지를 만들기 위해서 소비하는 에너지원이 전환될 수도 있다.

■ 에너지 조달방법의 전환

앞에서 설명한 인원질과정, 젖산시스템, 그리고 유산소과정을 통틀어서 에너지조달방법이라고 한다. 사람이 운동을 막 시작할 때에는 근육에 저장되어 있는 ATP와 크레아틴인산을 분해해서 나오는 에너지를 이용한다. 그런데 이러한 인원질과정으로는 운동에 필요한 에너지 공급에는 한계가 있기 때문에 언젠가는 유산소과정으로 전환해야 한다.

운동이 10초 이내에 끝나버리더라도 그동안 사용한 ATP와 인원질을 보충해두어야 다음에 필요하면 즉시 이용할 수 있다. 이미 사용한 ATP와 인원질은 유산소과정에 의해서 보충한다. 그러려면 안정시보다 산소가 더 필요하기 때문에 운동이 끝난 다음에도 잠시 숨을 가쁘게 쉬어야 한다.

2~3분 동안에 운동이 끝났다고 하면 젖산시스템에 의해서 운동에 필요한 ATP가 공급되었을 것이다. 따라서 근육에 쌓여 있는 젖산을 간으로 보내서 다시 글루코스로 만들어서 간 또는 근육에 글리코겐으로 저장해두어야 원상회복이 된다. 이때도 유산소과정으로 ATP를 다시 합성해서 원상회복시켜야 한다.

10분 이상 운동을 지속적으로 할 때에는 운동에 필요한 에너지를 어떤 방법으로 조달했든 상관없이 반드시 유산소과정으로 전환해야 한다. 그렇게 하지 않으면 운동을 지속할 수 없기 때문이다. "운동을 시작하고 몇 분이 지나면 몸이 풀려서 운동을 수월하게 할 수 있다."고 하는 것이 바로 에너지 조달방법이 유산소과정으로 전환되었다는 징후이다.

유산소과정으로 전환해서 '공급되는 에너지의 양과 운동에 필요한 에너지의 양이 똑같아진 상태'를 정상상태(steady state) 또는 안정상태라고 한다. 운동을 하지 않고 가만히 쉬고 있는 '안정시'도 일종의 정상상태이고, 오래달리기를 할 때 중간에 같은 속도 같은 몸 상태로 계속해서 달리는 것도 일종의 정상상태이다.

정리하면 사람이 운동할 때 필요한 에너지를 조달하는 방법에는 유산소과정과 무산소과정이 있다. 그런데 시간이 급하면 무산소과정으로 에너지를 조달하지만, 그때 진 빚(인원질부채, 젖산부채, 산소부채)은 반드시 유산소과정으로 갚는다.

■ 에너지원의 전환

앞의 유산소과정에서는 에너지원으로 글루코스를 예로 들어 설명했지만, 지방산과 아미노산도 에너지원으로 사용할 수 있다. 그림 3-9는 저·중간강도의 운동을 3시간 이상 지속적으로 행할 때 소비되는 에너지원이 어떻게 변하는지 보여주기 위해서 그린 그림이다.

처음에는 글리코겐과 포도당(글루코스)과 같은 탄수화물을 소비하면서 운동을 하다가 나중에는 지방산과 글리세롤과 같은 지방질을 소비해서 에너지를 공급한다. 즉 3가지 에너지원(탄수화물, 지방질, 단백질) 중에서 탄수화물을 가장 먼저 사용하고, 그다음에는 지방질을 소비한다.

그때 저장하고 있는 탄수화물이 완전히 소진될 때까지 사용한 다음에 지방질을

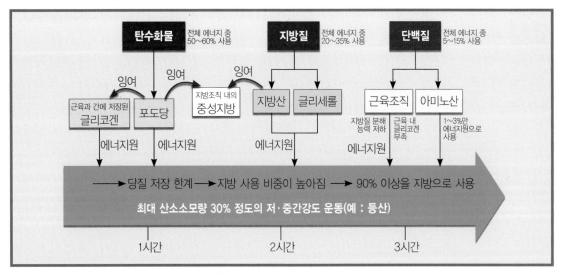

▶ **그림 3-9**　에너지원의 사용 순서

사용하기 시작하는 것이 아니라, 탄수화물 50~60%가 소모되어 없어지면 지방질을 에너지원으로 사용하기 시작한다. 그렇게 하는 이유는 우리가 섭취하는 음식물이 탄수화물 또는 지방질 100%인 음식물이 아니라 여러 가지 영양소가 섞여 있기 때문에 어느 한 가지가 영양소를 완전히 소진해버리면 다시 채우는 데에 어려움이 있기 때문이다.

그림에서 평소에 포도당(글루코스)이 너무 많으면(잉여) 글리코겐이나 중성지방으로 합성해서 저장하고, 지방산이 너무 많아도 중성지방으로 합성해서 저장한다는 것을 알 수 있다. 즉 탄수화물과 지방질은 서로 가역적이어서 탄수화물이 모자라면 지방질을 대신 사용할 수도 있고, 탄수화물이 너무 많으면 중성지방의 형태로 저장할 수도 있다.

마지막으로 에너지원으로 사용되는 단백질(아미노산)의 양은 극히 적을 뿐 아니라(1~3%) 지방질을 분해하는 능력이 저하되거나 근육 내 글리코겐이 부족하면 근육조직을 에너지원으로 사용하게 된다. 즉 단백질을 에너지원으로 사용해야 하는 위급한 상황이 벌어지면 머리카락이나 피부에 있는 단백질을 에너지원으로 사용하는 것이 아니라 근육조직을 에너지원으로 사용해버린다는 것이다. 그래서 중환자들의 머리카락은 정상적으로 자라지만, 근육이 없어져서 피골이 상접해지고 결국에는 사망하는 것이다.

03 에너지 사용량의 측정

사람이 하루 또는 정해진 시간 동안에 사용한 에너지가 몇 칼로리나 되는지 측정하는 것을 에너지대사량의 측정이라고 한다.

1 직접측정법

사람이 영양소를 산화시켜서 발생하는 에너지는 결국에는 열이 되어 몸밖으로 방산된다. 따라서 외부와 열을 주고받을 수 없도록 단열시킨 작은 방 안에 피검자를 가두어 놓고 정해진 시간 동안에 밀실 내의 온도가 얼마나 변했는지 측정하면, 그 피검자가 정해진 시간 동안에 방산한 열량을 알 수 있다.

말로는 간단하지만 호흡하는 공기와 함께 들락거린 수분을 증발시키는 데에 사용된 열량, 피부를 통해서 증발된 수분의 양, 피검자를 가두어놓았던 방 안에 있는 공기의 양 등 측정하기 어려운 것들이 한두 가지가 아니지만, 그러한 어려움을 모두 극복하고 측정하는 방법을 직접측정법이라고 한다.

직접측정법은 작은 방 안에 피검자를 가두어놓아야 하고, 그 방 안에서 피검자가 방산한 열량을 측정하기 때문에 피검자가 운동이나 일을 하면 안 된다. 그래서 기초대사량이나 안정대사량을 측정할 때에는 직접측정법을 주로 사용한다.

❖ **기초대사량(BMR : basal metabolic rate)** 호흡, 심장박동, 콩팥의 소변생성, 체성분의 합성과 분해, 체온유지 등 생명을 유지하기 위해서 필요한 에너지 소비량을 말한다. 기초대사량은 남자가 여자보다 많고, 체중이 무거울수록(근육량이 많을수록) 많으며, 나이가 어릴수록 많은 것으로 알려져 있다. 표 3-1은 기초대사량을 성별·연령별로 정리해 놓은 것이다. 1일에 체중 1킬로그램이 기초적으로 사용하는 열량이므로 그 사람의 체중과 시간의 길이(1일, 1시간, 1분 등)에 따라서 계산해야 한다.

❖ **안정대사량(RMR : resting metebolic rate)** 기초대사 상태에서 몸을 일으켜 의자에 편안히 앉아 식사를 하는 정도의 상태에서 이루어지는 에너지대사량으로, 보통 기초대사량보다 20% 정도 많다. 누운 상태에서 일어나 의자에 앉았기 때

▶ **표 3-1**   연령별 · 성별 기초대사 기준치와 기초대사량

연령 (세)	남				여			
	기준체위		기초대사 기준치 (kcal/kg/일)	기초 대사량 (kcal/일)	기준체위		기초대사 기준치 (kcal/kg/일)	기초 대사량 (kcal/일)
	신장(cm)	체중(kg)			신장(cm)	체중(kg)		
1~2	85.0	11.9	61.0	730	84.7	11.0	59.7	660
3~5	103.5	16.7	54.8	920	102.5	16.0	52.2	840
6~7	119.6	23.0	44.3	1,020	118.0	21.6	41.9	910
8~9	130.7	28.0	40.8	1,140	130.0	27.2	38.3	1,040
10~11	141.2	35.5	37.4	1,330	144.0	35.7	34.8	1,240
12~14	160.0	50.0	31.0	1,550	154.8	45.6	29.6	1,350
15~17	170.0	28.3	27.0	1,570	157.2	50.0	25.3	1,270
18~29	171.0	63.5	24.0	1,520	157.7	50.0	23.6	1,180
30~49	170.0	68.0	22.3	1,520	156.8	52.7	21.7	1,140
50~69	164.7	64.0	21.5	1,380	152.0	53.2	20.7	1,100
70 이상	160.0	57.2	21.5	1,230	146.7	49.7	20.7	1,030

문에 10%, 식사유발성 체열생산 때문에(식사를 하면 음식물을 소화시키려고 장이 움직이기 때문에) 10%가 늘어나는 것이라고 한다. 안정대사량의 구체적인 수치가 필요하면 표 3-1에 있는 기초대사량에 1.2를 곱하면 된다.

❖ **활동대사량**(WMR : Working Metabolic Rate) 생활활동과 노동, 운동 등 몸을 움직이기 때문에 더 늘어나는 에너지대사량을 말하고, 운동대사량 또는 노동대사량이라고도 한다.

❷ 간접측정법

직접측정법은 실험실 하나 정도의 넓은 공간이 필요하고, 발생된 열량을 측정하기도 어렵고 복잡하다. 또한 피검자가 운동을 하거나 일을 할 때에는 측정할 수 없기 때문에 발생시킨 열량을 간접적으로 측정하는 간접측정법이 더 많이 이용된다.

음식물로 섭취한 탄수화물과 지방질이 체내에서 완전히 산화되면 이산화탄소와

물이 되고, 단백질은 이산화탄소와 물 이외에 질소를 포함한 폐기물(소변에 들어 있는 요소)을 발생시킨다. 따라서 체내에서 영양소가 산화되면서 발생시킨 에너지의 양은 체내로 흡수된 산소의 양, 체외로 배출한 이산화탄소의 양, 소변에 포함된 질소의 양을 측정하면 알 수 있다. 즉 일정한 시간 동안에 피검자가 흡입한 산소, 배출한 이산화탄소, 소변으로 배설한 질소의 양으로 체내에서 연소된 영양소의 비율을 알아낸 다음, 거기에 각 영양소의 열량을 곱해서 발생한 열량을 계산한다.

이 방법은 사람이 일정한 시간 동안에 발생시킨 열량을 직접 측정하는 것이 아니라, 산소·이산화탄소·질소의 양을 가지고 간접적으로 계산하는 방법이므로 간접측정법이라고 한다. 간접측정법은 안정상태뿐만 아니라 운동 시의 대사량도 측정할 수 있다는 장점이 있다.

간접측정법으로 운동시대사량을 측정하려면 호흡계(respirometer)로 소비한 산소와 배출한 이산화탄소의 양을 측정해야 하는데, 그 방법에는 다음 2가지가 있다.

❖ **개방식** 들숨은 대기 중의 공기를 자유롭게 들이마시고, 날숨으로 내뿜는 기체는 봉투에 모은다. 봉투 속에 있는 기체 중의 산소와 이산화탄소를 분석해서 흡입한 산소와 배출한 이산화탄소의 양을 알아낸다.

❖ **폐쇄식** 들숨은 산소 탱크 속에 있는 산소를 흡입하게 하고, 날숨은 이산화탄소를 흡착하는 물질이 들어 있는 공간으로 내쉬게 한다. 산소 탱크에서 감소한 산소의 양과 흡착물질에 흡착된 이산화탄소의 양을 측정한다.

한편 일정한 시간 동안에 배설한 소변을 모두 모은 다음 소변의 양과 요소 농도를 측정해서 배출된 질소의 양을 계산하기도 한다.

■ 호흡교환율

호흡을 통해서 소비한 산소와 배출한 이산화탄소의 양을 정확하게 측정하면 운동 중에 탄수화물과 지방질을 각각 몇 %씩 사용하였는지 추정할 수 있다. 이때 사용하는 것이 호흡교환율(respiratory exchange rate)이고, 다음과 같이 계산한다.

$$호흡교환율 = \frac{배출한\ 이산화탄소의\ 부피}{흡입한\ 산소의\ 부피}$$

탄수화물이 산소와 결합해서 물과 이산화탄소로 변하면서 에너지를 발생시킬 때의 화학식은 다음과 같다.

$$C_6H_{12}O_6 + 6O_2 \rightarrow 6CO_2 + 6H_2O + 38ATP$$

지방질이 산소와 결합해서 물과 이산화탄소로 변하면서 에너지를 발생시킬 때의 화학식은 다음과 같다.

$$C_{16}H_{32}O_2 + 23O_2 \rightarrow 16CO_2 + 16H_2O + 130ATP$$

위의 화학식에서 분자식 앞에 붙어 있는 숫자는 몰(mole) 수를 나타내는 계수인데, 기체일 때는 부피의 비를 나타낸다. 그러므로 탄수화물의 호흡교환율은 6/6=1이고, 지방질의 호흡교환율은 16/23=0.7이다.

위의 화학식은 몰라도 되지만, 표 3-2는 연구와 실험을 통해서 알게 된 것을 정리한 것이므로 잘 기억해두어야 한다.

▶ **표 3-2**   3대 영양소로부터 얻는 열량과 산소소비량

	당질	지질(지방질)	단백질
1g을 산화하는 데 필요한 O_2량(l)	0.75	2.03	0.95
1g이 산화되면서 발생하는 CO_2량	0.75	1.43	0.76
호흡교환율(R)	1.00	0.71	0.80
1g을 산화하여 생산되는 열량(kcal)	4.10	9.30	4.10
1ℓ의 O_2를 소비하여 얻어지는 열량(kcal)	5.05	4.69	4.80

사람이 운동할 때에는 탄수화물과 지방질을 연료로 사용하고, 단백질을 연료로 사용하는 경우는 거의 없으므로 호흡교환율을 계산하면 0.7 내지 1.0이 나온다. 그 때 호흡교환율이 0.7에 가까우면 탄수화물을 많이 사용했다는 증거이고, 호흡교환율이 1.0에 가까우면 지방질을 많이 사용했다는 증거이다. 그러므로 호흡교환율에 따라서 표 3-3과 같이 에너지원을 사용했을 것이라고 추정할 수 있다.

▶ **표 3-3**   호흡시스템과 운동지속시간에 따른 에너지원의 사용

	운동지속시간								
	10초	30초	60초	2분	4분	10분	30분	60분	120분
무산소시스템(%)	90	80	70	60	35	15	5	2	1
유산소시스템(%)	10	20	30	40	65	85	95	98	99

04 운동강도

운동이나 작업을 할 때 그것이 얼마나 힘드는지를 나타내는 것을 운동강도(exercise intensity 또는 작업강도라 한다. 다음과 같은 방법으로 운동강도를 표시한다.

❶ 에너지대사율

사람이 누워서 호흡 · 심장박동 · 콩팥의 소변생성 · 체성분의 합성과 분해 · 체온유지 등 생명을 유지하기 위해서 필요한 에너지 소비량을 기초대사량, 기초대사의 상태에서 몸을 일으켜 의자에 편안히 앉아서 식사를 하는 정도의 상태에서 이루어지는 에너지대사량을 안정대사량, 노동이나 운동 등 몸을 움직임으로써 항진하는 에너지대사량을 활동대사량이라고 한다는 것은 이미 설명하였다.

운동 또는 작업이 힘드는 정도 즉 운동강도를 나타내는 방법으로 가장 먼저 생각할 수 있는 것으로는 "활동대사량이 많으면 운동강도가 높다."고 하는 방법이다.

그런데 활동대사량은 작업의 종류 또는 운동 종목에 따라서 달라지기도 하지만 체중 · 신장 · 나이 등에 의해서도 달라진다. 그러므로 운동종목 또는 작업의 종류에 따른 차이만을 나타내기 위해서는 체중 · 신장 · 나이 등에 의한 차이를 제거해야 한다.

에너지대사율(RMR : relative metabolic rate)은 다음과 같이 계산한다. "에너지대사율이 높으면 운동강도가 높다."고 한다.

$$\text{에너지대사율} = \frac{(\text{활동대사량} - \text{안정대사량})}{\text{기초대사량}}$$

위의 식에서 분자에 있는 활동대사량에서 안정대사량을 빼면 활동하기 위해서 안정시보다 더 소비한 에너지량이 나온다. 분모를 안정대사량으로 하지 않고 기초대사량으로 정한 이유는 같은 사람이라도 측정하는 시간과 장소에 따라서 안정대사량은 변화가 심한 데 반하여 기초대사량은 안정적이기 때문이다.

분모가 기초대사량이기 때문에 에너지대사율은 "활동하기 위해서 안정시보다 더 사용한 에너지량이 기초대사량의 몇 배나 되는지?"를 나타내는 수치라고 할 수 있다.

표 3-4는 여러 가지 생활활동과 운동종목별로 에너지대사율을 정리해놓은 것이다. 표에서 알 수 있듯이 에너지대사율이 1.0 미만이면 아주 가벼운 운동, 1.0 내지 2.5이면 가벼운 운동, 2.0 내지 5.0이면 보통 운동, 6.0 이상이면 강한 운동으로 분류한다.

▶ **표 3-4**　다양한 작업 시의 에너지대사율(RMR)

일상생활활동과 운동종류	에너지대사율 (RMR)	일상생활활동과 운동종류	에너지대사율 (RMR)
아주 가벼운 운동		보통운동(체육)	5.0
휴식 · 담화(앉아서)	1.0 미만	자전거타기(보통속도)	2.6
교양(읽기/강의 수강/쓰기/보기)	0.2	걸레질	3.5
담화(선 자세)	0.2	빠른 걸음(출퇴근, 쇼핑)	3.5
식사	0.3	볼링	2.5
신변 정리(몸치장/용변/세면/소변)	0.4	캐치볼	3.0
일반사무작업	0.5	맨손체조	3.6
워드프로세서, OA기기 사용	0.5	에어로빅댄스	4.0
	0.6	하이킹(야산)	4.5
		탁구	5.0
가벼운 운동		강한 운동	6.0 이상
교통수단(전철, 버스, 선 자세)	1.0~2.5	계단 오르기	6.5
목욕	1.0	테니스	6.0
천천히 걷기(쇼핑, 산책)	1.0	스키(활강)	6.0
식사(준비, 정리)	1.5	배드민턴	6.0
산책(60m/분)	1.6	조깅(120m/분)	6.0
텃밭 풀뽑기	1.8	등산	6.0
보통 걷기(출퇴근, 쇼핑)	2.0	달리기	7.0
게이트볼	2.1	줄넘기(60~70회/분)	8.0
	2.0	조깅(160m/분)	8.5
		근력트레이닝(복근/덤벨/바벨운동)	9.6

❷ 대사당량(METs)

식사 후에 앉아서 편안하게 휴식을 취하고 있을 때 소모하는 열량을 안정대사량이라 하는데, 이것은 기초대사량의 약 1.2배라는 것은 이미 설명하였다. 그리고 위에서 에너지대사율은 "활동하기 위해서 안정시보다 더 사용한 에너지량이 기초대사량의 몇 배인가?"를 나타낸다고 하였다.

그런데 운동강도를 '겨우 생명만 유지하고 있을 때'와 비교하는 것보다는 '앉아서 편안히 쉬고 있을 때'와 비교하는 것이 훨씬 더 현실적이라는 생각이 든다. 다르게 말해서 죽기 직전에 숨만 깔딱거리고 있을 때의 몇 배라고 하는 것보다는 쉴 때의 몇 배라고 하는 것이 훨씬 더 마음에 와 닿는다.

그래서 대사당량 또는 Mets는 다음과 같이 계산하고, "Mets가 많을수록 운동강도가 강하다."고 표현한다. 다시 말해서 활동대사량이 안정대사량의 몇 배인지를 나타내는 것이 대사당량(METs : metabolic equivalent)이다.

$$대사당량(METs) = \frac{활동대사량}{안정대사량}$$

앞에서 제시한 기초대사량의 표(표 3-1)를 보면 성인이 체중 1킬로그램당 1일(24시간) 동안에 사용하는 열량이 20 내지 24킬로칼로리이다. 다시 말해서 성인의 1시간 동안 기초대사량은 체중 1킬로그램당 1킬로칼로리보다 약간 적다. 그런데 안정대사량은 기초대사량의 약 1.2배라고 하였기 때문에 성인의 안정대사량은 체중 1킬로그램당 1시간에 1.2킬로칼로리 정도 된다.

그러므로 안정대사량은 계산하기가 아주 쉽다. 예를 들어 체중 60킬로그램인 사람이 쉬고 있다고 하면(안정상태로 있다면) 1시간 동안의 안정대사량은 72킬로칼로리, 2시간 동안의 안정대사량은 144킬로칼로리, 5시간 동안의 대사량은 360킬로칼로리가 된다.

운동강도를 Mets로 나타내면 활동대사량, 안정대사량, 기초대사량을 계산하기도 쉽고, 얼마나 힘이 드는 운동인지 짐작하기도 쉽기 때문에 운동처방을 할 때 운동강도는 대부분 Mets로 나타낸다.

참고로 에너지대사율(R)과 대사당량(Mets) 사이에는

$$R=1.2\times(Mets-1) \text{ 또는 } Mets=(R/1.2)+1$$

의 관계가 있다. 따라서 에너지대사율로 대사당량을 계산할 수도 있고, 대사당량으로 에너지대사율을 계산할 수도 있다.

표 3-5는 여러 가지 생활활동이나 운동의 강도를 Mets로 나타낸 것이다.

▶ **표 3-5** 여러 가지 생활활동과 운동강도(Mets)

저강도(3Mets 미만)		중간강도(3~6Mets)		고강도(6Mets 이상)	
걷기		걷기		걷기, 조깅, 러닝	
집, 상가, 일터 주변을 느리게 걷기	2	걷기 3.0mile/h	3.2	매우매우 활발하게 걷기 (4.5mile/h)	6.3
집안일, 직업		매우 경쾌한 속도로 걷기 (4mile/h)	5.0	중강도 또는 가벼운 짐을 들고《10lb) 걷기/하이킹	7.0
컴퓨터나 손을 사용하는 좌식생활	1.5	집안일, 직업		가파른 언덕이나 10~42lb 팩을 들고 하이킹	7.5~9.0
서있는 활동(침구정돈, 설거지, 다림질, 음식 준비 등)	2.0~2.5	청소(유리창, 차, 차고 청소)	3.0	5mile/h 정도로 조깅	8.0
레저나 스포츠		계단이나 카펫 청소, 진공청소질, 걸레질	3.0~3.5	6mile/h 정도로 조깅	10.0
그림, 공예, 카드만들기	1.5	목공일	3.6	7mile/h 정도로 뛰기	11.5
당구	2.5	나무 쌓고 나르기	5.5	삽질, 땅파기	8.5
노젓기	2.5	잔디 깎기, 빠르게 걸으면서 잔디 깎기	5.5	레저나 스포츠	
크로켓	2.5	레저나 스포츠		평지에서 저강도 자전거타기 (10~12mile/h)	6.0
다트	2.5	배드민턴	4.5	농구게임	8.0
낚시(앉아서)	2.5	야구	4.5	평지에서 자전거타기 중강도(12~14mile/h) 빠르게(14~16mile/h)	8.0 10.0
대부분의 악기 사용	2.0~2.5	느리게 댄스 빠르게 댄스	3.0 4.5	크로스컨트리 스키 느리게(2.5mile/h) 빠르게(5.0~7.9mile/h)	7.0 9.0
		낚시(주변을 걷거나 서서)	4.0	평상 시 축구 경쟁상황 축구	7.0 10.0

❸ 최대산소섭취량($\dot{V}O_2$max) ■■■■■■■■■■■■■■■■■■■■■■■■■■■■■■■■■■

안정시에도 신체는 1분당 200~300ml의 산소를 필요로 하고, 아주 심한 운동을 할 때에는 약 20배 이상까지 증가한다. 어떤 사람이 해수면 높이에서 운동을 할 때 단위시간(1분) 동안에 섭취할 수 있는 산소량의 최대치를 최대산소섭취량(maximal oxygen uptake : $\dot{V}O_2$max)이라 하는데, 이것은 심장과 허파가 산소를 근육에 공급할 수 있는 최대능력이다.

최대산소섭취량은 운동할 때 유산소에너지를 공급할 수 있는 능력과 전신지구력을 나타내는 아주 중요한 지표이다. 보통 1분 동안에 섭취할 수 있는 산소의 부피(밀리리터)를 체중으로 나누어서 계산하기 때문에 단위는 'ml/kg/min'을 사용한다. 최대산소섭취량을 결정하는 인자에는 허파의 환기능력, 혈액의 산소 결합능력, 조직에서 산소를 유리할 수 있는 능력, 심장에서 혈액을 박출할 수 있는 능력 등이 있다.

최대산소섭취량을 측정하는 방법에는 직접측정법과 간접측정법이 있다. 직접측정법은 트레드밀 위를 달리는 피검자의 호기가스에 들어 있는 산소와 이산화탄소의 농도를 분석하는 방법이다. 2~3분 간격으로 운동강도를 점점 높이면서 지쳐서 쓰러지기 직전까지 최대의 노력을 다하도록 격려하면서 실험을 계속한다. 운동강도를 올려도 더 이상 산소섭취량이 증가하지 않으면 그당시 산소섭취량이 그 사람의 최대산소섭취량이다. 운동선수나 젊고 튼튼한 피검자가 아니면 직접측정법으로 측정하다가 사고가 날 수도 있기 때문에 어린아이나 고령자의 최대산소섭취량을 측정할 때에는 간접측정법을 사용한다. 즉 직접측정법은 정확하지만 피검자가 힘이 들 뿐 아니라 사고의 위험도 있고, 간접측정법은 힘을 많이 들이지 않고 측정할 수는 있지만 정확도에 문제가 있다.

간접측정법에는 심박수에 의한 추정법과 12분 동안에 달린 거리에 의한 추정법이 있다. 이 경우에는 심박수와 산소섭취량은 거의 직선적으로 비례하고, 최대심박수는 '220-나이'로 추정할 수 있다는 것을 이용한다. 최대보다 낮은 강도의 운동을 3단계로 시키고, 각 단계마다 산소섭취량과 심박수를 측정해서 그래프를 그린다. 그래프를 연장시켜서 최대심박수일 때 계산한 산소섭취량이 최대산소섭취량이다.

그림 3-10은 학자들이 많은 실험을 통해서 12분 동안 전력으로 달렸을 때 달린

거리와 그 사람의 최대산소섭취량의 관계를 그래프로 그려놓은 것이다. 피검자에게 12분간 달리기를 시켰을 때 달린 거리만 알면 바로 최대산소섭취량을 알 수 있다.

우리가 최대산소섭취량을 공부하는 목적은 최대산소섭취량을 측정하는 방법을 알기 위해서가 아니라 최대산소섭취량으로 운동강도를 나타내는 방법을 배우기 위

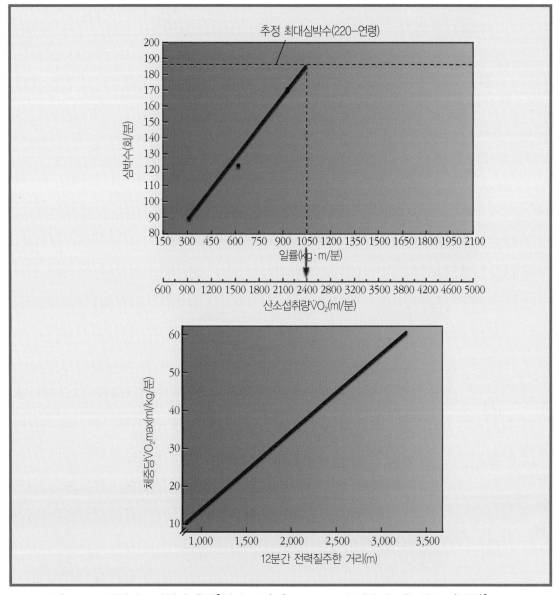

▶ **그림 3-10** 최대산소섭취량 추정[심박수로(위), 12분 동안 전력질주한 거리로(아래)]

해서이다. 운동처방을 할 때에는 운동강도 50%$\dot{V}O_2$max와 같이 최대산소섭취량의 몇 %로 나타낸다. 비슷한 방법으로 80%HRmax와 같이 최대심박수의 몇 %로 운동 강도를 나타내기도 한다.

▶ **표 3-6** 최대산소섭취량의 평가(성별, 연령별)

| | 남자의 $\dot{V}O_2$max 기준(ml/kg/min) | | | | | |
	18~25세	26~35세	36~45세	46~55세	56~65세	65세 이상
아주 좋다	>60	>56	>51	>45	>41	>37
좋다	52~60	49~56	43~51	39~45	36~41	33~37
평균 이상	47~51	43~48	39~42	35~38	32~35	29~32
평균	42~46	40~42	35~30	32~35	30~31	26~28
평균 이하	37~41	35~39	31~34	29~31	26~29	22~25
나쁘다	30~36	30~34	26~30	25~28	22~25	20~21
아주 나쁘다	<30	<30	<26	<25	<22	<20
	여자의 $\dot{V}O_2$max 기준(ml/kg/min)					
	18~25세	26~35세	36~45세	46~55세	56~65세	65세 이상
아주 좋다	>56	>52	>45	>40	>37	>32
좋다	47~56	45~52	39~45	34~40	32~37	28~32
평균 이상	42~46	39~44	34~37	31~33	28~31	25~27
평균	38~1	35~38	31~33	28~30	25~27	22~24
평균 이하	33~37	31~34	27~30	25~27	22~24	19~22
나쁘다	28~32	26~30	22~26	20~24	18~21	17~18
아주 나쁘다	<20	<26	<22	<20	<16	<17

05 트레이닝에 의한 에너지대사의 적응

❶ 에너지 생성반응의 특징

◆ 운동강도가 높을수록 인원질과정＞젖산과정＞유산소과정(탄수화물＞지방질)의 순으로 에너지 의존도가 높아진다. 운동강도가 높다는 것은 단위시간당 에

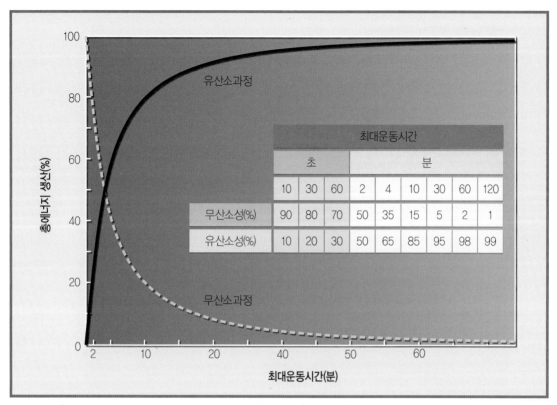

		최대운동시간							
	초			분					
	10	30	60	2	4	10	30	60	120
무산소성(%)	90	80	70	50	35	15	5	2	1
유산소성(%)	10	20	30	50	65	85	95	98	99

▶ **그림 3-11** 탈진에 도달하기까지의 최대운동시간(운동강도)에 따른 유·무산소성 에너지 공급의 상대적 공헌도(출처 : 정일규(2018). 휴먼퍼포먼스와 운동생리학 전정판. 대경북스)

너지소비량이 높다는 것을 의미하므로 단시간에 대량의 에너지 출력이 요구되는 고강도 운동일수록 화학반응의 속도가 빠른 무산소과정(인원질과정과 젖산과정)에 의존하게 된다. 또한 운동강도가 높을수록 지방질보다는 탄수화물에 의존하는 비율이 높아진다.

◆ 운동지속시간이 길수록 인체의 에너지생성체계는 인원질과정<젖산과정<유산소과정(탄수화물<지방질)의 순으로 에너지 의존도가 높아진다. 무산소과정(인원질과정과 젖산과정)에 의존하면 장시간 동안 운동을 지속할 수 없다. 왜냐하면 무산소과정에 의해서는 소량의 ATP만 합성할 수 있기 때문이다. 그러므로 운동을 지속시키기 위해서는 필연적으로 유산소과정에 의한 에너지 생산과정에 의존해야 한다. 즉 운동을 장시간 동안 지속하면 탄수화물 대신에 지방질이 에너지원으로서 이용되는 비율이 높아진다.

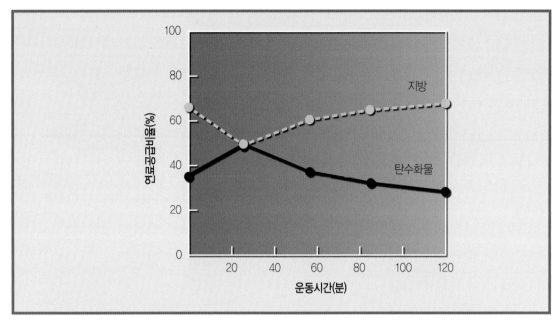

▶ **그림 3-12** 장시간의 가벼운 운동수행 시 에너지원으로서 지방과 탄수화물의 상대적 공헌
출처 : 정일규(2018). 휴먼퍼포먼스와 운동생리학 (전정판). 대경북스.

◆ 각각의 에너지생성과정은 운동유형에 따라 기여비율이 달라진다. 30초 미만
의 단시간 최대운동 시 인체는 주로 인원질과정에 의존하여 에너지를 얻는
다. 1~3분 사이에 탈진되는 최대운동 시에는 젖산과정이 주 에너지 생성과정
이 되고, 그 이상의 장시간 운동시에는 유산소 과정이 주된 에너지 생성과정
이 된다. 그러나 그 중간형태의 운동은 2~3가지 에너지 생성과정이 함께 사

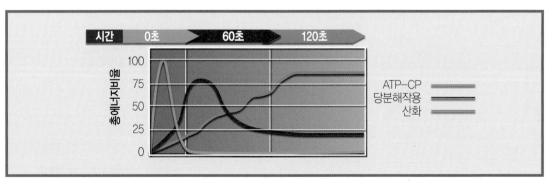

▶ **그림 3-13** 에너지연속체

용된다. 예를 들어 200m를 전력질주하는 운동은 무산소과정에 의해 90%의 에너지를 얻고, 나머지 10%의 에너지는 유산소과정을 통해 얻는다. 이처럼 인체가 활동을 수행할 때 에너지 생성과정의 공헌도가 활동유형에 따라 달라지는 것을 에너지연속체(energy continuum)라고 한다.

◆ 동일한 강도의 운동을 수행할 때 단련자는 에너지 생성체계를 유산소과정에 더 많이 의존한다. 운동은 산소수송을 위한 순환계통의 기능을 개선시키고, 근육세포 내에서 산소를 이용하여 에너지를 얻는 대사기능을 발달시킨다. 한편 근육세포 내에서는 산소를 이용하여 ATP를 합성하는 미토콘드리아의 수와 크기가 증가되기 때문에 미토콘드리아의 기능이 개선되어 근육세포 안으로 산소의 유입과 이용이 촉진된다. 그러므로 단련자는 체내 산소수송체계의 발달 및 산소이용능력의 개선에 의해서 동일한 운동강도를 보다 유산소적으로 수행할 수 있는 능력을 갖게 된다. 그림 3-14는 트레이닝을 하면 젖산역치가 증가하는 것을 보여주고 있다.

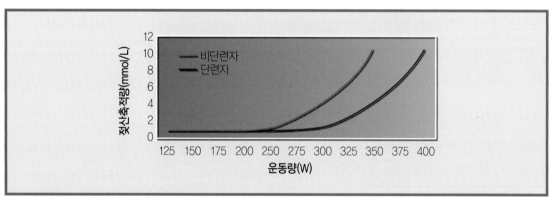

▶ **그림 3-14** 젖산역치의 변화(단련자와 비단련자)

◆ 동일한 강도의 운동을 수행할 때 단련자는 탄수화물보다 지방질을 에너지원으로 많이 사용한다. 단련자는 동일한 운동을 보다 유산소적으로 수행함으로써 젖산의 축적을 적게 하면서 운동을 수행한다. 따라서 훈련에 따른 산소이용능력의 개선은 동일한 운동을 하더라도 젖산축적률을 감소시킴으로써 보다 많은 지방산동원능력을 가질 수 있게 되고, 결과적으로 탄수화물을 절약하는 효과를 얻을 수 있다.

● 탄수화물 절약효과 : 트레이닝을 해도 특정운동을 수행할 때 필요로 하는 에너지의 총량에는 변함이 없지만, 트레이닝을 하면 에너지원으로 탄수화물보다 지방질을 더 많이 사용한다. 지구성운동을 하는 선수들은 50% $\dot{V}O_2max$의 강도로 운동을 할 때부터 지방질을 더 많이 사용하기 시작하고, 70%$\dot{V}O_2max$의 강도로 운동을 할 때에는 약 75%의 에너지를 지방질로부터 공급받는다.

◆ 단련자는 최대 젖산생성능력이 높아진다. 단련자는 최대하운동을 수행할 때에는 운동을 좀 더 유산소적으로 수행함으로써 일반인들보다 혈중 젖산농도가 낮게 나타난다. 그러나 최대운동을 단시간 내에 수행할 때 최대 젖산축적량은 일반인들보다 20~30% 더 높다. 최대 젖산축적량이 증가되면 젖산이 쌓여가는 상황에서도 더 오래 동안 운동을 할 수 있게 된다. 즉 젖산에 대한 내성이 개선된다.

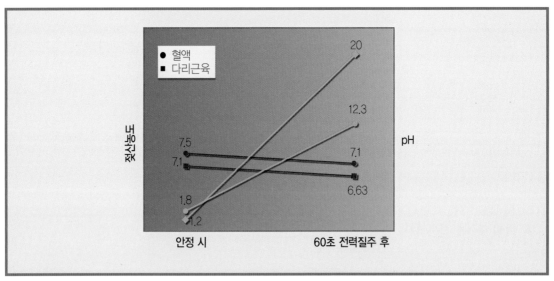

▶ **그림 3-15** 단련자(노란선)와 비단련자(붉은선)의 최대운동 전·후 젖산농도

◆ 트레이닝은 근육세포 내 크레아틴인산이나 글리코겐 저장량을 증대시킨다. 글리코겐과 크레아틴인산의 저장량이 증가된다는 것은 고강도 무산소운동을 수행했을 때 피로물질인 젖산의 생성이 지연된다는 것을 의미한다. 즉 난련자는 고강도의 운동을 해도 비단련자보다 천천히 피로를 느낀다. 그림 3-16

은 운동이 끝난 후에 글리코겐 저장량이 단련자와 비단련자 사이에 어떻게 차이가 나는지를 보여주고 있다.

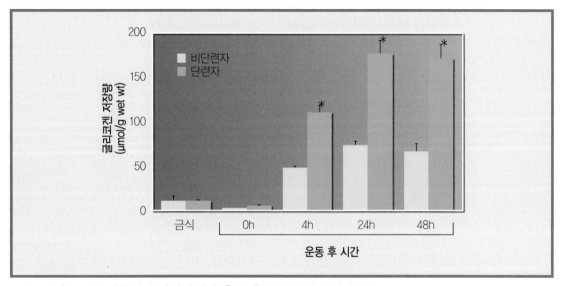

▶ **그림 3-16** 단련자와 비단련자의 운동 후 글리코겐 저장량 비교

제4장

신경조절과 운동

01 신경세포의 구조와 기능

❶ 뉴런(신경세포)의 구조 ▪▪

신경조직을 이루는 세포에는 신경자극을 전달하는 신경세포(neuron)와 신경세포를 지지하고 보호하는 신경아교세포(neuroglia)가 있다. 신경세포는 실같이 길게 생겼기 때문에 신경섬유(nerve fiber)라고도 한다.

신경세포는 핵이 들어 있는 세포체(cell body), 세포체에서 여러 가닥의 가지 모양으로 뻗어 있는 가지돌기(dendrite), 세포체에서 가늘고 길게 뻗어 나온 축삭(axon)으로 구성되어 있다(그림 4-1). 세포체는 신경세포의 생명을 유지하는 역할을 하고, 가지돌기는 다른 신경세포로부터 신경자극을 받아들이며, 축삭은 받아들인 자극을 다른 신경섬유에 전달하거나 근육섬유와 같은 최종기관에 전달하는 역할을 한다.

근육섬유를 지배하는 신경섬유는 세포체로부터 뻗어 있는 몇 개의 가지돌기와 하나의 축삭을 갖고 있으며, 축삭은 가지돌기보다 길다. 예를 들면 운동신경섬유의 축삭은 척수 속에 있는 세포체로부터 다리의 근육까지 뻗어 있는 것도 있다. 반대로 감각신경섬유(sensory nerve fiber)는 말초의 여러 수용체로부터 중추를 향하여 뻗어 있다. 즉 운동신경은 세포체가 중추신경 내에 위치하는 반면, 구심성 감각신경(afferent sensory nerve)의 세포체는 중추신경에 들어가기 전에 위치하여 신경절을 형성한다.

신경섬유에는 축삭이 젤리 모양의 말이집(myelin sheath, 수초)으로 덮여 있는 말이집신경섬유(myelinated fiber, 유수신경섬유)와 말이집이 덮여 있지 않는 민말이집신경섬유(nonmyelinated fiber, 무수신경섬유)가 있다. 말이집신경섬유 축삭의 전 구간이 말이집으로 덮여 있는 것이 아니라 일정한 간격으로 말이집이 없는 움푹 들어간 틈이 있는데, 그 틈을 랑비에마디(Ranvier's node)라고 한다.

말초신경섬유의 축삭을 둘러싸고 있는 말이집은 슈반세포(Schwann cell)라고 하는 신경아교세포로 구성되어 있다. 말이집의 바깥쪽에 슈반세포의 세포질 대부분과 핵이 남아 있는 부분을 신경집(neurlemma)이라고 한다. 말이집을 갖고 있는 말이집신경섬유는 하얗게 보이기 때문에 이들 섬유가 모여 있으면 백색질(white matter)을 구성한다.

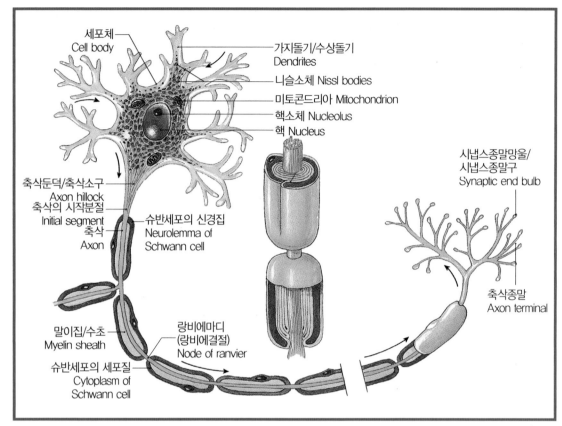

▶ **그림 4-1** 신경세포의 구조

말초신경섬유와는 달리 뇌와 척수의 말이집은 슈반세포가 아니라 희소돌기아교세포(oligodendroglia)에 의해 만들어진다. 그러므로 뇌와 척수의 말이집신경은 발달되어 있지 않다. 한편 민말이집신경섬유는 회색을 띠기 때문에 그들이 모여 있으면 회색질(gray matter)을 형성한다.

말이집을 감싸고 있는 신경집은 신경세포의 재생과도 밀접한 관련 갖고 있다. 신경세포는 세포체가 손상되면 죽고, 죽은 신경세포는 다시 재생되지 않지만 축삭(axon) 부위의 손상은 재생될 수 있다. 반면 중추신경 내에 있는 신경섬유의 축삭에는 말이집이 발달되어 있지 않기 때문에 한번 손상되면 회복되기 어렵다.

❷ 신경임펄스의 전파 ▪▪▪

■ 안정시막전압

세포막에 박혀 있는 통로단백질(channel protein)은 어떤 이온은 잘 드나들 수 있게 하지만, 어떤 이온은 드나들지 못하게 하는 선택적 투과성이 있다.

안정상태에서는 세포막의 선택적 투과성 때문에 칼륨이온(K^+)은 세포막 안에서 밖으로 쉽게 나갈 수 있지만, 나트륨이온(Na^+)은 세포막 밖에서 안쪽으로 잘 들어오지 못한다. 거기에 더해서 세포막 안에는 인산이온(PO_4^{--})이나 황산이온(SO_4^{--})과 같은 음이온이 많이 들어 있기 때문에 세포막 안쪽은 전기적으로 음성, 세포막 바깥쪽은 전기적으로 양성을 띠게 된다.

결과적으로 세포막 안쪽과 바깥쪽 사이에 약 70mV의 전압차(potential difference)가 생기는데, 이것을 안정시막전압(resting potential)이라고 한다. 보통 '세포'라고 하면 세포막 안쪽을 말하고, 세포막 바깥쪽은 세포가 아닌 '주변 환경(0mV)'으로 간주하기 때문에 안정시막전압은 '-70mV'이다.

■ 탈분극과 활동전압

온도·빛·압력 등 외부의 자극이나 다른 신경세포로부터 전달되는 신경충격(impulse)에 의해서 세포막 중에 특정 부위의 안정시막전압은 변화될 수 있다. 예를 들어서 외부로부터 15mV 이상의 신경충격이 오면 -70mV이던 막전압이 -55mV 이상이 되는데, 이때에는 세포막의 선택적 투과성이 없어져버린다. 이것을 "나트륨이온의 통로가 열린다."고 한다.

세포막의 선택적 투과성이 없어졌으므로 세포막 밖에 있던 나트륨이온이 세포막 안쪽으로 몰려 들어간다. 그러면 세포막 바깥쪽은 양이온의 수가 줄고, 안쪽은 양이온의 수가 늘어나므로 세포막 안쪽의 전압이 세포막 밖보다 오히려 더 높아져서 약 30mV로 변한다.

위의 설명에서 막전압이 -70mV보다 높아지는 것을 탈분극(depolarization)이라 하고, 세포막 안쪽의 전압이 세포막 바깥쪽보다 오히려 높아지는 것을 활동전압(action potential)이라고 한다.

■ 역치전압과 실무율

　　탈분극과 활동전압을 설명할 때 "외부로부터 어떤 크기(위의 설명에서는 15mV) 이상의 자극이나 신경충격이 오면 세포막의 선택적 투과성이 없어져버린다"고 한다. 세포막의 선택적 투과성을 없어지게 하는 자극이나 신경충격의 크기가 역치전압 (threshold voltage)이다. 역치전압 이상의 자극이나 신경충격이 오면 세포막의 선택적 투과성이 없어져서(나트륨이온의 통로가 열려서) 활동전압이 생기게 된다.

　　만약 자극이나 신경충격의 크기가 역치전압보다 낮으면 어떻게 될까? 신경충격의 크기가 역치전압보다 낮으면 세포막의 선택적 투과성이 없어지지 않는다. 그러면 나트륨이온이 세포막 안쪽으로 들어갈 수 없게 되므로 활동전압이 생기지 않는다. 즉 자극이나 신경충격이 역치전압 이하이면 아무런 변화도 생기지 않는다.

　　반대로 자극이나 신경충격의 크기가 역치전압보다 높으면 어떻게 될까? 자극이나 신경충격의 크기가 역치전압보다 높으므로 당연히 세포막의 선택적 투과성이 없어져서 활동전압이 만들어진다.

　　이때 활동전압의 크기는 얼마나 될까? 활동전압의 크기는 더 커지지 않는다. 왜? 세포막 밖에 있다가 안으로 들어갈 수 있는 나트륨이온의 수에는 변함이 없기 때문이다. 즉 신경충격의 크기가 역치전압보다 낮으면 신경충격이 전혀 없었던 것과 같고, 신경충격의 크기가 역치전압보다 더 커도 생기는 활동전압의 크기는 똑같다. 이것을 실무율(all or none law)이라고 한다.

■ 과분극과 재분극

　　그림 4-2의 (a)는 안정시막전압이 유지되는 것을 그린 것이고, (b)는 역치전압 이상의 신경충격이 도착했을 때 탈분극되어 나트륨이온의 통로가 열려서 활동전압이 생기는 것을 나타낸 그림이다.

　　활동전압이 생겨서 세포막 안쪽의 전압이 바깥쪽보다 오히려 높아지면 세포막의 선택적 투과성이 다시 살아난다. 이때 나트륨이온은 세포막 밖으로 펌프하고, 칼륨이온은 세포막 안으로 펌프한다. 이것은 신경세포가 영양소로부터 얻은 에너지를 사용해서 나트륨이온과 칼륨이온을 강제로 이동시키기 때문인데, 이것을 나트륨-칼륨이온펌프(Na^+-K^+ ion pump)라고 한다. 즉 활동전압이 생기면 나트륨-칼륨이온펌프가 작동해서 세포막 바깥쪽의 전압을 안쪽보다 높게 만드는데, 이것을 재분극 (repolarization)이라고 한다(그림 4-2의 (c)).

　　그림 4-2의 오른쪽 그래프를 보면 안정시막전압, 역치전압, 탈분극, 활동전압, 재분극 등을 확실하게 구분할 수 있다. 재분극 다음을 보면 일시적으로 안정시막전압보다 더 낮아지는 것을 볼 수 있는데, 그것을 과분극(hyperpolarization)이라고 한다. 과분극은 일시적인 현상이고, 곧 안정시막전압으로 되돌아가는 것을 알 수 있다.

　　그림 그림 4-2의 (b)와 (c)를 보면 나트륨이온 3개가 이동하였는데, 활동전압이 생기는 부위는 가운데 부위이다. 그때 첫 번째 이온이 있는 부위는 이미 활동전압이 생겼던 부위이고, 세 번째 이온이 있는 부위는 역치전압 이상이 되었기 때문에 그다음 활동전압이 거기에 생긴다. 즉 활동전압이 생기는 위치가 옆으로 조금씩 이동하게 되는데, 이것을 신경임펄스의 전파라고 한다.

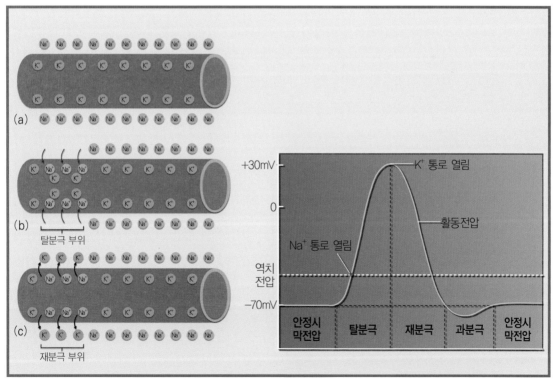

▶ **그림 4-2**　탈분극과 재분극 시 이온 이동(왼쪽)과 안정시막전압과 활동전압(오른쪽)
출처 : 정일규(2018). 휴먼퍼포먼스와 운동생리학 (전정판). 대경북스.

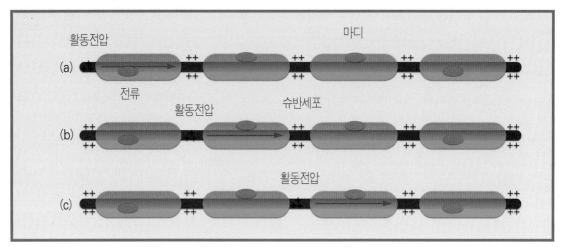

▶ **그림 4-3** 랑비에마디와 도약전도
출처 : 정일규(2018). 휴먼퍼포먼스와 운동생리학 (전정판). 대경북스.

그림 4-3은 말이집이 있는 신경세포에서 신경임펄스가 전파되는 모습을 나타낸 그림이다. 그림에서 말이집이 있는 신경세포에서는 신경임펄스가 옆으로 조금씩 이동하는 것이 아니라 랑비에마디에서 마디로 건너뛰면서 전파되는 것을 알 수 있다. 이것을 신경임펄스의 도약전도(saltatory conduction)라고 한다.

❸ 신경연접부

신경세포의 끝은 다음 신경세포 또는 근육세포에 신경임펄스를 전달한다. 이 연결 부분을 시냅스(synapse) 또는 신경연접부라 한다. 이때 자극을 전달하는 쪽의 끝을 시냅스종말(synaptic terminal), 자극을 받는 쪽을 시냅스이후세포(postsynaptic neuron)라고 한다. 시냅스종말과 시냅스이후세포는 직접 연결되어 있지 않고 아주 좁은 틈새가 벌어져 있는데, 이것이 시냅스틈새(synaptic cleft)이다.

시냅스종말까지 전달된 신경임펄스(nerve impulse ; 일종의 전기신호)가 시냅스틈새 때문에 시냅스이후세포로 직접 전달되지 못하고, 신경전달물질이라고 불리는 화학물질을 방출시켜 시냅스이후세포를 흥분시켜서 자극을 전달한다.

그림 4-4는 시냅스에서 신경임펄스가 전달되는 과정을 설명하기 위한 그림이다. 시냅스이전뉴런의 축삭을 따라 신경임펄스가 전파되어서 신경종말에 도착하면

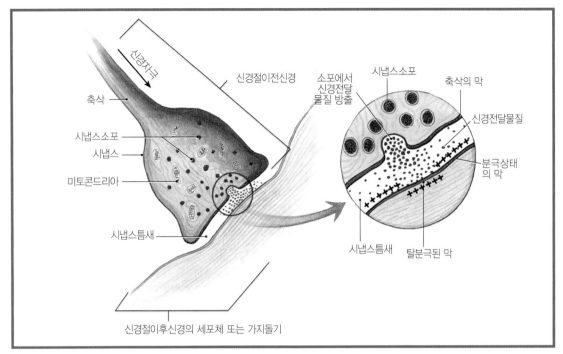

▶ 그림 4-4 시냅스에서 신경임펄스의 전달

신경종말에 흩어져 있는 시냅스소포에서 신경전달물질을 시냅스틈새로 분비한다. → 시냅스이후세포의 세포막에 있는 신경전달물질수용체에 신경전달물질이 작용하면 시냅스이후세포가 흥분하여 활동전압이 발생한다. → 발생된 활동전압은 시냅스이후세포의 축삭을 따라 전파되고, 분비되었던 신경전달물질의 일부는 불활성화되고 일부는 시냅스소포에 다시 흡수되어 재활용된다.

시냅스소포에서 분비되는 신경전달물질에는 아세틸콜린, β 엔도르핀, 도파민, 노르아드레날린, 세로토닌 등 약 60종류가 있다. 신경의 종류에 따라 방출되는 물질이 다르다. 신경전달물질이 분비되었을 때 시냅스이후세포가 흥분해서 활동전압을 일으키는 것을 흥분성전달(excitatory transmission)이라 하고, 신경전달물질이 분비되었는데도 시냅스이후세포가 흥분되지 않아서 활동전압이 만들어지지 않는 것을 억제성전달(inhibitory transmission)이라고 한다.

신경섬유와 신경섬유의 연접은 시냅스, 신경섬유와 근육섬유 사이의 연접은 신경근육연접(neuromuscular junction)이라고 한다. 뼈대근육의 신경근육연접에서 자극을 전달하는 물질은 아세틸콜린이다.

신경섬유의 종말단추에서 아세틸콜린이 분비되면 분비된 아세틸콜린(acetylcholine)은 연접부위의 근육섬유막이 함입된 부위에 있는 아세틸콜린수용체와 결합하게 된다. 아세틸콜린과 수용체가 결합하면 근육섬유막의 나트륨이온 통로가 열리면서 세포막 밖에 있던 나트륨이온이 근육섬유막 안쪽으로 이동하면서 활동전압이 만들어진다.

만들어진 활동전압은 근육섬유막을 타고 근육섬유의 면쪽으로 전파되고, 신경근육연접에서 분비된 아세틸콜린은 분해효소에 의해서 분해되어 자극이 전달되기 전의 상태로 되돌아간다. 그러면 신경근육연접 이전의 신경세포와 신경근육연접 이후의 근육세포가 새로운 신경임펄스를 다시 받아들일 준비상태가 된다. 이와 같은 준비상태가 되기 전에 신경임펄스가 아무리 많이 도착해도 근육섬유는 반응하지 않는데, 이것을 절대적 불응기(absolute refractory period)라고 한다.

02 신경계통의 분류와 기능

❶ 신경계통의 분류 ∙∙

신경계통은 크게 중추신경계통(CNS : central nervous system)과 말초신경계통(PNS : peripheral nervou system)으로 분류한다. 외부로부터의 정보는 말초신경의 감각신경(구심성신경)에 의하여 중추부로 입력되고, 거기에서 처리된 정보가 운동신경(원심성신경)에 의하여 신체 각 부위(근육이나 분비샘)로 전달된다.

중추신경계통은 뇌와 척수를 말한다. 뇌(brain)에는 대뇌(cerebrum), 사이뇌(diencephalon, interbrain), 뇌줄기(brain stem), 소뇌(cerebellum)가 있다. 척수(spinal cord)는 목척수(cervical cord), 등척수(thoracic cord), 허리척수(lumbar cord), 엉치척수(sacral cord)로 나눈다.

말초신경계통은 중추신경계통과 신체 각 부위를 연결하는 신경전도경로 전체를 일컫는 말로 뇌신경과 척수신경으로 나눌 수도 있고, 몸신경과 자율신경으로 나눌 수도 있다. 몸신경(somatic nerve)은 의식적으로 정보처리와 신경조절을 하지만, 자

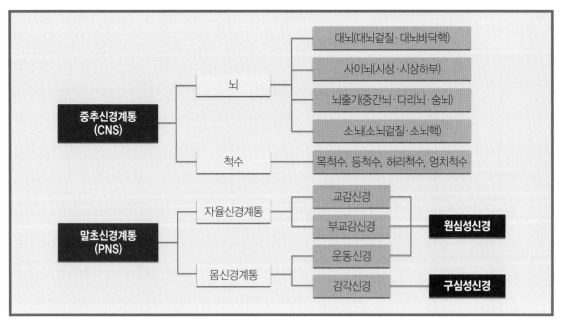

▶ **그림 4-5** 신경계통의 분류

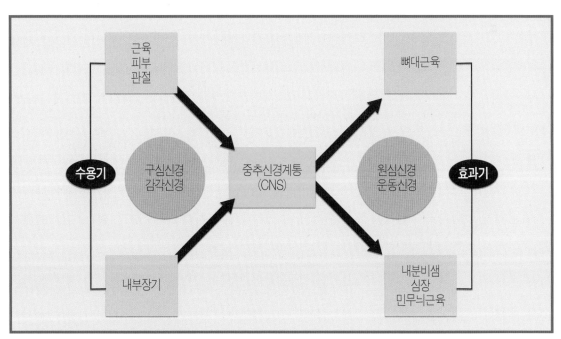

▶ **그림 4-6** 신경계통의 연결

　　　출처 : 정일규(2018). 휴먼퍼포먼스와 운동생리학 (전정판). 대경북스.

율신경(autonomic nerve)은 무의식적으로 한다.

몸신경계통은 신경임펄스를 중추에서 말초로 전달하는 원심성신경과, 말초에서 중추로 전달하는 구심성신경으로 분류한다. 자율신경계통은 교감신경과 부교감신경으로 분류한다. 신경임펄스를 전달하는 방향으로 보면 자율신경계통은 모두 원심성신경에 속한다.

❷ 중추신경계통

■ 대뇌

대뇌는 대뇌세로틈새(cerebral longitudinal fissure, 대뇌종렬)에 의하여 좌반구와 우반구로 나누어지며, 뇌들보(corpus callosum, 뇌량)라고 불리는 섬유다발로 좌ㆍ우반구가 연결되어 있다. 대뇌겉질의 표면에는 많은 뇌고랑이 있다. 뇌고랑(cerebral sulcus)과 뇌고랑 사이에는 뇌이랑(cerebral convolution, 뇌회)이라고 불리는 불룩한 부분이 있다.

그림 4-8은 대뇌겉질의 왼쪽 표면이다. 중앙에 있는 중심고랑과 앞쪽 조금 밑에서 수평방향으로 주행하는 가쪽고랑을 경계로 이마엽, 마루엽, 관자엽, 그리고 뒤통수엽으로 나눈다.

이마엽(frontal lobe, 전두엽)은 대뇌반구의 앞쪽에 있는 부분으로 기억력ㆍ사고력 등의 고등행동을 관장하며, 다른 연합영역으로부터 들어오는 정보를 조정하고 행동을 조절한다. 또한 추리, 계획, 운동, 감정 등의 해결에 관여한다.

마루엽(parietal lobe, 두정엽)은 중심고랑과 두정후두고랑 사이, 바깥쪽 틈새 윗부분에 있으며, 기관에 운동명령을 내리는 운동중추가 있다. 몸감각겉질과 감각연합영역이 있어 촉각ㆍ압각ㆍ통증 등의 몸감각 처리에 관여하며, 피부ㆍ근육뼈대계통ㆍ내장으로부터의 감각신호를 담당한다.

관자엽(temporal lobe, 측두엽)은 대뇌반구의 양쪽 가에 있는 부분으로 청각연합영역과 청각겉질이 있어 청각정보의 처리와 감정, 사실적 기억, 시각적 기억 정보를 처리한다.

뒤통수엽(occipital lobe, 후두엽)의 바깥쪽 표면은 마루뒤통수고랑 위쪽 끝부분과 뒤통수앞패임을 잇는 가상적인 선의 뒤쪽 부분이고, 안쪽 표면은 마루뒤통수고

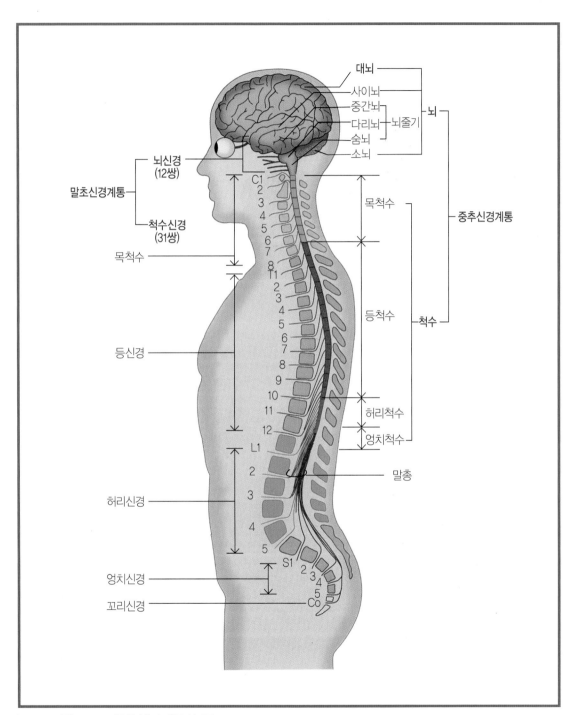

▶ **그림 4-7** 중추신경계통의 구조

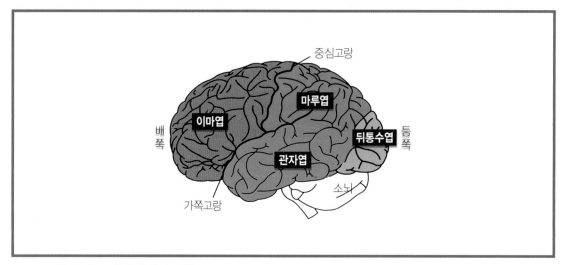

▶ **그림 4-8** 대뇌겉질의 4엽

랑의 뒤쪽 부분이다. 여기에는 시각연합영역(visual association area)과 일차시각겉질(primary visual cortex)이라고 하는 시각중추(visual center)가 있어 시각정보를 처리한다.

대뇌겉질을 기능적으로 나누면 주로 감각을 인지하는 감각영역(sensation area)과 운동역역(motor area), 그리고 이 두 영역을 연결해주는 연합영역(association area)으로 나눌 수 있다. 각각의 영역은 위치에 따라 세부적으로 다른 기능을 한다. 브로드만이 1909년에 대뇌의 영역별 기능적 차이를 기준으로 대뇌겉질 47개, 대뇌속질 5개의 영역을 구분하여 영역별로 번호를 붙였는데, 그것을 브로드만의 대뇌지도(Brodmann map)라 하여 현재 가장 널리 사용되고 있다.

그림 4-9는 브로드만의 대뇌지도 중 운동영역과 감각영역의 위치에 따른 세부적 기능을 나타낸 것이다. 그림에서 감각영역과 운동영역 모두 손과 얼굴을 지배하는 영역의 넓이가 다른 신체기관을 지배하는 영역에 비하여 대단히 크다는 것을 알 수 있다. 그렇기 때문에 얼굴과 손을 이용해서 미세하고도 정확한 운동을 빠르게 할 수도 있고, 아주 미세한 감각도 느낄 수 있다.

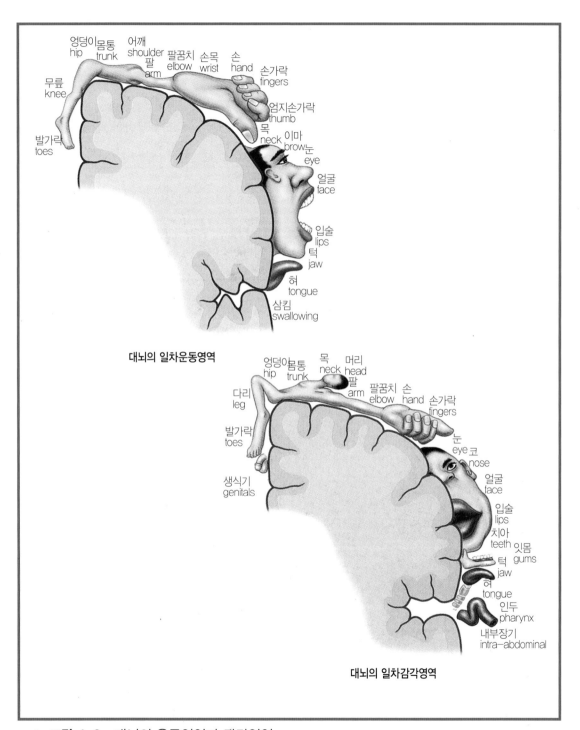

대뇌의 일차운동영역

대뇌의 일차감각영역

▶ **그림 4-9**　대뇌의 운동영역과 감각영역

사이뇌

사이뇌(diencephalon, 간뇌)는 시상·시상하부·뇌하수체로 구성되어 있고 대뇌반구로 덮여 있기 때문에 외부에서는 거의 보이지 않는다.

시상은 감각의 연결중추로서 모든 감각을 종합하여 대뇌겉질로 전달하는 역할을 한다. 시상하부는 시상의 아래에 있으며 체온조절, 체액 및 전해질 조절, 식욕 조절 등 신체의 항상성 유지에 관여한다. 그래서 시상하부를 자율신경계통 및 내분비계통의 최고 중추라고 한다.

뇌하수체는 시상하부에 붙어 있는 작은 내분비기관으로 앞엽과 뒤엽으로 나누어지며, 인체기능을 조절하는 각종 호르몬을 만들어서 분비한다.

뇌줄기

뇌줄기(brain stem, 뇌간)는 중간뇌·다리뇌·숨뇌로 구성되어 있고, 척수와 직접 연결되어 있다. 후각신경과 시각신경을 제외한 나머지의 뇌신경은 모두 뇌줄기서 나온다.

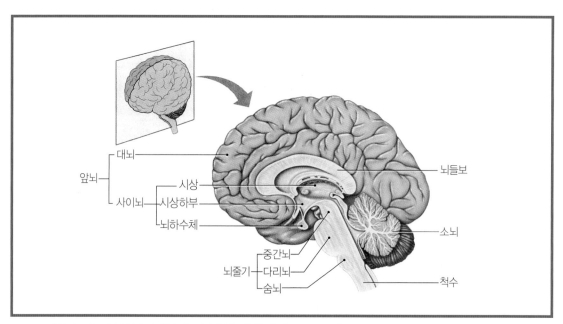

▶ **그림 4-10** 사이뇌, 뇌줄기, 소뇌의 정중단면

다리뇌(pons)는 중간뇌와 숨뇌 사이에 위치하며, 호흡중추와 뼈대근육의 긴장을 조절하는 중추가 위치하고 있다. 숨뇌(medulla oblongata)는 뇌와 척수의 경계부분에 있으면서 양쪽을 연결하는 신경섬유의 통로가 된다. 숨뇌에는 추체(피라밋)가 있어서 대뇌겉질에서 척수로 가는 운동신경섬유의 통로가 된다. 운동신경섬유가 숨뇌의 아래끝 부분에서 좌우로 교차되기 때문에 대뇌의 좌우와 대뇌가 지배하는 신체부위의 좌우가 반대로 뒤바뀐다.

숨뇌에는 심장운동, 혈압, 호흡, 침분비, 땀분비(발한) 등을 지배하는 중추들이 위치하고 있기 때문에 숨뇌를 생명활동의 중추라고 한다.

소뇌

소뇌(cerebellum)는 뇌줄기 뒤편에 있으면서 많은 신경섬유에 의해 뇌줄기의 중간뇌 · 다리뇌 · 숨뇌와 기능적으로 연락되고 있다. 소뇌는 속귀의 안뜰기관, 시상, 대뇌바닥핵, 대뇌겉질의 운동영역과 직접 또는 간접적으로 연관을 맺으면서 신체의 자세와 평형, 그리고 운동조절에 관여하고 있다.

소뇌는 근육의 운동을 직접 명령하는 운동중추는 아니지만 운동기관(뼈대근육)과 대뇌겉질 운동중추의 중간에서 중재자로서 운동영역에 의해 수행되는 신체활동을 조정하는 대뇌의 자문기관 역할을 한다.

소뇌는 소뇌겉질과 소뇌핵으로 구성된다. 소뇌겉질은 분자층, 푸르킨예세포층, 과립세포층의 3층으로 되어 있다. 정중앙의 소뇌벌레(소뇌충부)에서 중간부분과 가쪽반구부분으로 나누어진다. 부분별로 기능이 분화되어 있고 각각의 소뇌핵에 연결되어 있다.

척수

척수(spinal cord)는 숨뇌의 연장으로 지름 약 1cm, 길이 45cm인 장기로서 척추뼈구멍(척주관) 속에 들어 있다. 척수는 뇌와 말초(피부, 관절, 근육, 내장 등) 사이에 양방향으로 정보를 전달하는 통로이기 때문에 척수에는 세 종류의 신경(운동신경, 감각신경, 사이신경)이 모두 들어 있다.

척수의 양쪽에 있는 척추뼈사이구멍(intervertebral foramen)을 통하여 말초신경인 척수신경(spinal nerve)이 빠져나온다. 이때 위치에 따라 목신경, 가슴신경, 허리신경, 엉치신경 및 꼬리신경이라고 한다.

그림 4-11에서 척수의 단면을 보면 H모양의 회색질과 그것을 둘러싼 백색질로 이루어져 있다. 척수의 겉질은 신경섬유가 모여 있는 백색질이고, 속질은 신경세포체가 모여 있는 회색질이다. 반면에 대뇌는 겉질이 회색질이고, 속질이 백색질이다.

척수의 회색질 부위에서 배쪽으로 돌출된 부위를 앞뿔, 등쪽으로 돌출된 부위를 뒤뿔, 가쪽으로 돌출된 부위를 가쪽뿔이라고 한다.

앞뿔에 있는 신경세포로부터 앞뿌리를 통하여 원심성(운동성)신경이 나오고, 말초에서 오는 감각정보는 뒤뿌리를 통해서 뒤뿔로 들어간다. 척수에는 좌·우에 불룩한 팽대부가 있는데, 이 팽대부는 팔다리의 운동과 감각을 지배하는 데 필요한 많은 신경과 그 세포체들이 모여서 만들어진 것이다.

신경이 지나가는 길을 신경로(nerve tract)라 한다. 이것은 말초쪽에서 중추쪽으로 정보를 전달하는 상행로(오름길)와 중추쪽에서 말초쪽으로 정보를 전달하는 하행로(내림길)가 구분되어 있다. 신경로의 이름은 척수소뇌로(spinocerebellar tract)처럼 출발부위를 앞에 쓰고, 도착부위를 나중에 쓴다.

감각신경이 지나가는 상행로에는 3개의 신경세포체가 있다. 첫 번째 감각신경의 세포체는 뒤뿌리신경절에 있고, 두 번째 감각신경의 세포체는 척수 안에 있고, 축삭은 척수를 따라 위로 올라가서 시상에 이른다. 세 번째 신경섬유의 세포체는 시상 안에 있으면서 두 번째 신경과 연접하고, 그 축삭이 뇌겉질의 감각중추에 이른다.

한편 뇌로부터 척수로 내려오는 내림신경경로(하행로)는 피라밋로(pyramidal tracts, 추체로)와 피라밋바깥길(extrapyramidal tracts, 추체외로)로 나누어진다. 피라밋로를 지나는 신경은 모두 우리 몸의 운동기능을 담당하고 있는 상부운동뉴런(upper motor neuron)이다. 피라밋로에는 대뇌겉질에서 척수로 가는 겉질척수로(cortico-spinal tract)와 대뇌겉질에서 뇌줄기로 가는 겉질연수로(corticobulbar tract)가 있다.

피라밋바깥길(extrapyramidal tracts)은 대뇌반구의 깊은 곳에 위치한 신경세포체의 모임인 바닥핵과 그와 관련된 신경회로인데, 피라밋로를 지나가지 않기 때문에 피라밋바깥길이라고 한다. 피라밋바깥길에는 그물척수로(그물체와 척수를 연결), 적색척수로(적색핵과 척수를 연결), 안뜰척수로(안뜰신경핵과 척수를 연결), 덮개척수로, 올리브척수로가 있다. 피라밋바깥길은 신체의 평형 조절, 근육의 수축과 이완 조절, 폄근(신근)과 굽힘근(굴곡근)의 조절에 깊게 관여한다.

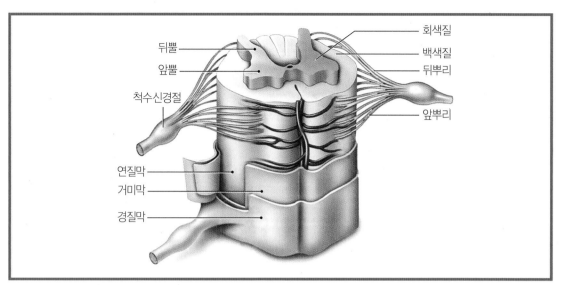

뒤뿔
앞뿔
척수신경절

회색질
백색질
뒤뿌리

앞뿌리

연질막
거미막
경질막

▶ **그림 4-11** 척수와 척수신경의 구조

피라밋로(pyramidal tract)는 대뇌겉질에서 숨뇌 또는 척수로 직접 가지만, 피라 밋바깥길은 해당하는 바닥핵에서 척수까지 가는 동안에 여러 번 시냅스를 이룬다.

③ 말초신경계통

말초신경계통(peripheral nervous system)은 기능적인 측면에서 몸신경과 자율 신경으로 나누어지지만, 해부학적 관점에서는 뇌신경(cerebral nerve)과 척수신경 (spinal nerve)으로 구분된다. 몸신경에는 신체의 각 부위로부터 감각정보를 받아들 여서 대뇌로 전달하는 감각신경과, 대뇌의 운동명령을 근육에 전달하는 운동신경이 있다. 자율신경은 의식적인 노력 없이 지속적이고 독립적으로 심장 · 내장 · 혈관 · 분비샘 등의 기능을 자율적으로 조절하는 신경으로, 교감신경과 부교감신경이 있다.

뇌신경은 뇌에서 직접 빠져나와 주로 두부에 있는 각 기관에 분포되는 신경이고, 척수신경은 척수에서 빠져나와 인체 각 부위에 분포되는 신경이다.

인체에는 12쌍의 뇌신경이 있어서 그림 4-12에서 볼 수 있는 바와 같이 후각, 시 각과 평형, 안구운동, 얼굴표정, 저작운동(씹기), 미각, 혀의 운동, 침과 눈물의 분비, 인두 · 후두 · 식도의 운동, 윗배에 있는 내장의 기능조절, 목과 뒤통수의 운동 등 목

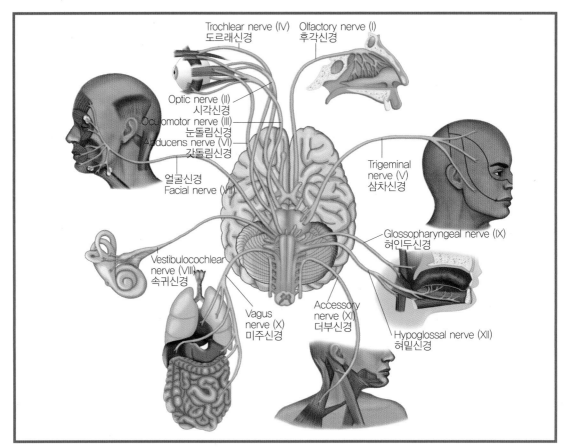

▶ **그림 4-12** 뇌신경

보다 위에 있는 신체기관과 조직의 기능을 조절한다.

척수신경(spinal nerve)은 척수의 양쪽에서 출입하는 31쌍의 말초신경을 말한다. 신경이 빠져나가는 척추에 따라 목신경(8쌍), 가슴신경(12쌍), 허리신경(5쌍), 엉치신경(5쌍), 꼬리신경(1쌍)이라고 부른다. 척수신경의 신경섬유는 신경속막, 신경다발막, 신경바깥막으로 묶여 있어서 섬유다발같이 보인다. 섬유다발 중간에 통통한 팽대부가 있는데, 그것을 신경절(ganglion)이라고 한다(그림 4-13 참조).

척수신경에는 감각신경과 운동신경의 섬유가 섞여 있거나 자율신경의 섬유를 포함하고 있는 것도 있다. 가슴신경 이외의 척수신경은 위아래의 신경섬유다발이 교차하면서 신경얼기(nerve plexus)를 만든다.

척수의 뒤뿌리에서 나오는 감각신경과 앞뿌리에서 나오는 운동신경 및 자율신

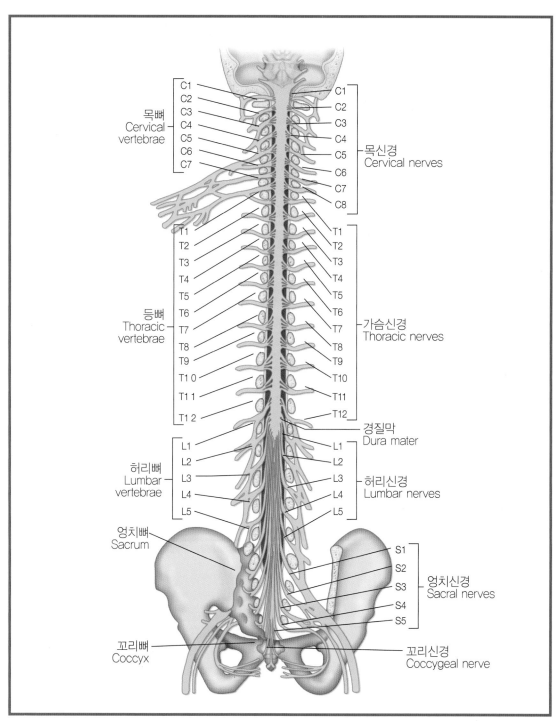

▶ **그림 4-13** 척수신경

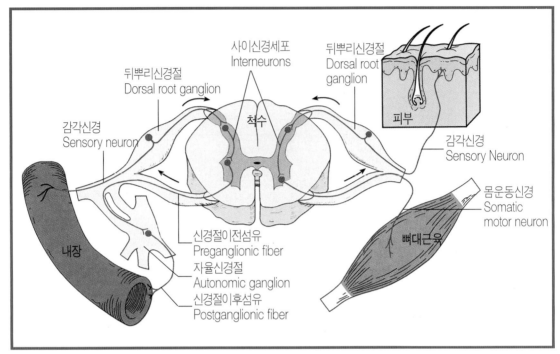

▶ **그림 4-14** 척수에서 말초신경의 연결구조

경은 뇌신경이 지배하는 기관과 조직 이외의 전신을 지배한다. 척수에서 나온 말초신경이 근육, 내장, 피부 등 신체 조직의 말초부위까지 신경임펄스(감각정보 또는 운동명령)를 전달할 때에는 보통 2개의 신경세포가 관여한다.

첫 번째 신경세포는 세포체가 척수 안에 들어 있고 그 축삭이 신경절까지 달려가서 두 번째 신경세포와 연접한다. 두 번째 신경세포의 세포체는 신경절 안에 들어 있고, 그 축삭이 근육 · 내장 · 피부 · 관절까지 달려간다.

보통 척수의 위 부위에서 나온 척수신경은 상체와 팔을 지배하고, 아래 부위에서 나온 척수신경은 하체와 다리를 지배한다. 척수신경이 지배하는 피부 · 근육 · 뼈(관절)는 각 척수신경마다 따로 정해져 있다. 특히 피부의 지배영역은 그림 4-15와 같이 띠 모양으로 구분할 수 있기 때문에 그것을 피부분절(dermatomere)이라고 한다.

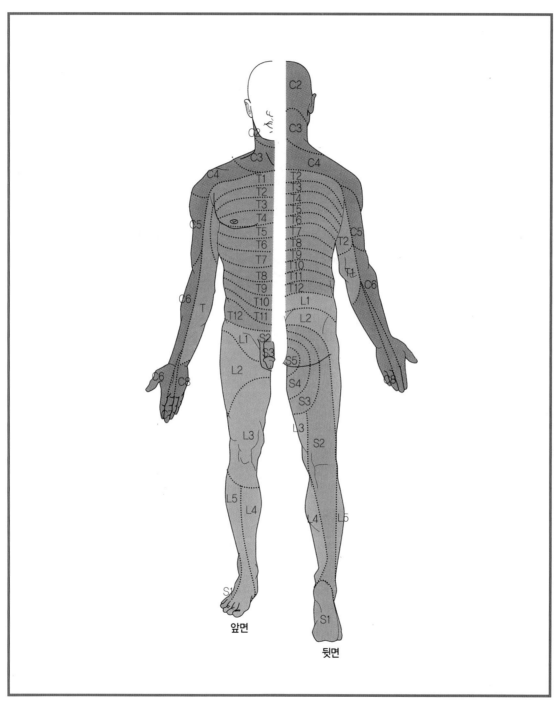

▶ **그림 4-15** 피부분절

❹ 자율신경계통

■ 자율신경계통의 구조와 기능

의식적인 노력없이 지속적이고 독립적으로 작용하는 말초신경계통의 일부를 자율신경계통(autonomic nervous system)이라 한다. 중추신경계통과 말초신경계통에 모두 있는 자율신경은 심장·내장·혈관·분비샘 등의 기능을 자율적으로 조절한다.

자율신경계통의 조절중추는 시상하부(hypothalamus)이다. 시상하부에 있는 시상핵이 자율신경계통 중추의 역할을 한다. 시상하부는 중추신경계통 각 부위와 정보를 주고받으면서 환경의 변화에 대응하여 내장 등의 기능을 자율적으로 조절하기 때문에 항상성의 중추라고도 한다. 시상하부에는 체온조절·혈압조절·체내수분조절 등의 중추가 있고, 교감신경과 부교감신경을 통해 심장과 같이 자율적으로 움직이는 효과기에 원심성 명령을 내려 조절한다. 그러므로 자율신경계통의 모든 신경섬유는 원심성이며, 운동신경섬유이다. 자율신경계통의 최고위중추는 시상하부이다. 시상하부는 내분비계통의 중추이기도 하다.

교감신경은 척수의 등뼈와 허리뼈로부터 빠져나오고, 부교감신경은 뇌줄기와 엉치뼈로부터 빠져나와 여러 내장부위에 분포한다. 몸신경(감각신경과 운동신경)은 중추(뇌와 척수)에서 단 1개의 신경에 의해서 말초부위에 연결되지만, 자율신경은 2개의 신경이 중추신경과 인체의 말초부위를 잇는다. 그 연결 부위를 자율신경절(auto-nomic ganglion)이라 한다.

뇌나 척수에서 나와 자율신경절까지 연결하는 신경을 신경절이전신경(preganglionic neuron), 자율신경절에서 말초까지 연결하는 신경을 신경절이후신경(postganglionic neuron)이라고 한다. 참고로 몸신경인 감각신경의 세포체가 위치하고 있는 신경절은 뒤뿌리신경절(dorsal root ganglion)이다.

교감신경은 신체를 흥분상태 내지 임전태세로 만드는 데 비하여, 부교감신경은 신체를 안정 내지 휴식상태로 만든다. 많은 장기 및 기관에 교감신경과 부교감신경이 동시에 분포되어 있어서 상황에 따라 주된 역할을 하는 신경이 달라진다. 이와 같이 상반되는 기능을 가진 교감신경과 부교감신경에 의해서 조절되는 것을 이중지배(dual supply)라고 한다.

■ 교감신경

교감신경(sympathetic nerve)은 자신에게 위협이 되는 상황에 직면하였을 때 신체를 임전태세로 만든다. 의식을 집중하고 시각을 예민하게 만들어 뼈대근육을 최대한으로 사용하도록 준비시킨다. 기관지를 확장시켜 호흡을 빨리 함으로써 산소를 많이 섭취하고, 심박수를 높여 혈류를 왕성하게 만들고, 뼈대근육의 혈관을 확장시킨다.

또한 간에서는 뼈대근육의 에너지원이 되는 포도당을 대량으로 방출하고, 소화관의 운동 및 소화액의 분비는 억제되고, 방광벽은 이완된다.

교감신경은 신경절이전섬유가 짧고 신경절이후섬유가 긴 것이 특징이다. 스트레스에 노출되면 교감신경이 우위가 된다. 스트레스의 원인이 해결되지 않으면 교감신경 우위의 상태가 계속되고, 신체적인 부담이 커지며, 결국에는 피폐해진다.

■ 부교감신경

위협이 되는 상황이나 부담이 되는 환경조건이 없고, 차분하게 식사를 하거나 배설하는 것이 가능한 상태일 때 부교감신경이 우위로 활동한다. 부교감신경(parasym-pathetic nerve)은 소화관의 운동 및 소화액의 분비를 촉진하고, 간에서 포도당으로부터 글리코겐을 합성하는 활동을 항진시킨다. 방광벽의 민무늬근육을 수축시켜 배설을 촉진시키고, 생식기관의 혈류를 증가시킨다. 심박수가 감소하고 기관지벽의 민무늬근육이 수축하여 동공도 축소된다.

부교감신경은 뇌줄기와 엉치뼈에서 나온다. 뇌줄기에서 나온 부교감신경은 모두 뇌신경에 섞여 주행하고, 엉치뼈에서 나온 부교감신경은 골반 안에 있는 장기에 분포된다. 부교감신경은 신경절이 표적장기에 가까이 있기 때문에 신경절이전섬유가 길고, 신경절이후섬유가 짧다.

그림 4-16은 교감신경과 부교감신경의 역할을 알기 쉽도록 그린 그림이다. 교감신경과 부교감신경이 뇌신경과 척수신경 모두에서 나오고, 하나의 장기에 교감신경과 부교감신경이 모두 연결되어 있으며, 서로 반대의 기능을 가지고 있다. 교감신경은 신경절이전뉴런의 길이가 짧고, 부교감신경은 신경절이전뉴런의 길이가 길다.

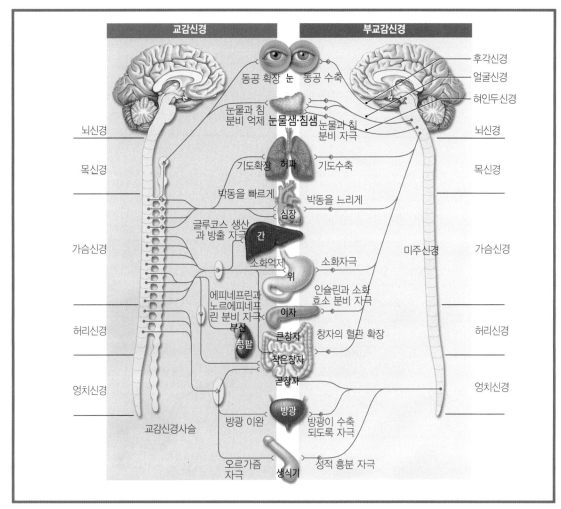

▶ **그림 4-16** 교감신경과 부교감신경의 역할

03 신경계통의 운동조절

① 운동단위에 의한 근력조절

뼈대근육을 움직이는 운동신경은 그 축삭의 끝이 여러 가닥으로 나누어져 있고,

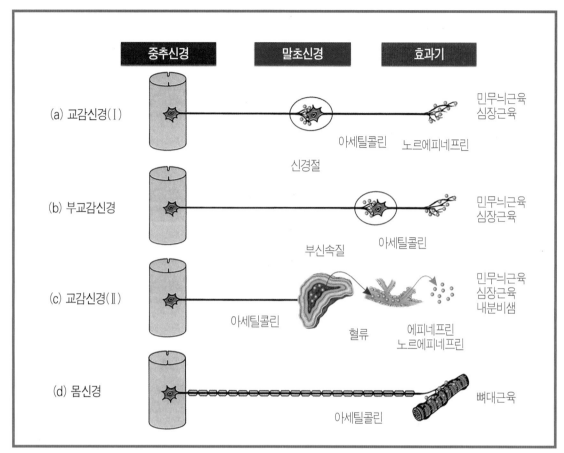

▶ **그림 4-17** 신경의 종류별 신경전달물질

각 가닥의 끝이 뼈대근육의 근육섬유에 붙어 있다. 즉 1개의 운동신경에 여러 개의 근육섬유가 매달려 있는 형태를 하고 있다. 이때 1개의 운동신경과 그 가닥에 붙어 있는 근육섬유 전체를 통틀어서 운동단위(motor unit)라고 한다.

1개의 운동단위에 속하는 근육섬유는 근육섬유를 수축시키는 자극의 역치전압이 모두 같기 때문에 동시에 수축할 수밖에 없다. 그러므로 1개의 운동신경에 매달려 있는 근육섬유의 수가 많으면 발휘하는 근력의 크기가 크다. 눈동자처럼 정밀한 운동을 해야 하는 근육의 운동단위는 1개의 운동단위에 속해 있는 근육섬유의 수가 작고, 장딴지근육이나 넙다리근육처럼 큰 힘을 내야 하는 근육은 1개의 운동단위에 속해 있는 근육섬유의 수가 많다.

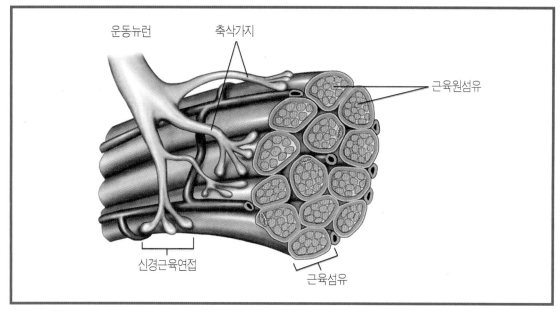

▶ **그림 4-18** 운동단위

사람이 운동을 조절하는 가장 기본적인 방법은 근수축에 의해서 발휘되는 근력의 크기를 조절하는 것이다. 근력의 크기는 임펄스를 보내는 운동단위의 수(동원하는 운동단위의 수)와 자극의 빈도에 의해서 조절된다. 즉 운동조절의 가장 기본적인 형태는 운동단위를 통해서 발휘되는 근력의 크기를 조절하는 것이다.

❷ 말초성(반사에 의한)근력 조절

말초성근력 조절이란 인체의 내·외부에서 오는 자극을 말초성감각신경이 감지하여 중추에 보내면, 중추가 그에 대응하는 조치를 취하도록 말초성운동신경에 명령을 내려서 근력을 조절함으로써 운동조절을 한다는 의미이다.

한편 인체가 자극을 받아들여서 적절한 반응을 하는 가장 일반적인 경로는 감각수용기→구심성신경(감각신경)→중추→원심성신경(운동신경)→효과기(근육, 심장, 내장, 분비샘 등)이다.

감각수용기는 어떤 자극을 감지하는 기관이라는 뜻으로, 다음과 같이 분류한다.

❖ **외부수용기**　시각, 청각, 미각, 후각, 촉각, 통각 등
❖ **내부수용기**　고유수용기 : 근방추, 골지힘줄기관, 관절수용기
　　　　　　　　내장수용기 : 압력수용기, 화학수용기, 온도수용기

　위의 분류에서 외부수용기(exteroceptor)는 인체 외부의 환경 변화를 감지하는 기관을 말하고, 내부수용기(interoceptor)는 인체 내부의 상태를 감지하는 기관이다. 그런데 외부수용기와 내장수용기가 감지해서 중추에 보낸 정보에 의해서 근력이나 운동을 조절하는 것은 쉽게 알 수 있기 때문에 설명을 생략한다.

　여기에서는 고유수용기에서 보낸 고유감각정보에 의해서 반사적으로 근력 또는 운동을 조절하는 반사에 의한 운동조절만을 설명하기로 한다.

　내부수용기 중에서 고유수용기는 팔다리의 위치와 방향, 관절이 움직이는 상태, 근육이 수축하거나 이완되는 상태 등과 같이 근육 · 힘줄 · 인대 · 관절에서 오는 여러 가지 정보를 중추에 보고하는 역할을 하는 기관이다. 고유수용기가 있기 때문에 눈을 감고 있든 물속에 있든 거꾸로 매달려 있든, 자기 자신의 몸 상태를 정확하게 알 수 있을 뿐 아니라 발휘하는 힘, 움직이는 속도까지도 알 수 있다. 고유수용기에는 근방추, 골지힘줄기관, 관절수용기 등 3가지가 있다.

근방추

　근방추(muscle spindle)는 근육 안에 있으면서 근육길이의 변화와 변화 속도를 감지하는 역할을 한다. 외력 때문에 근육이 지나치게 늘어나려고 하면 폄반사를 일으켜 근육이 손상되는 것을 예방한다.

골지힘줄기관

　골지힘줄기관(Golgi tendon organs)은 근육과 힘줄이 결합하는 부위에 있고, 현재 발휘되고 있는 근육의 장력 수준을 척수 및 뇌에 보고하는 감각기관이다. 근육의 길이가 늘어나게 하는 것보다 수축에 민감하게 작용하여 지나치게 강한 근육수축이 일어날 때 이를 억제하는 역할을 한다.

　인대나 힘줄에 과도한 힘이 걸려서 찢어지려고 할 때 근육을 이완시켜서 힘줄과 인대를 보호한다.

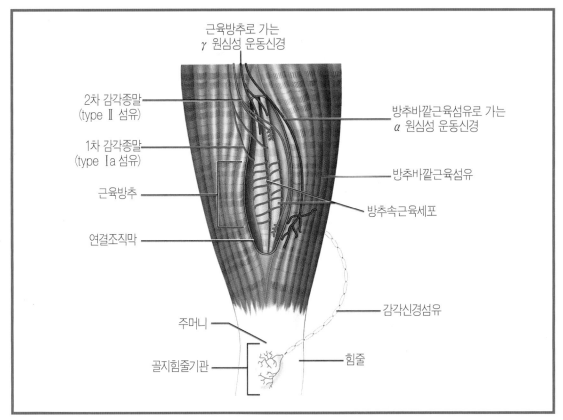

근육방추로 가는
γ 원심성 운동신경

2차 감각종말
(type Ⅱ 섬유)

방추바깥근육섬유로 가는
α 원심성 운동신경

1차 감각종말
(type Ⅰa 섬유)

반추바깥근육섬유

근육방추

방추속근육세포

연결조직막

감각신경섬유

주머니

골지힘줄기관

힘줄

▶ **그림 4-19** 근방추와 골지힘줄기관

■ 관절수용기

관절수용기(joint receptor)는 관절주머니를 둘러싸고 있는 결합조직과 인대에 있고, 팔다리 및 관절의 위치를 감지하는 역할을 한다. 관절수용기는 매우 민감하여 척수와 뇌에 정보를 전달하여 신속하게 동작을 수정할 수 있도록 한다.

■ 상호억제

팔을 굽히려고 하면 주동근인 위팔두갈래근은 수축하고, 대항근인 위팔세갈래근은 이완되어야 한다. 이와 같이 주동근이 활동할 때 대항근이 주동근의 활동을 억제시키는 것을 상호억제(mutual deterrence)라 한다. 상호억제는 의식적으로 하는 것이 아니라 반사적으로 이루어지기 때문에 상호억제도 일종의 반사에 의한 운동조절이다.

❸ 트레이닝에 의한 신경계통의 변화 ······································

근력을 개선시키기 위해서 트레이닝을 하면 훈련 초기에는 근육의 비대현상이 나타나지 않고, 대체로 4주 이후에 나타난다. 트레이닝 초기에 근육의 비대 없이 근력이 개선되는 것은 신경요인의 변화 때문이다.

다음은 신경계통의 변화에 의해 근력이 개선된다는 것을 보여주는 몇 가지 예이다.

◆ 양쪽 팔다리 중 한쪽만 훈련시켰을 때 다른 쪽에도 훈련의 효과가 나타난다. 예를 들어 훈련을 통해 오른무릎의 근력이 20% 증가하면 훈련하지 않은 왼무릎의 근력도 10% 정도 증가한다. 이것은 척수신경을 통해서 오른다리의 훈련효과가 왼다리로 일부 전이된 것으로 여겨진다.

◆ 근력을 발휘하면서 기합을 넣거나 근력검사 직전에 총소리를 들으면 근력이 증가하는 현상이 나타난다.

◆ 근력이 증가했다는 최면적 예시에 의해 근력이 증가되는 현상을 볼 수 있다.

◆ 인간이 최대로 발휘할 수 있는 수의적 수축력은 근육에 전기자극을 가했을 때의 수축력보다 약하다. 이것은 억제성 자극이 함께 작용하기 때문에 자신이 가지고 있는 모든 운동단위를 일시에 흥분시킬 수 있는 신경충격을 만들 수 없기 때문이다. 따라서 인간은 훈련에 의해 뇌로부터의 흥분성 자극을 증가시키고 억제성 자극을 감소시킴으로써 근력을 증가시키는 방법을 학습할 수 있다.

◆ 근력트레이닝을 하면 최대수축운동 중 근육의 전기활동(근전도)이 증가한다. 이는 훈련 후 더 많은 운동단위가 동원되고 자극의 빈도가 높아졌음을 의미한다.

◆ 동물 실험 결과 지구력훈련을 받은 동물이 훈련을 받지 않은 동물보다 신경근육연접부가 크고, 축삭종말이 길며, 시냅스부위도 크다고 보고되고 있다. 이것은 훈련에 의해서 신경근육연접부에서 신경전달물질을 더 효과적으로 운반할 수 있게 되었다는 것을 의미한다.

◆ 관절고정으로 근육운동이 오래 동안 제한되면 신경근육연접부의 피로가 쉽게 발생하는 것으로 알려져 있다. 이는 트레이닝을 하면 신경근육연접부의 근육피로현상을 지연시킬 수 있다는 증거가 된다.

제5장

뼈대근육과 운동

01 근육의 종류

인체의 운동은 근육이 수축하는 힘에 의해 이루어진다. 근육은 화학적 에너지를 기계적 에너지와 열로 전환시킬 수 있는 일종의 에너지변환기(energy converter)이다.

인체에는 뼈대근육, 민무늬근육, 심장근육 등 세 종류의 근육이 있다. 뼈대근육(skeletal muscle)은 뼈대에 붙어 있으면서 신체를 움직이거나 중력에 대항하여 체중을 지탱하는 역할과 체온을 유지하고 관절의 안정성을 확보하는 역할을 한다. 심장근육(cardiac muscle)과 내장근육(visceral muscle)은 심장이나 내장의 내부압력을 상승시키거나 내부에 있는 물질(혈액 또는 음식물)을 압력이 낮은 쪽으로 이동시키는 역할을 한다.

뼈대근육과 심장근육의 세포를 현미경으로 관찰하면 가로무늬가 있기 때문에 가로무늬근육(striated muscle)이라 하고, 내장근육은 가로무늬가 없기 때문에 민무늬근육(smooth muscle)이라고 한다. 뼈대근육은 근육섬유가 가로로 배열되어 있기 때문에 근육섬유가 수축하면 뼈대근육의 길이가 짧아지는 운동을 일으키고, 내장근육은 근육섬유가 세로로 배열되어 있기 때문에 근육섬유가 수축하면 혈관이나 내장의 길이가 감소하는 것이 아니라 지름이 줄어드는 운동을 일으킨다.

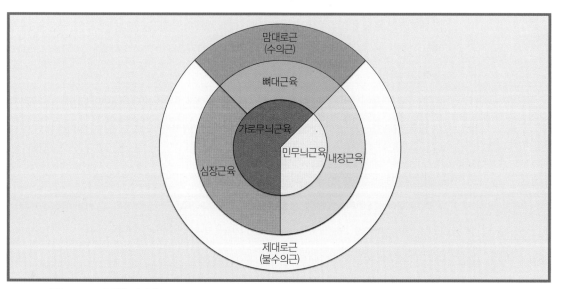

▶ **그림 5-1** 근육의 종류

뼈대근육은 운동신경의 지배를 받고 의도적으로 수축시켜서 운동을 일으킬 수 있기 때문에 맘대로근(voluntary muscle, 수의근)이라 한다. 반면 심장근육과 민무늬근육은 자율신경에 의해서 자율적으로 조절되기 때문에 제대로근(involuntary muscle, 불수의근)이라고 한다.

02 뼈대근육의 구조와 근육수축의 기전

① 뼈대근육의 구조 ■■■■■■■■■■■■■■■■■■■■■■■■■■■■■■■■■

뼈대근육(skeletal muscle)은 체중의 약 40~50%를 차지하며, 근육세포와 결합조직으로 구성되어 있다. 근육세포는 실같이 길게 생겼기 때문에 근육섬유(muscle fiber)라고 부른다. 근육세포는 세포 하나에 세포핵이 여러 개 있는 경우가 대부분이며, T세관이 있어서 신경임펄스가 신속하게 퍼질 수 있는 구조를 하고 있다.

근육섬유 하나하나를 둘러싸고 있는 결합조직(막)을 근육섬유막(endomysium), 근육섬유의 다발을 묶고 있는 결합조직(막)을 근육다발막(perimysium), 여러 개의 근육다발을 묶어서 하나의 근육을 형성하고 있는 결합조직(막)을 근(육)막(fascia)이라고 한다. 근육섬유막은 전기적 충격을 전도하는 역할을 한다. 근육의 끝부분에서는 여러 개의 결합조직이 하나로 뭉쳐서 서서히 힘줄(건)의 형태로 모양이 바뀌어 뼈에 부착된다.

근육섬유에는 실린더 모양의 수백·수천 개의 근육원섬유(myofibril)가 규칙적으로 배열되어 있다. 근육원섬유는 여러 개의 근육미세섬유로 구성되어 있다. 근육미세섬유는 가는근육미세섬유(thin filament=actin 또는 actin filament)와 굵은근육미세섬유(thick filament=myosin 또는 myosin filament)로 구성되어 있다.

가는근육미세섬유는 수축성 단백질인 액틴(actin), 트로포마이오신(tropomyosin), 트로포닌(troponin)으로 이루어져 있다. 그리고 굵은근육미세섬유는 마이오신(myosin)이라는 수축성 단백질로 구성되어 있다.

근육조직을 얇게 잘라서 현미경으로 관찰하면 어두운 부분(A band)과 밝은 부분(I band)이 규칙적으로 배열되어 있는 모습을 볼 수 있다. I띠는 대부분 액틴필라

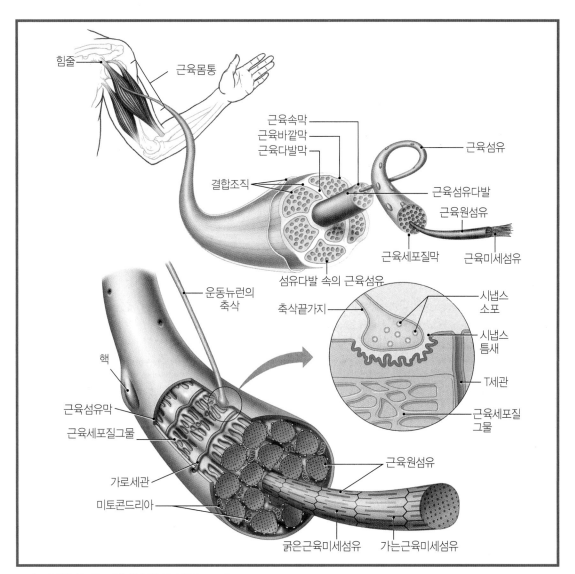

힘줄
근육몸통
근육속막
근육바깥막
근육다발막
결합조직
근육섬유
근육섬유다발
근육원섬유
근육세포질막
근육미세섬유
섬유다발 속의 근육섬유
운동뉴런의 축삭
축삭끝가지
시냅스 소포
시냅스 틈새
T세관
근육세포질 그물
핵
근육섬유막
근육세포질그물
근육원섬유
가로세관
미토콘드리아
굵은근육미세섬유
가는근육미세섬유

▶ **그림 5-2** 뼈대근육의 구조

멘트로 되어 있기 때문에 밝게 보이고, A띠는 액틴필라멘트와 마이오신필라멘트가 겹쳐져 있어서 어둡게 보인다. 이완된 상태의 근육섬유를 보면 어두운 A띠의 중앙 부위에서 약간 밝게 보이는 부분이 있는데, 그 부분이 H역(H zone)이다. H역은 액틴필라멘트가 겹쳐지지 않은 상태이다. 각각의 I띠(I band)는 Z선(Z line)으로 나누어져 있는데, Z선과 Z선 사이를 근육원섬유마디(sarcomere) 또는 근절이라 한다. 뼈대근육에 가로무늬가 보이는 것은 Z선 때문이다.

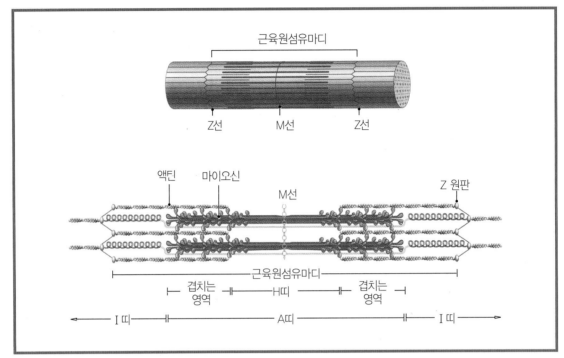

▶ **그림 5-3** 근육원섬유의 구조

② 근육수축의 기전

　　근육섬유가 수축할 때 근육원섬유의 구조 변화를 전자현미경으로 관찰해보면 A 띠의 길이는 변화하지 않고, I띠가 짧아지면서 H역은 사라진다. 이것은 A띠의 중앙 부분에서 액틴필라멘트가 마이오신필라멘트 안으로 활주해야만 이루어질 수 있다고 해서 필라멘트활주설(sliding filament theory)이라고 한다.

　　운동신경섬유가 운동종판을 통해 뼈대근육세포에 자극(활동전압)을 전달하면 활동전압은 연속적으로 근육섬유막 전체에 신속히 퍼진다. 그와 동시에 활동전압은 가로세관(T세관)을 타고 내려가 근육섬유 내부에 전달된다. 가로세관을 타고 전파된 활동전압은 근육세포질그물에 저장되어 있던 칼슘이온을 유리시킨다.

　　근육세포질그물(sarcoplasmic reticulum)에서 유리된 칼슘은 액틴필라멘트의 트로포닌과 결합한다. 그렇게 되면 액틴필라멘트와 마이오신필라멘트의 결합을 차단하고 있던 트로포마이오신을 끌어당겨서 마이오신필라멘트와 액틴필라멘트 사이에

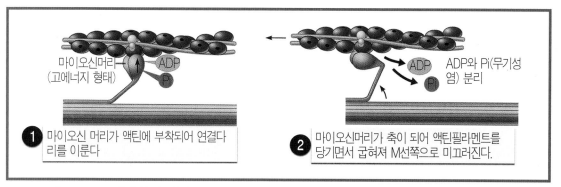

마이오신머리
(고에너지 형태)

ADP

Pi

1 마이오신 머리가 액틴에 부착되어 연결다
리를 이룬다

ADP

Pi

ADP와 Pi(무기성
염) 분리

2 마이오신머리가 축이 되어 액틴필라멘트를
당기면서 굽혀져 M선쪽으로 미끄러진다.

▶ **그림 5-4** 근육수축의 기전

연결다리(cross bridge)를 형성한다. 한 개의 근육원섬유 내에서 수백 개의 액틴필
라멘트가 A띠 중앙부를 향해 당겨지면 근육원섬유마디의 길이가 짧아진다. 그러면
뼈에 부착된 근육이 당겨져서 운동을 일으키게 된다. 이때 근육수축의 강도가 클수
록 연결다리가 더 많이 형성된다.

03 뼈대근육섬유의 분류와 운동단위

1 뼈대근육섬유의 분류

뼈대근육섬유는 전기적 자극에 대해 얼마나 빠른 수축반응을 보이는가에 따라
지근섬유(SO섬유 : slow twitch oxidative fiber)와 속근섬유(FG섬유 : fast twitch
glycolytic fiber)로 나눈다. 속근섬유에는 지근섬유의 대사적 특성을 많이 가지고 있
는 섬유가 발견되었는데, 이를 중간근섬유(FOG섬유 : fast twitch oxidative glycolytic
fiber)라고 한다. 속근섬유의 수축반응속도는 지근섬유의 2배 이상이고, 지근섬유는
마이오글로빈 함량이 높아 붉은색을 띠고 있기 때문에 적색근육(red muscle)이라고
도 하고, 속근섬유는 백색근육(white muscle)이라고도 한다.

속근섬유와 지근섬유의 비율은 유전의 영향을 크게 받고, 근육이 있는 인체의 부
위에 따라서도 다르다. 즉 사람에 따라 속근섬유가 많은 사람도 있고 지근섬유가 많
은 사람도 있다. 뿐만 아니라 자세를 유지하는 근육인 가자미근은 거의 지근섬유로 구

성되어 있는 반면에 눈을 깜박거리는 모양체근(섬모체근)은 대부분이 속근섬유이다. 그런데 신경섬유는 축삭의 지름과 세포체의 크기가 작기 때문에 신경자극의 전달속도가 느리다.

대체적으로 지근섬유는 속근섬유보다 적은 힘을 발휘하지만, 에너지효율이 높아 동일한 에너지로 더 많은 일을 할 수 있다.

▶ **표 5-1** 뼈대근육섬유의 종류별 특징

	Type I (지근, 적색근육)	Type IIa (속근, 백색근육)	Type IIx (속근, 백색근육)
피로에 대한 내성	높음	중간	낮음
에너지시스템	유산소	유/무산소	무산소
수축속도	느림	중간	빠름
장력	중간	큼	큼
미토콘드리아, 모세혈관, 마이오글로빈	많음	중간	적음
ATPase의 활동	낮음	높음	높음

❷ 운동단위

하나의 운동신경세포와 그것이 지배하는 근육섬유를 묶어서 운동단위(motor unit)라고 하는데, 이는 근육수축의 기능단위이다. 운동단위에는 지근운동단위, 속근운동단위, 중간근운동단위의 세 가지가 있다.

그런데 지근운동단위의 신경섬유들은 흥분역치가 낮기 때문에 거의 모든 활동에 먼저 동원된다. 지근운동단위가 피로해지면 비로소 속근운동단위가 활성화된다. 만약 일상적인 일을 하거나 인체가 자세를 유지할 때 속근운동단위가 동원된다면 인체는 쉽게 피로해질 것이다. 그림 5-5의 왼쪽 그림은 근력의 발휘 정도에 따라 근육섬유의 동원양상이 다르게 나타나는 것을 보여준다.

운동수행능력이 지근운동단위와 속근운동단위의 상대적 구성비율에 따라서 어떤 영향을 받는지에 대한 연구가 많이 이루어졌다(그림 5-6).

❖ 지구성 달리기선수는 다리근육의 약 70%가 지근섬유로 이루어진 반면 비운동선수는 45%에 불과하다.

❖ 단거리달리기선수는 약 75%의 속근섬유를 갖고 있었으나, 중거리달리기선수·뛰기선수·던지기선수는 두 가지 섬유형태의 구성비가 비운동선수와 큰 차이가 없다.

위의 두 연구 결과를 종합하면 지구성 운동선수는 지근섬유의 비율이 높고, 순발력 운동선수는 속근섬유의 비율이 높다는 것을 알 수 있다. 그러나 근육섬유의 분포비율이 운동수행능력을 결정하는 절대적인 조건이라고는 할 수 없다. 왜냐하면 이상적인 근육섬유비율을 갖지 못한 경우에도 성공적인 사례가 발견되고, 운동수행능력을 결정하는 요소에는 근육섬유의 분포비율 이외에도 많은 요인들이 있기 때문이다.

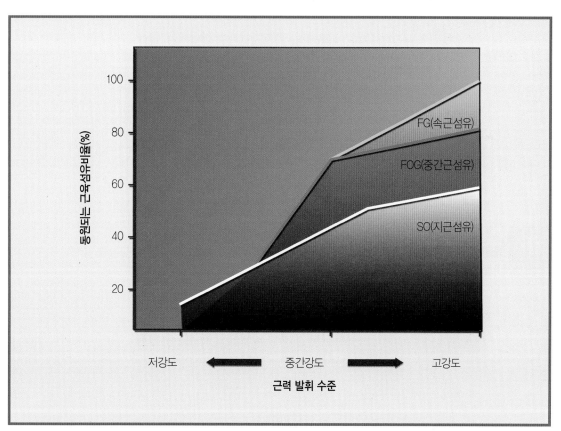

▶ **그림 5-5** 근력발휘 수준과 근육섬유 동원 양상
출처 : 정일규(2018). 휴먼퍼포먼스와 운동생리학(전정판). 대경북스.

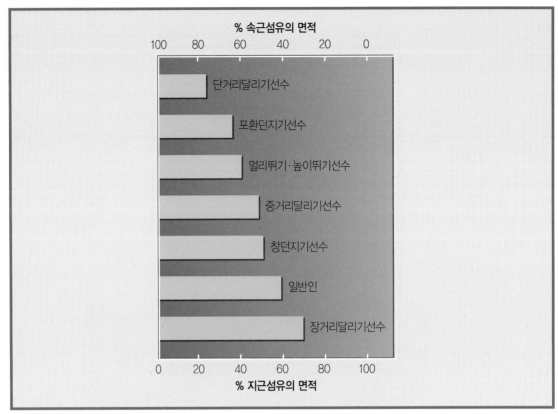

▶ **그림 5-6** 여러 종목 선수들의 근육섬유 분포비율의 평균값
출처 : 정일규(2018). 휴먼퍼포먼스와 운동생리학(전정판). 대경북스.

04 뼈대근육의 수축형태와 근력의 발휘

1 뼈대근육의 수축형태

뼈대근육을 수축시킬 때 부하를 가하는 방법에 따라 등척성수축, 등장성수축, 등
속성수축으로 나눌 수 있다. 또 근육을 수축시킬 때 근육의 길이 변화에 따라 신장
성수축과 단축성수축으로 분류한다.

■ 등척성수축

근육이 수축하면 근육의 길이가 짧아지는 것이 가장 일반적인 근수축 형태이다. 그런데 근육의 길이가 일정한 상태 또는 일정한 관절각도에서 근력을 발휘하는 것을 등척성수축(isometric contraction) 또는 정적수축이라고 한다. 예를 들어 양손으로 벽을 밀고 있거나, 양손으로 무거운 상자를 들고 있거나, 철봉에 매달려 있는 것 등이다.

근력을 개선하기 위한 등척성 훈련의 일반적인 방법은 특정 근육을 최대로 수축시킨 상태를 5~8초간 유지하다가 쉬기를 반복하는 것이다. 반복횟수는 8~10회, 세트 수는 3~4세트, 세트와 세트 사이에 2~3분간 휴식을 취한다.

장점

◆ 시간이 짧고, 특별한 장비를 필요로 하지 않는다.

◆ 어느 장소에서나 할 수 있고, 근육의 통증을 거의 유발하지 않는다.

◆ 근육이나 관절손상으로 깁스로 고정한 상태에서 근력을 유지하거나 회복시키기 위한 재활운동프로그램으로 대단히 유용하다.

단점

◆ 운동범위 전체를 통해 근력을 개선시키기 어렵다.

◆ 근력계(dynamometer)가 없으면 근력 개선의 효과를 확인하기 어렵기 때문에 운동이 지루해지기 쉽다.

◆ 등척성 운동 시 근육으로 가는 혈류가 완전히 차단되어 혈압이 급격히 상승하기 때문에 고혈압환자에게는 적용할 수 없다.

■ 등장성수축

등장성수축(isotonic contraction)은 근육에 가해지는 부하가 일정한 상태에서 근육을 수축시키는 운동이다. '등장성'이라는 말은 '동일한 장력'이라는 의미이지만, 등장성 수축은 '부하가 일정하다'는 것을 뜻한다. 예를 들어 5파운드짜리 아령을 들고 팔꿈치 굽혔다펴기를 반복하는 운동을 한다고 하자. 아령의 무게가 일정하므로 등장성 운동이지만, 팔꿈치의 관절각도에 따라 근육이 발휘해야 하는 힘의 크기는 매우 다르다.

등장성 근력훈련을 할 때 부하의 크기는 반복할 수 있는 최대횟수(RM : repetition maximum)로 나타낸다. 1RM은 정확히 1회 들어올릴 수 있는 무게 즉 자신이 들어

올릴 수 있는 최대 무게를 뜻하고, 2RM은 2회 들어올릴 수 있는 무게를 뜻한다.

일반적으로 최대근력을 개선시키려면 최대무게에 가까운 무게를 선택해서 반복 횟수를 적게 하는 방법이 유리하다. 1~6RM으로 3~4세트 실시하는 방법이 가장 효과적이라고 권장되고 있고, 6RM 이상의 훈련은 근력 개선보다는 무산소성 근지구력을 개선하는 데 더욱 효과적이다. 그러나 근력훈련의 초기단계에서는 1~6RM보다는 약 12RM 정도의 가벼운 무게를 사용하는 것이 바람직하다.

장점

◆ 관절의 운동범위에 전체에 걸쳐 근력을 강화시킨다.

◆ 근력뿐만 아니라 신경계통의 적응도 유도한다.

◆ 중량 증가를 통해 근력 개선의 정도를 확인할 수 있어 흥미를 지속시키기 쉽다.

◆ 여러 운동종목에 적용할 수 있다.

단점

◆ 중량을 잘못 선택하면 근육통증이나 상해의 위험이 높다.

◆ 적응도에 따라 계속적으로 무게를 변화시켜야 하므로 비용과 시간의 제약이 따른다.

◆ 관절운동범위 중 취약부에서는 근력 개선의 효과가 크게 나타나지만, 전 운동범위에 걸쳐서는 최대 효과를 거둘 수 없다.

등속성수축

등속성수축(isokinetic contraction)은 동일한 각속도(30~400°/sec)로 근육을 수축시키는 운동을 말한다. 등장성수축에서는 관절각도에 따라 발휘되는 근력이 변하기 때문에 움직임의 속도를 일정하게 조절하기 어렵다. 그러나 등속성수축에서는 특별히 고안된 장비를 이용해서 관절의 각속도를 일정하게 만든다.

등장성운동(중량들기)은 관절의 가동범위(range of movement) 전체에 걸쳐 최대의 힘을 발휘할 수 없지만, 등속성운동에서는 미리 정해진 각속도로 운동하면서 가동범위 전체에서 항상 최대근력을 발휘할 수 있다.

등속성 근력훈련의 근력 개선 효과는 운동속도에 따라 특이적인 경향을 보인다. 즉 빠른 속도로 훈련을 하면 빠른 속도에서 근력 개선 효과가 최대로 나타나고, 느린 속도로 훈련하면 느린 속도에서 근력 개선 효과가 최대로 나타난다.

그러나 근육비대는 높은 각속도에서 더 잘 나타나는데, 이는 주로 속근섬유의 비대를 통해 이루어진다. 그러므로 근육비대를 원한다면 빠른 각속도로 훈련을 해야 한다. 이 경우 속근섬유의 비율이 높은 사람일수록 효과가 좋다.

장점

◆ 관절의 전 가동범위에서 근육에 최대저항을 부과할 수 있다.

◆ 시간이 비교적 적게 소요되며, 여러 속도에서 근력을 개선시킬 수 있다.

◆ 근육의 상해나 통증의 위험이 적어서 재활훈련으로 가장 적합하다.

◆ 동일한 장비로 손가락에서 다리의 대근육까지 사용할 수 있다.

◆ 근력을 발휘하는 동안 힘이나 파워를 표시해주기 때문에 동기유발에 효과적이다.

단점

◆ 현재의 등속성 근력 훈련장비로는 $400°/sec$보다 더 빠른 각속도로 훈련할 수 없다.

◆ 등속성 근력훈련장비는 대부분 매우 고가여서 일반인이 사용하기 어렵다.

▶ **표 5-2** 등척성·등장성·등속성 근력훈련의 특징

기 준	훈련종류		
	등속성	등장성	등척성
근력 개선 정도	우수	우수	보통
관절범위에 따른 근력 개선	매우 우수	우수	낮음
훈련소요시간	보통	많음	적음
비용	고가	보통	적음
훈련의 용이성	보통	어렵다	쉽다
평가의 용이성	쉽다	쉽다	어렵다
특정운동에의 적용도	우수	보통	낮음
근육통증의 위험도	낮음	많음	낮음
심장의 위험도	적음	아주 적음	보통

출처 : 정일규(2018). 휴먼퍼포먼스와 운동생리학(전정판). 대경북스.

■ 단축성수축과 신장성수축

근수축을 크게 정적수축과 동적수축으로 나누기도 한다. 이때 정적수축은 등척 성수축을 의미하고, 동적수축은 근육의 길이가 변하는 근수축을 의미한다. 동적수축을 근육의 길이가 짧아지면 단축성수축(concentric contraction), 근육의 길이가 오히려 늘어나면 신장성수축(eccentric contraction)이라고 한다.

'수축'은 '줄어든다'는 의미이고, '신장'은 '늘어난다'는 의미이기 때문에 '신장성수축'은 잘못된 단어처럼 느껴진다. 그러나 팔씨름에서 밀리고 있는 선수, 턱걸이를 더 하려고 내려오는 중에 있는 선수, 들고 있던 바벨을 서서히 내리고 있는 선수는 근력을 발휘하고는(근육을 수축시키고는) 근육의 길이는 분명히 늘어나고 있으니 신장성수축이다.

그림 5-7은 동일한 근육이 단축성수축을 할 때와 신장성수축을 할 때의 수축속도에 따라 발휘 근력이 변하는 것을 그린 그래프이다. 그래프에서 속도가 0일 때는 등척성수축을 의미한다. 오른쪽은 단축성수축, 왼쪽은 신장성수축이다.

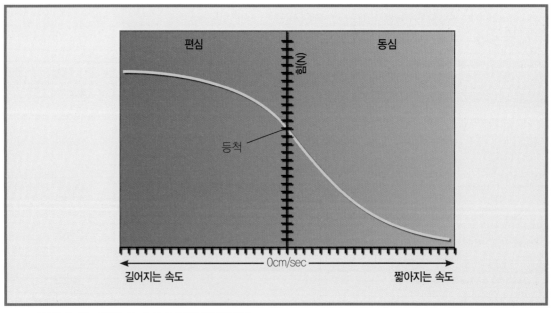

▶ **그림 5-7** 근육의 수축속도와 발휘근력

그림을 보면 다음과 같은 사실을 알 수 있다.

◆ 전체적으로 발휘되는 근력의 크기가 신장성수축>등척성수축>단축성수축
이라는 것을 알 수 있다. 축구공을 찰 때 무릎을 굽히면서 공을 차는 것보다
무릎을 펴면서 공을 차야 더 세게 찰 수 있다. 무거운 물건을 끌어오는 것보
다 밀어내는 것이 힘이 더 세다.

◆ 신장성수축은 근육의 수축속도가 빠를수록 근력이 크고, 단축성수축은 근육
의 수축속도가 느릴수록 근력이 크다. 무거운 물건을 끌어올 때는 천천히 당
겨야 하고, 밀어낼 때에는 순간적으로 밀어내야 한다.

❷ 근력의 발휘

■ 연축

근육섬유에 단일자극(1회의 신경충격)이 주어졌을 때 근육섬유가 1회 수축하는
현상을 연축(twitch)이라 한다. 연축이 일어나기 위해서는 일정 수준 이상의 자극이
근육에 전달되어야 하는데, 이를 역치자극(threshold stimulus)이라 한다. 그리고 "역
치 이상의 자극이 주어진다고 해서 개개의 근육섬유가 더 수축하지는 않는다."는 것
을 실무율(all-or-none law)이라고 한다.

연축은 다음의 세 국면으로 구분된다(그림 5-8 참조).

◆ 자극이 주어졌을 때 근육이 잠깐 동안 반응하지 않는 잠복기(latent period)
◆ 근육이 수축하는 수축기(contraction period)
◆ 근육이 원래의 길이로 돌아가는 이완기(relaxation period)

연축의 국면별 시간과 역치자극의 크기는 근육섬유의 종류에 따라 다르다. 그러
나 일반적으로 지근섬유는 작은 자극에도 수축하고(역치자극이 작고), 천천히 수축
하고 천천히 이완되며(잠복기, 수축기, 이완기가 모두 길며), 수축력이 작다.

만일 두 개의 자극이 연이어 근육에 전달되면 두 번째 자극에 의한 연축이 일어
나지 않을 수도 있다. 그림 5-9에서 절대적 불응기(absolute refractory period) 이내
에 두 번째 자극이 도착하면 연축은 일어나지 않게 된다. 그 이유는 하나의 자극에
의해 수축하는 근육은 뒤이은 자극에 대해 반응하기까지 시간이 걸리기 때문이다.

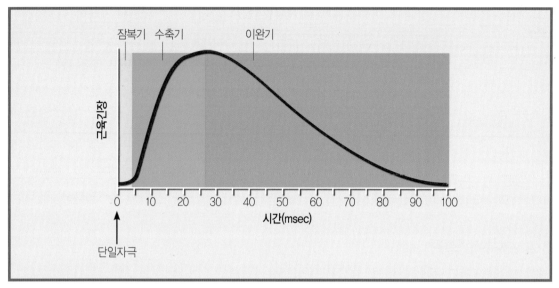

▶ **그림 5-8** 근육섬유의 연축

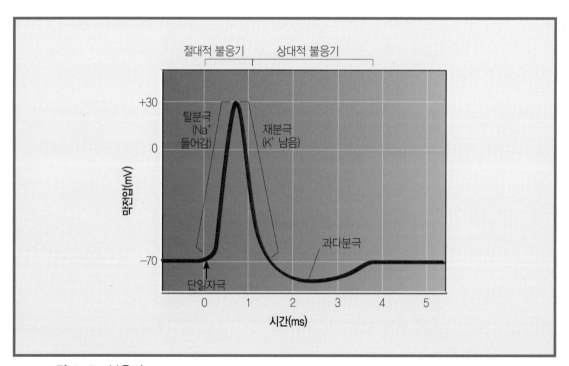

▶ **그림 5-9** 불응기

그러나 상대적 불응기(relative refractory period)에 두 번째 자극이 도착하면 연축이 일어나서 그림 5-9처럼 발휘된 근력이 합쳐진다. 자극이 계속해서 연달아 도착하면 수축력의 크기가 점점 커지다가 일정해지는데, 이런 상태를 완전강축(tetanus) 또는 그냥 강축이라고 한다.

발휘되는 근력이 합쳐져서 점점 커지는 것을 가중(summation)이라 하고, 연축과 완전강축 사이를 불완전강축(incomplete tetanus)이라 한다. 완전강축이 되려면 자극과 자극 사이의 시간이 절대적 불응기보다 조금만 길어야 하고(약 1ms마다 자극이 와야 한다), 자극이 중간에 끊이지 않고 계속해서 와야 한다. 완전강축 상태가 한없이 계속될 수는 없다. 근육섬유가 피로해지면 강축 시에 수축력이 줄어들다가 나중에는 근수축이 정지되어버린다.

근육섬유가 발휘하는 수축력이 합해지는 가중현상은 시간적 가중(temporal summation)과 공간적 가중(spatial summation)으로 나눌 수 있다. 시간적 가중은 앞에서 설명한 것처럼 신경자극이 연달아 오기 때문에 근력이 합쳐져서 커지는 것이고, 공간적 가중은 어느 시점에 수축하는 운동단위의 수가 많아서 근력이 커지는 것이다. 공간적 가중은 대뇌겉질이 더 많은 수의 운동신경을 통해서 운동명령을 내리기 때문에 생기는 현상이다. 그런데 공간적 가중에도 한계가 있어서 어떤 근육에 있는 모든 운동단위가 동시에 수축되는 일은 없다.

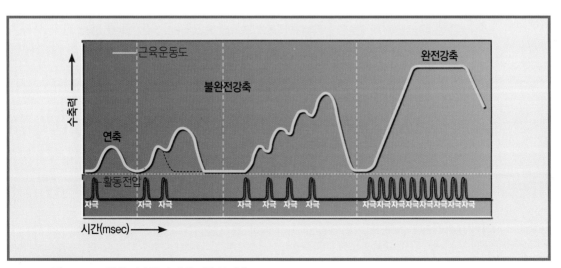

▶ **그림 5-10** 연축, 불완전강축, 완전강축

❸ 근력의 결정 요인 ▪▪

근력을 결정하는 요인은 근육 자체의 요인과 신경적 요인으로 나눌 수 있다. 여기에서는 근육 자체의 요인에 대해서만 설명한다.

■ 근육의 단면적

동물들은 분리한 근육, 즉 신경적 요인을 배제한 근육의 단면적과 그 근육이 발휘하는 힘 사이에는 거의 완전한 상관관계가 있다. 유기체 내에서는 근력과 근육 크기의 관계가 다소 약해지는데, 그것은 신경학적 요인이 관여하기 때문이다.

또한 팔다리의 둘레와 근력은 대체로 직선적인 비례관계를 보이지만, 근육의 단면적과 근력의 상관도만큼 밀접하지 않다. 그것은 팔다리 둘레를 측정할 때 근육만을 측정하는 것이 아니라 지방조직과 뼈대도 포함되기 때문이다.

근육의 크기가 클수록 큰 힘을 발휘하는 이유는 수축성분(액틴과 마이오신)의 양이 많아서 연결다리(연결교)를 더 많이 형성할 수 있기 때문이다.

■ 근육섬유의 종류

쥐의 근육섬유를 이용한 연구에서 속근섬유는 지근섬유에 비해 동일한 단위면적당 10~20% 더 큰 힘을 발휘한다고 보고되고 있다. 근육섬유에 의한 힘의 생성은 수축 중 얼마나 많은 연결다리가 형성되느냐에 달려 있다. 속근섬유의 단위면적당 마이오신-액틴 연결다리 수는 지근섬유보다 많다.

■ 관절의 각도

운동을 할 때 근력을 결정하는 중요 요인으로 관절각도를 들 수 있다. 예를 들어 팔꿉관절을 굽힐 때 관절각도가 100~115°이면 가장 큰 힘(굽히는 힘)을 발휘하고, 팔꿉관절이 완전히 펴진 상태(관절각도가 180°일 때)에서 최소가 된다. 이것은 팔꿉관절의 관절각도에 따라 근육이 뼈를 잡아당기는 각도가 달라지기 때문이다.

그림 5-11에서 알 수 있는 것처럼 '팔꿉관절을 굽힌다는 것'은 '위팔에 붙어 있는 근육이 아래팔뼈를 잡아당겨서 회전시키는 것'이라고 할 수 있다. 그때 아래팔뼈

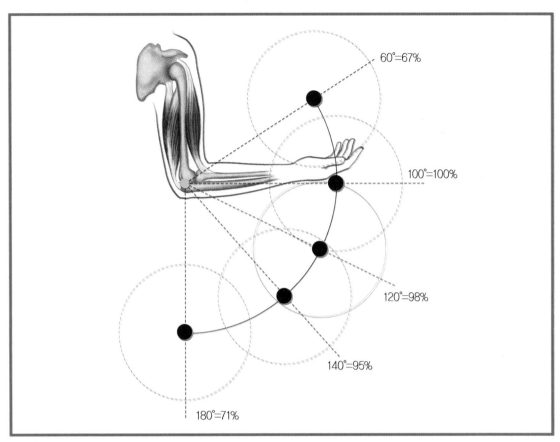

60°=67%

100°=100%

120°=98%

140°=95%

180°=71%

▶ **그림 5-11** 팔꿉관절의 관절각도에 따른 회전 효율의 변화
출처 : 정일규(2018). 휴먼퍼포먼스와 운동생리학(전정판). 대경북스.

를 가장 효율적으로 회전시키려면 90도 방향으로 당겨야 하고, 당기는 각도가 90도
보다 커지거나 작아지면 효율이 떨어진다. 그림에서는 팔꿉관절의 굵기와 손바닥의
두께 차이 때문에 관절각도가 100도일 때 효율이 100%로 나와 있다.

■ 근육의 길이

근육의 필라멘트활주설에 의하면 액틴필라멘트와 마이오신필라멘트 사이에 연
결다리가 형성되면 액틴필라멘트가 마이오신필라멘트 사이로 미끄러져 들어가는
것이 근육수축이다.

그림 5-12는 근육섬유가 평상시의 길이와 비슷한 길이일 때(진한 막대)와 평상

시보다 늘어나 있을 때(막대의 오른쪽), 그리고 평상시 길이보다 줄어들었을 때(막
대의 왼쪽) 근력의 크기가 어떻게 달라지는지(0~100%)와 그때그때 액틴필라멘트
와 마이오신필라멘트가 겹쳐 있는 상태를 나타낸 그림이다.

그림을 보면 평상시의 길이와 비슷할 때에는 100%에 가까운 근력을 발휘해서 근
력이 최대가 되고, 평상시 길이보다 늘어나거나 줄면 근력의 크기가 작아진다는 것
을 알 수 있다. 그렇게 되는 이유는 두 필라멘트가 겹쳐지는 부분이 많을수록(연결다
리가 많이 형성될수록) 발휘하는 근력이 크기 때문이다. 이것을 보면 평상시 길이와
비슷할 때가 겹쳐지는 부분이 가장 많고, 길이가 늘어나거나 줄어들면 겹쳐지는 부
분이 줄어들거나 지나치게 겹쳐져서 오히려 근력을 감소시킨다는 것을 알 수 있다.

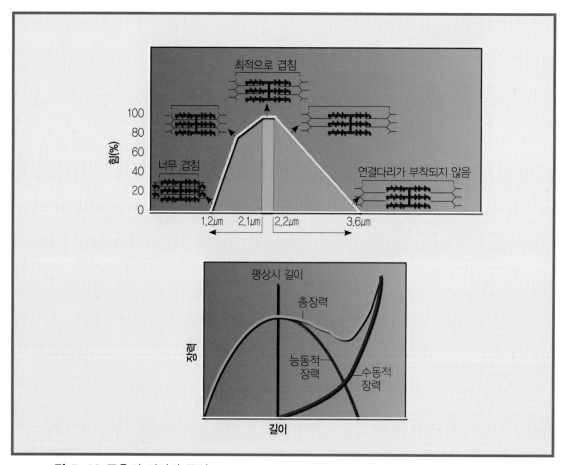

▶ **그림 5-12** 근육의 길이와 근력

위의 설명과 같이 두 필라멘트 사이에 연결다리가 생겨서 발휘하는 근력을 능동적 근력이라 한다. 능동적 근력의 크기는 U자를 뒤집어 놓은 것과 비슷한 모양으로 변한다. 즉 평상시 길이와 비슷할 때 최대근력을 발휘하고, 길이가 줄어들거나 늘어나면 근력이 감소한다.

고무줄과 근육섬유는 탄력이 있고, 평상시의 길이가 있으며, 길이가 줄어들거나 늘어날 수 있고, 길이가 늘어나거나 줄면 힘을 발휘한다는 점이 똑같아서 근육섬유 대신에 고무줄로 설명하면 이해하기 쉽다.

고무줄의 길이가 평상시 길이보다 길어지면 평상시 길이로 돌아가려고 하는 탄력이 생기지만, 고무줄의 길이가 평상시 길이보다 줄어들면 아무런 힘도 생기지 않는다. 그리고 고무줄의 길이가 길어질수록 탄력이 기하급수적으로 증가하고, 너무 많이 늘어나면 고무줄이 끊어져버린다. 이와 같이 평상시 길이보다 길어지면 생기는 탄력을 수동적인 탄력이라고 한다.

근육섬유도 고무줄과 똑같이 평상시 길이보다 길어지면 수동적인 근력이 생기고, 평상시 길이보다 짧아지면 수동적인 근력이 생기지 않는다. 그림 5-12의 아래쪽 그림은 능동적인 장력과 수동적인 장력, 그리고 두 힘을 합한 총장력을 그래프로 그린 것이다. 그림에서 총장력의 크기가 평상시 길이보다 약간 더 길어졌을 때 최대가 된다는 것을 알 수 있다.

앞 절에서 단축성수축보다 신장성수축 시에 더 큰 힘을 발휘한다고 배운 것을 기억하는가? 그 이유가 바로 능동적인 근력과 수동적인 근력을 합한 총장력은 근육의 길이가 평상시 길이보다 약간 더 길 때 최대가 되기 때문이다.

■ 와인드업

투수가 공을 앞으로 던지기 위해서 몸을 뒤로 젖히는 동작을 와인드업이라고 하듯이, 어떤 동작을 취하기 전에 반대동작을 먼저 취하는 것을 모두 와인드업(wind-up)이라고 한다.

와인드업의 효과를 근육에 에너지를 저장했다가 방출하는 것이라고 설명할 수도 있고, 힘을 쓸 수 있는(근력을 발휘할 수 있는) 거리 또는 시간을 증가시키는 것이라고 설명할 수도 있다.

■ 워밍업

본격적인 운동을 시작하기 전에 하는 준비운동을 워밍업(warming up)이라고 한다. 이것은 "따뜻하게 온도를 올려준다"는 뜻으로, 가벼운 운동을 통해서 체온을 적정 수준으로 올려주면 근육의 수축력과 수축속도가 증가하고, 신경충격의 전달속도가 빨라지며, 인대나 힘줄 같은 결합조직의 탄성이 증가하며, 근육이나 관절의 상해를 예방해준다는 연구 결과에 근거를 두고 있다.

마사지, 사우나, 적외선램프 조사(照射), 초음파로 가열, 핫팩 등으로 체온 또는 근육의 온도를 올려주는 것을 '수동적 워밍업', 실제로 가벼운 운동을 해서 체온을 올리는 것을 '능동적 워밍업'이라고 한다.

수동적 워밍업은 대부분 피부온도를 상승시키지만, 변화시키지 못하기 때문에 근력증가에 별 효과가 없다고 보고되고 있다. 반면 근육활동의 능동적 워밍업은 동적근력의 개선에 효과적인 것으로 알려져 있고, 경기나 테스트를 시작하기 15분 이전에 15~30분 간 실시하는 것이 가장 효과적이다.

05 운동에 대한 뼈대근육의 적응

운동을 하면 뼈대근육의 근력이 향상된다. 이것은 근육의 크기 증가가 주된 원인이지만, 신경조절 요인도 관련이 있다. 즉 저항훈련 초기의 근력 증가는 신경적응 현상(신경의 전도속도가 빨라진 것)에 의한 것이고, 많은 수의 운동단위를 동시에 동원할 수 있는 능력이 향상되면 근력의 발현속도를 증가시킨다.

다음에 신경변화를 제외한 근육의 변화를 설명한다.

❶ 근육단면적의 변화 ▪▪

근력훈련을 하면 근육의 단면적이 증가한다. 근육이 발휘하는 근력은 근육의 단면적에 비례하기 때문에 근육단면적의 증가는 근력의 증가로 이어진다. 근육의 단면적이 증가하는 원인에는 근육섬유가 굵어지는 근육비대(hypertrophy)와 근육섬유 수가 증가하는 근육비후(hyperplasia)가 있다.

지금까지 근력훈련에 의한 근육 단면적의 증가는 근육비대에 의한 것이지 근육비후에 의한 것이 아니라고 알려져 왔다. 그러나 최근의 연구에서는 근육 단면적 증가의 일부는 근육비후에 의해 초래되었을 가능성이 많다는 보고도 있다. 다시 말하면 지구력훈련이나 저항훈련을 하면 FG섬유가 FOG섬유로 전환되고, 나아가서 FOG섬유가 SO섬유로 전환될 수 있는 가능성도 있다는 것이다.

한편 일부 연구에서는 근력이나 순발력 훈련에 의해 SO섬유가 FOG나 FG섬유로 전환되지는 않지만, SO섬유에 대한 FG섬유의 단면적비가 증가되는 것으로 나타났다.

다음은 근력훈련을 하면 근육의 단면적이 증가하고, 근력훈련을 중단하면 근육의 단면적이 감소하는 원인들에 대한 설명이다.

- ◆ 근육세포가 신경세포 · 뼈세포 · 혈액세포 등과 다른 점은 1개의 세포가 여러 개의 세포핵을 가지고 있는 것이다. 그런데 장시간 동안 근력훈련을 하면 근육세포가 가지고 있는 세포핵의 수가 증가하여 근력훈련을 중단해서 근육이 위축되더라도 새로 생긴 세포핵은 없어지지 않는다. 이러한 현상은 젊은 시절에 근력훈련을 해서 근육이 비대해진 사람은 운동을 중단해서 근육이 위축되었더라도 다시 운동을 하면 근육이 빠르게 비대될 수 있다는 것을 설명한다.
- ◆ 훈련에 의한 근육비대는 수축성분인 액틴필라멘트와 마이오신필라멘트의 수가 증가하기 때문에 나타나는 현상이다. 이에 따라 근육이 수축할 때 연결다리(cross bridge)가 많이 형성되므로 더 큰 근력을 발휘할 수 있게 된다.
- ◆ 근력훈련을 하면 뇌하수체에서의 성장호르몬 분비와 간의 소마토메딘 분비를 자극한다. 그러면 그 호르몬들이 근단백질 합성을 촉진해서 근육이 비대해진다.
- ◆ 중추신경이나 운동신경이 손상되어 근육이 마비되거나 관절을 오래 동안 고정시켜두면 불사용으로 인한 근육위축이 일어난다. 근육위축은 근육 내에서 수축성단백질이 감소되고 지방이 증가되기 때문에 나타나는 현상이다.
- ◆ 나이를 먹으면서 근육위축이 보편적으로 일어난다. 25~50세까지는 근육량의 약 10%가 감소하고, 그 후에는 근육량의 소실이 가속화되어 80세가 되면 40%가 추가적으로 감소한다.

② 모세혈관밀도의 증가

운동선수가 비단련자보다 모세혈관밀도가 20~50% 정도 높은 이유는 지구성 근력훈련을 하면 뼈대근육의 모세혈관밀도가 증가하기 때문이다. 모세혈관밀도의 증가는 산소와 영양물질의 공급과 이산화탄소와 노폐물의 배출에 기여할 뿐 아니라 근육의 비대에도 일부 기여한다.

③ 근육세포의 세포질 조성의 변화

마이오글로빈은 근육 내에 산소를 저장해두는 역할을 한다. 지구성 근력훈련을 하면 마이오글로빈 함량이 증가하기 때문에 유산소성 대사능력이 개선된다.

운동강도가 높은 운동을 계속하면 산소공급이 부족하므로 젖산시스템에 의해서 에너지를 공급하게 된다. 그러면 젖산시스템이 관여하는 화학물질의 양이 증가한다.

또한 장시간달리기와 같이 유산소시스템이 활동하는 유산소트레이닝을 하면 유산소성 에너지생산에 관여하는 미토콘드리아 수와 크기가 현저하게 증가한다. 그러면 전신지구력 향상에 도움이 된다.

④ 결합조직의 변화

근력훈련을 하면 뼈에 부착되어 있는 인대와 힘줄의 탄력성을 증대시킨다. 이는 근력의 증가와 함께 더 큰 강도의 스트레스를 견딜 수 있게 하여 부상위험을 감소시켜준다.

⑤ 뼈밀도의 증가

여러 연구에서 허리 부위의 근력과 허리뼈의 밀도, 넙다리뼈나 정강뼈의 밀도와 다리근력, 노뼈의 밀도와 아래팔근력 사이에 유의한 상관관계가 있다는 것을 발견하였다. 이러한 현상은 근력이 발휘될 때의 기계적 스트레스가 뼈모세포의 활동을 자극해서 뼈로 가는 칼슘 유입을 촉진하기 때문이다.

제6장

내분비계통과 운동

01 내분비계통

내분비계통(endocrine system)은 신경계통과 똑같이 소통과 조절을 수행한다. 신경계통은 신경임펄스를 이용해서 빠르고 간명하게 조절하지만, 내분비계통은 호르몬을 분비해 혈액을 이용해서 순환시킴으로써 느리고 장기간에 걸쳐 조절하는 것이 다르다.

내분비계통의 기관들은 목, 머리속공간(뇌강), 가슴속공간(흉강), 배속공간(복강), 골반속공간(골반강) 등 전신에 널리 퍼져 있다. 그림 6-1은 인체에 있는 내분비샘의 이름과 위치를 나타낸 것이다.

인체에 있는 외분비샘(exocrine gland)과 내분비샘(endocrine gland) 중에서 내분비샘만 내분비계통에 속한다. 외분비샘들은 자기가 생산한 물질을 작은 관(duct) 안으로 분비한다. 작은 관들은 외분비샘이 생산한 물질을 신체의 표면(피부) 또는 체내에 있는 공간(예 : 콧구멍, 입, 창자)으로 흘려보낸다. 예를 들어 땀샘에서는 땀을 생산해서 피부의 표면으로 흘려보내고, 침샘에서 생산한 침은 입안으로 흘려보낸다.

내분비샘은 관이 없는 샘으로, 자기가 생산한 호르몬이라는 화학물질을 세포와 세포 사이의 공간으로 분비한다. 그러면 호르몬이 혈액 안으로 확산되어 들어간 다음 전신으로 운반된다. 호르몬 분자들은 그 호르몬에 딱 맞는 특수한 수용기가 있는 세포와 결합하여 세포의 반응을 이끌어내는데, 이러한 세포들을 표적세포(target cell)라 한다. 그리고 표적세포가 있는 기관을 표적기관(target organ)이라고 한다.

❶ 호르몬의 특성

호르몬(hormone)은 그리스어로 '자극하다'라는 의미를 가진 동사 'hormao'에서 유래된 단어이고, 내분비샘에서 만들어져 혈중으로 방출되는 정보전달물질이다.

호르몬은 대사작용 · 성장과 발달 · 생식 등 많은 신체활동을 조절하고, 체액과 전해질 · 산과 염기 · 에너지 등의 평형을 통해 항상성 유지에 중요한 역할을 한다. 호르몬이 정상과 비정상(왜소증, 거인증, 불임증 등)의 차이를 만들고, 각자가 건강하게 생존하는 역할을 할 뿐만 아니라 인류의 종족 보존에도 아주 중요한 역할을 한다.

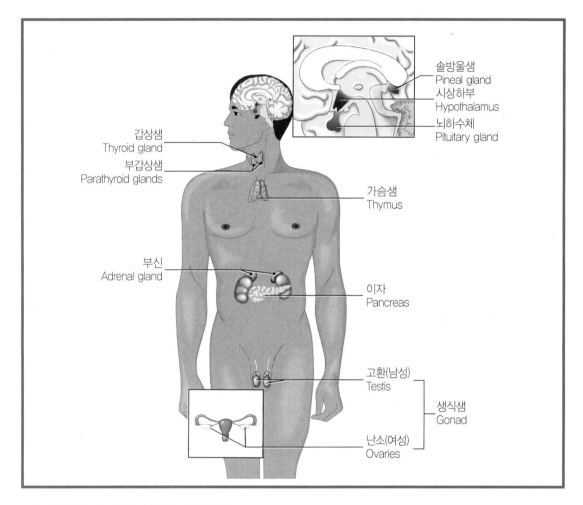

▶ **그림 6-1** 주요 내분비샘의 위치

호르몬의 특성을 요약하면 다음과 같다.

❖ 내분비샘에서 혈액으로 분비하면 혈액을 타고 이동하여 효과를 나타낸다.

❖ 극히 미량으로 효력을 발휘한다.

❖ 표적이 되는 조직·기관·세포에만 특이적으로 작용하는 생리활성물질이다.

❖ 신체의 성장과 발달, 대사 및 항상성 유지에 대단히 중요한 역할을 담당한다.

❖ 신경에 의한 생리조절보다 속도는 느리지만, 그 조절효과는 더 오래 동안 지속된다.

그러나 1970년 이후부터 국소적으로 생산되어 근접부위에만 작용하는 호르몬들이 연속해서 발견되면서 호르몬을 다음과 같이 분류하게 되었다.

❖ 내분비호르몬 　혈액 안에 분비되고, 혈액을 따라 먼 거리를 이동해서 표적기관에 작용하는 보통 호르몬

❖ 주변분비호르몬 　특정한 세포에서 호르몬을 분비하면 인접한 세포에만 작용하는 호르몬

❖ 자가분비호르몬 　한 세포에서 분비하면 그 세포 자체에 작용하는 호르몬

주변호르몬과 자가분비호르몬을 합해서 프로스타글란딘(prostaglandin) 또는 조직호르몬이라 한다. 여기에서는 내분비호르몬에 관한 내용을 설명한다.

❷ 호르몬 작용의 메커니즘

호르몬이 혈액으로 방출되기 때문에 전신의 모든 기관에 도달할 수 있지만, 호르몬의 작용은 표적기관에만 한정적으로 효력을 미친다. 예를 들어 인슐린은 전신의 근육과 지방조직, 그리고 콩팥에만 영향을 미치고, 부신겉질자극호르몬은 부신의 겉질에 있는 분비세포만을 표적으로 한다.

호르몬이 표적세포에만 정보를 전달하는 것은 '많은 자물통 중에서 그 자물통에 꼭 맞는 열쇠여야만 그것을 열 수 있는 것'과 　매우 유사하다. 또한 호르몬이 표적기관에만 효과를 발휘하는 것은 '제조회사에서 모든 사람을 대상으로 광고를 하지만 광고의 효과는 그 제품을 필요로 하는 사람들에게만 　발휘되는 것'과 매우 흡사하다.

우리 몸에는 약 50종의 호르몬이 있는데, 화학적 구조와 표적세포에 미치는 영향에 따라 다음과 같이 구분한다.

❖ 호르몬분자의 화학적 구조에 따른 분류 　펩타이드호르몬, 스테로이드호르몬, 아미노산유도체호르몬

❖ 호르몬이 표적세포에 영향을 미치는 방식에 따른 분류 　스테로이드호르몬과 비스테로이드호르몬

펩타이드호르몬(peptide hormone)은 아미노산(단백질의 단위물질)이 조합되어

서 만들어진 호르몬이고, 스테로이드호르몬(steroid hormone)은 6탄당(6개의 탄소 원자로 구성된 탄수화물 구조체) 3개와 5탄당 1개가 연결된 스테로이드(steroid) 구조를 가진 호르몬이며, 아미노산유도체호르몬(amino acid-derived hormone)은 카테콜핵과 아미노기가 결합된 카테콜아민 구조를 가진 호르몬이다.

여기에서는 표적세포에 영향을 미치는 방식에 따라서 구분한 스테로이드호르몬과 비스테로이드호르몬에 대해서만 자세하게 설명하기로 한다.

■ 비스테로이드호르몬

인슐린, 글루카곤, 성장호르몬, 바소프레신, 옥시토신 등이 대표적인 비스테로이드호르몬(nonsteroid hormone)이다. 이것은 아미노산(단백질의 단위물질)이 조합되어 만들어진 호르몬이기 때문에 세포막을 통과하지 못한다. 그래서 표적세포의 세포막에는 단백질수용체가 있고, 그 수용체에 호르몬이 결합되면 표적세포 안에 있는 G단백질[G protein=구아닌뉴클레오타이드guanine nucleotide : GTP 또는GDP)가 번갈아 결합해서활성이조절되는단백질로세포의신호전달에서스위치와같은역할

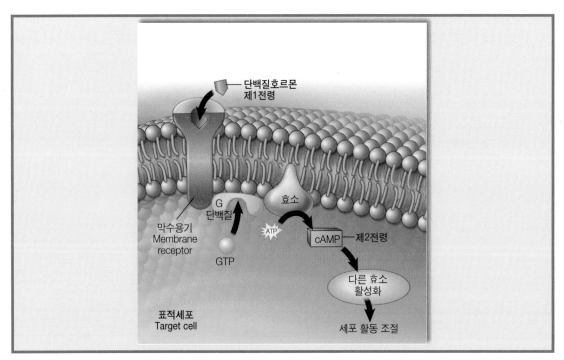

▶ **그림 6-2** 비스테로이드호르몬의 작용

을한다.]을 변화시키거나 자극해서 호르몬의 효과를 나타낸다. 그림 6-2는 비스테로이드호르몬이 작용하는 방법을 요약해서 도식화한 것이다.

내분비샘에서 분비된 비스테로이드호르몬은 혈액을 따라 이동하다가 다음과 같은 역할을 한다.

❖ 비스테로이드호르몬이 표적세포의 막수용기에서 결합되면 여러 가지 화학반응이 일어나는데, 이것을 제1전령의 역할이라고 한다. 그림에서 단백질(비스테로이드)호르몬이 막수용기와 결합하면 세포 안에서 G 단백질에 GTP가 결합하고, 효소가 활성화되어 ATP가 cAMP(순환AMP)로 변하는 것까지가 제1전령의 역할이다. 이것을 '자물통과 열쇠'에 비유하는 경우가 많다. 즉 자물통에 맞는 단 한 개의 열쇠가 있듯이 막수용기와 결합할 수 있는 호르몬이 한 가지밖에 없어서 그 열쇠를 끼워야 자물통이 열리듯이 호르몬은 표적세포의 막수용기와 결합해야 제1전령의 역할에 해당하는 화학반응이 일어난다.

❖ 비스테로이드호르몬이 제1전령의 역할에 의해서 생겨난 화학물질을 만나면 표적세포의 세포질 안에 있는 다른 효소를 활성화시켜 세포의 활동을 조절하는데, 이것을 제2전령의 역할이라고 한다. 그림에서 cAMP가 다른 효소를 활성화시켜 세포활동을 조절하는 것이 제2전령의 역할이다.

비스테로이드호르몬은 단백질에서 유래된 호르몬이다. 표적세포의 세포막에 있는 단백질수용체와 호르몬이 결합해서 제1전령 역할을 하고, 거기에서 생긴 화학물질이 제2전령 역할을 해서 표적세포의 세포활동을 조절하는 2단계 시스템이다.

■ 스테로이드호르몬

부신겉질호르몬(코티솔, 코르티코이드, 알도스테론)과 성호르몬(테스토스테론, 프로게스테론, 에스트로겐)이 대표적인 스테로이드호르몬이다. 이 호르몬은 콜레스테롤을 재료로 만들어지기 때문에 지방질의 성질을 가지고 있다. 그래서 세포막을 쉽게 통과해서 표적세포 내부의 세포핵 안에 있는 수용체와 결합하여 호르몬–수용기복합체(hormone receptor complex)를 형성한다(이때도 자물통–열쇠 모델을 따른다).

그림 6-3은 스테로이드호르몬의 작용을 요약해서 도식화한 것이다. 그림을 보면 혈관을 따라 이동하던 스테로이드호르몬이 표적세포의 세포막을 통과해서 ⇒ 핵

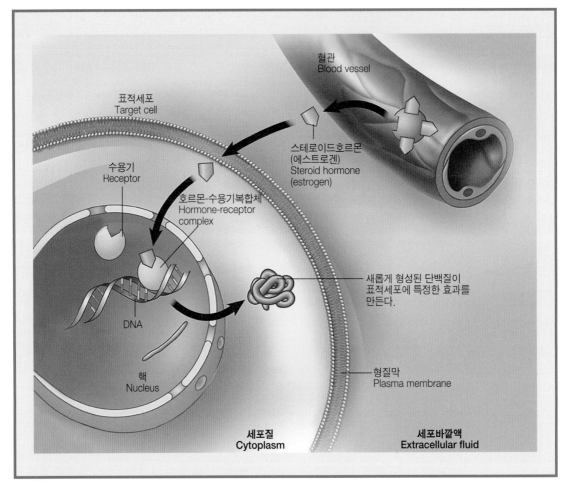

▶ 그림 6-3   스테로이드호르몬의 작용

안에 있는 수용체와 결합해서 만들어진 호르몬-수용기복합체가 ⇒ DNA에 작용해서 새로운 단백질을 만들면 ⇒ 그 새로운 단백질이 표적세포에 특정한 효과를 만든다는 것을 알 수 있다.

요약하면 스테로이드호르몬은 콜레스테롤을 재료로 해서 만들어지기 때문에 지방질의 성질을 가지고 있다. 그래서 표적세포의 세포막을 통과할 때에는 아무런 어려움도 없다. 세포막을 통과한 스테로이드호르몬이 핵 안에 있는 수용체와 결합해서 호르몬-수용기복합체를 만들면 그것이 DNA를 자극해서 새로운 단백질을 합성한다. 새로 만들어진 단백질이 표적세포의 세포활동을 조절한다.

스테로이드호르몬의 반응은 새로운 단백질을 합성한 다음에야 나타나기 때문에 비스테로이드호르몬의 반응보다 늦게 나타나지만, 오래 동안 지속된다.

❸ 호르몬의 조절

혈중호르몬 수준의 조절은 항상성을 유지하는 메커니즘인 네거티브피드백(negative feedback)에 의해서 이루어진다. 인슐린을 예로 들어 네거티브피드백의 원리는 설명하면 다음과 같다(그림 6-4 참조).

일반적으로 식사 후에 소화관에서 당분을 흡수하면 혈당 수준이 올라가는데, 이

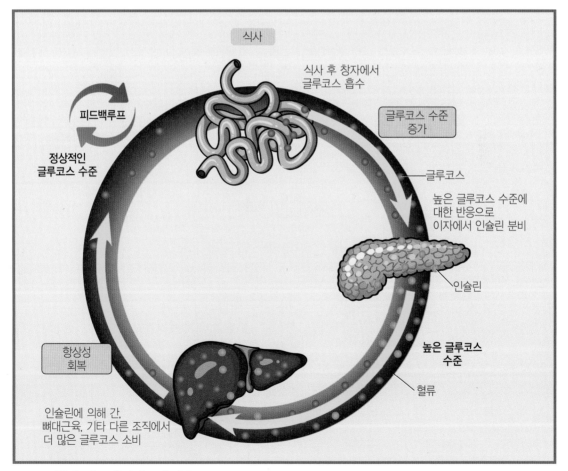

▶ **그림 6-4**   네거티브피드백

때 인슐린은 다음과 같은 역할을 한다.

◆ 혈당 수준이 올라가면 이자에서 인슐린을 분비한다.

◆ 분비된 인슐린이 혈액 안에 있는 당분을 세포 안으로 들어가도록 촉진한다.

◆ 그 결과 혈당 수준이 낮아진다.

◆ 혈당 수준이 낮아지면 이자 안에 있는 내분비세포들이 인슐린을 생산하여 분비하는 활동을 멈추게 한다.

이처럼 많으면 적게 만들고, 적으면 많게 만드는 것, 즉 반대 방향으로 변화시키는 것을 네거티브피드백이라고 한다. 체내에서 이루어지는 대부분의 활동은 네거티브피드백으로 이루어지지만, 유일하게 출산할 때에는 반대로 포지티브피드백(positive feedback)에 의해서 호르몬이 조절된다. 즉 출산할 때에는 옥시토신이라고 하는 호르몬을 점점 더 많이 분비해서 근육을 점점 더 세게 수축시켜 아기를 자궁 밖으로 밀어내게 된다.

그림 6-5는 인체의 어느 한 기관에 의해서 호르몬 분비가 조절되는 것이 아니라, 상위기관과 하위기관의 협력하에 여러 단계에 걸쳐서 분비가 조절되는 것을 보여주는 그림이다.

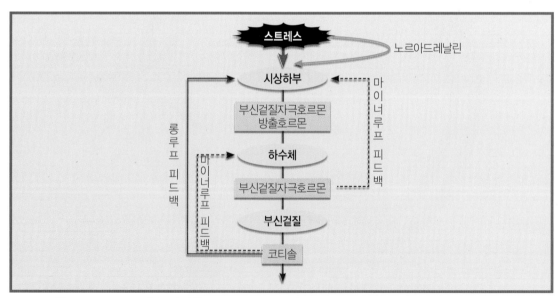

▶ **그림 6-5** 호르몬의 분비계층

스트레스를 받을 때(자극을 받을 때) 호르몬은 다음과 같이 반응한다.

◆ 시상하부에서 부신겉질자극호르몬 방출호르몬이 분비된다.

◆ 뇌하수체에서 부신겉질자극호르몬의 합성과 분비가 촉진된다.

◆ 부신겉질자극호르몬이 혈액을 타고 먼 길을 이동해서 부신겉질에 있는 호르몬분비세포들을 자극하면 부신겉질에서 코티솔이 분비된다.

◆ 이와 같이 상위의 호르몬분비가 하위 호르몬분비를 촉진시키는 구조를 호르몬분비의 계층성 지배라 한다.

◆ 그림에서 볼 수 있는 것처럼 뇌하수체에서 분비된 부신겉질자극호르몬이 상위기관인 시상하부에 영향을 미쳐서 부신겉질자극호르몬 방출호르몬의 방출량을 조절한다(마이너루프피드백)

◆ 부신겉질에서 방출된 코티솔이 상위기관인 뇌하수체에 영향을 미쳐서 부신겉질자극호르몬의 방출량을 조절한다(마이너루프피드백).

◆ 그와 함께 최하위기관인 부신겉질에서 방출된 코티솔이 최상위기관인 시상하부에 영향을 미쳐서 부신겉질자극호르몬 방출호르몬의 방출에도 관여한다(롱루프피드백).

❹ 내분비샘과 호르몬

호르몬을 분비하는 세포들로 구성된 기관을 내분비기관(endocrine system) 또는 내분비샘(endocrine gland)이라 하고, 우리 몸에 있는 모든 내분비기관들을 총칭해서 내분비계통이라고 한다. 표 6-1은 우리 몸에서 분비되는 호르몬의 이름과 작용을 내분비기관별로 정리한 것이다.

■ 시상하부

시상하부에 있는 내분비기능을 가진 세포군인 신경분비세포가 신경자극을 받으면 호르몬분비(신경분비)가 시작된다. 이에 의해서 뇌하수체의 여러 호르몬분비를 촉진하거나 억제시킨다. 표 6-1에서 ○○○방출호르몬 또는 ○○○자극호르몬은 뇌하수체에서 호르몬 분비를 촉진하는 호르몬이고, 소마토스타틴은 성장호르몬의 분비를 억제시키는 호르몬이다. 멜라토닌은 수면과 인체의 생체리듬을 조절한다.

▶ **표 6-1**　주요 호르몬의 분비기관, 분비호르몬의 이름, 주요 생리작용

분비기관	이름(약칭)	주요 생리작용
시상하부	성장호르몬방출호르몬 (GHRH)	성장호르몬의 분비를 촉진
	부신겉질자극호르몬 방출호르몬(CRH)	부신겉질자극호르몬의 분비를 촉진
	생식샘자극호르몬 방출호르몬(GnRH)	황체형성호르몬과 난포자극호르몬의 분비를 촉진
	갑상샘자극호르몬 방출호르몬(TRH)	갑상샘자극호르몬 및 프롤락틴의 분비를 촉진
	소마토스타틴	성장호르몬 분비를 억제
	멜라토닌	수면, 인체리듬의 조절
뇌하수체 앞엽	성장호르몬(GH)	근육의 단백질합성을 촉진, 뼈의 성장을 촉진, 지방의 이화작용을 촉진
	부신겉질자극호르몬(ACTH)	부신겉질호르몬의 분비를 촉진, 아데노코르티코트로핀
	갑상샘자극호르몬(TSH)	갑상샘의 성장을 촉진, 갑상샘호르몬의 분비를 촉진, 사이트로핀
	난포자극호르몬(FSH)	난포의 성숙, 에스트로겐의 분비를 촉진
	황체형성호르몬(LH)	황체의 형성을 촉진, 배란을 촉진, 황체호르몬의 분비를 촉진, 남성은 남성 호르몬의 분비를 촉진
	프롤락틴(PRL)	젖샘의 발육을 촉진(임신 중), 젖의 분비를 촉진(분만 후)
뇌하수체 뒤엽	항이뇨호르몬(ADH)	혈관 수축작용을 하며, 바소프레신이라고도 불린다. 요세관의 수분재흡수를 촉진하여 소변량 억제, 혈압 상승
	옥시토신(OT)	자궁근육의 수축
갑상샘	트라이요오드티로닌(T3)	기초대사의 유지·상승, 혈당의 상승. ※요오드(아이오딘) 원자를 3분자 가졌기 때문에 T3으로 표기한다.
	타이록신(T4)	작용은 T3과 동일하지만, T3이 몇 배 더 작용이 강하다
	칼시토닌(CT)	혈중 칼슘농도의 저하, 뼈의 칼슘분해 억제
부갑상샘 (상피소체)	부갑상샘호르몬(PTH)	혈중 칼슘농도의 상승, 혈중에서 인산염을 소변으로 배설
이자	인슐린	뼈대근육과 지방조직이 글루코스 합성을 촉진, 혈중글루코스농도를 저하
	글루카곤	간의 글리코겐분해 등에 의하여 혈중글루코스농도를 상승
	소마토스타틴	인슐린의 분비를 억제, 성장호르몬의 분비를 억제

심장	심방나트륨이뇨펩타이드ANP)	이뇨작용 및 말초혈관의 확장에 의한 혈압의 강하(심장의 부담을 가볍게 한다)
	뇌나트륨이뇨펩타이드(BNP)	주로 심실에서 합성, 이뇨작용에 의하여 체액량 및 혈압을 낮춘다, 전구체인 NTproBNP(N말단형프로B형나트륨이뇨펩타이드)가 심실에 대한 부담의 지표로 이용된다.
부신 속질	아드레날린(에피네프린)	동공의 확대, 심박수의 상승, 기관지의 확장, 말초혈관의 수축, 혈당의 상승
	노르아드레날린 (노르에피네프린)	혈압의 상승 등의 기능은 아드레날린과 동일하나 혈당의 상승작용은 약하다.
부신 겉질	코티솔(당질코르티코이드)	아미노산의 분해, 포도당의 합성, 항염증 작용, 항스트레스 작용
	알도스테론 (전해질코르티코이드)	요세관에 작용하여 나트륨이온의 재흡수와 칼륨이온의 배설을 촉진
정소	안드로겐	테스토스테론, 디하이드로테스토스테론, 디하이드로에피안드로스테론 등의 총칭. 남성의 성기 발달·목소리 변화 등 남성의 2차 성징을 발현, 정자 형성을 촉진, 뼈·뼈대근육의 성장을 촉진(단백질동화작용)
난소	에스트로겐(난포호르몬)	에스트론(E1), 에스트라디올(E2), 에스트리올(E3)의 세 종류로 구성된다. 태반에서도 생산. 여성의 2차 성징을 발현하고, 배란을 촉진한다.
	게스타겐(황체호르몬)	주로 프로게스테론이라는 착상 및 임신을 유지하는 여성호르몬. 배란의 억제, 자궁점막의 증식, 젖샘 발육의 촉진

■ 뇌하수체

뇌하수체(hypophysis)는 완두콩과 비슷한 크기이지만 실제로는 2개의 샘이다. 하나는 뇌하수체앞엽(pituitary anterior lobe) 또는 샘뇌하수체(adenohypophysis)라 하고, 다른 하나는 뇌하수체뒤엽(pituitary posterior lobe) 또는 신경뇌하수체(neuro-hypophysis)라고 한다.

뇌하수체앞엽은 샘의 구조이고, 뇌하수체뒤엽은 신경조직의 구조이다. 뇌하수체 앞엽과 뒤엽은 그 구조가 다르듯이 분비되는 호르몬도 그 기능이 판이하게 다르다.

▶ 뇌하수체앞엽

표 6-1에서 ○○○자극호르몬과 ○○○형성호르몬은 내분비샘 자체를 성장시키거나 호르몬분비를 촉진시키는 호르몬이다.

뇌하수체앞엽에서 분비하는 호르몬 중에서 또 중요한 호르몬은 성장호르몬(growth hormone)이다. 성장호르몬은 소화된 단백질이 혈액에서 나와 세포 안으로 들어가는 것을 촉진한다. 그러면 아미노산이 조직단백질을 형성하는 동화작용의 속도가 빨라지게 한다. 동화작용에 의해 정상적인 성장과 발달이 이루어진다.

뇌하수체앞엽에서는 프롤락틴 또는 젖샘자극호르몬도 분비한다. 프롤락틴은 임신 중에는 가슴이 발달하도록 자극하고, 출산 직후에는 젖의 분비를 촉진한다.

> ➤ 뇌하수체뒤엽

뇌하수체뒤엽에서는 항이뇨호르몬과 옥시토신을 분비한다. 항이뇨호르몬(ADH : anti-diuretic hormone)은 콩팥세관 안에 있는 소변으로부터 물을 혈액 안으로 다시 흡수하는 것을 가속시켜서 결과적으로 소변의 양을 줄이는 역할을 한다.

옥시토신(oxytocin)은 임신 전후에 여성의 몸에서 분비되는 호르몬이다. 이것은 자궁에 있는 근육의 수축을 자극하여 분만을 시작하거나 유지한다. 옥시토신은 젖가슴에 있는 샘세포들을 자극해서 젖을 방출시키는 역할도 한다.

■ 갑상샘

갑상샘(thyroid gland)은 후두 바로 밑 목 부위에 있으면서 티록신, 트라이요오드티로닌, 칼시토닌을 분비한다. 티록신과 트라이요오드티로닌은 세포들이 음식물로부터 에너지를 방출하는 속도를 가속화시킨다. 즉 세포의 물질대사를 촉진시키고, 칼시토닌은 혈중 칼슘농도를 낮추는 역할을 한다.

대부분의 내분비샘은 생산한 호르몬을 저장하지 않고 생산되는 즉시 분비하지만, 갑상샘은 많은 양의 호르몬을 생산해서 콜로이드 형태로 저장해두었다가 필요하면 콜로이드에서 방출해서 혈액 안에 분비한다.

■ 부갑상샘

부갑상샘(parathyroid gland)은 아주 작은 샘으로 갑상샘의 등쪽에 4개가 있다. 여기에서 분비되는 부갑상샘호르몬은 갑상샘에서 분비되는 칼시토닌과는 반대로 혈중 칼슘농도를 높이는 역할을 한다. 즉 칼시토닌은 뼈에서 칼슘이 재흡수되는 양을 줄이는 역할을 하지만, 부갑상샘호르몬은 반대로 증가시키는 방향으로 작용한다.

■ 부신

부신(adrenal gland)은 콩팥의 맨 윗부분을 감싸고 있는 구부러진 모양의 기관이다. 곁에서 보면 하나의 기관처럼 보이지만, 실제로는 겉질과 속질이라는 2개의 내분비샘으로 구성되어 있다.

▶ 부신겉질

부신겉질(adrenal cortex)은 3개의 층으로 되어 있다.

가장 바깥층에서 분비되는 호르몬을 무기질코르티코이드(mineral corticoid)라 하는데, 그중에서 가장 중요한 것이 알도스테론(aldosterone)이다. 중간층에서 분비되는 호르몬은 당질코르티코이드(glucocorticoid)인데, 그중에서 중요한 것이 코티솔(cortisol)이다. 가장 깊은층에서는 테스토스테론(testosterone)과 비슷한 성호르몬(sex hormone)을 소량 분비한다.

무기질코르티코이드(알도스테론)는 혈액 속에 있는 무기염(주로 소금의 양)을 조절한다. 당질코르티코이드(코티솔)의 주요 임무는 혈중 당질농도(혈당)를 정상으로 유지하는 것이다. 당질코르티코이드는 아미노산이나 지방산을 글루코스로 바꾸는 과정(글루코스합성)을 촉진시키는 역할을 하고, 혈압을 정상으로 유지하는 역할을 한다.

부신겉질의 제일 안쪽층에서 분비되는 성호르몬은 테스토스테론과 비슷한 남성호르몬인 안드로겐(androgen)으로, 남자와 여자 모두에서 분비된다. 여자들에서 분비되는 안드로겐은 성적 충동을 자극하지만, 남자는 고환에서 너무 많은 안드로겐이 분비되기 때문에 부신겉질에서 분비되는 안드로겐은 생리학적으로 아무런 가치가 없다.

▶ 부신속질

부신속질(adrenal medulla)에서는 에피네프린(epinephrine, 아드레날린)과 노르에피네프린(norepinephrine, 노르아드레날린)을 분비한다. 인체는 신체의 안녕을 위협하는 스트레스에 대항해서 여러 가지 스트레스 반응을 하는데, 가장 빠르게 일어나는 스트레스 반응이 부신속질에서 에피네프린과 노르에피네프린 분비이다.

■ 이자

이자(pancreas)에는 이자액이라는 소화액을 분비하는 외분비성 세포들이 많이 들어 있다. 그 세포들 사이에 있는 내분비성 세포들은 현미경 없이는 볼 수 없을 정도로 작은 섬처럼 흩어져 있기 때문에 이자섬(pancreatic islet) 또는 랑게르한스섬(Langerhans islets)이라고도 한다.

이자섬에는 글루카곤(glucagon)을 분비하는 알파세포(alpha cell)와 인슐린(insulin)

을 분비하는 베타세포(beta cell)가 들어 있다. 글루카곤은 간에서 일어나는 글리코겐 분해과정을 촉진시켜서 혈중글루코스농도를 높이는 역할을 한다. 인슐린은 혈중글루코스를 세포 안으로 들어가는 것을 촉진시켜서(세포가 글루코스를 소비해서 에너지를 만들도록) 혈중글루코스농도를 낮추는 역할을 한다.

혈중글루코스농도를 높이는 호르몬은 여러 가지가 있지만, 혈중글루코스농도를 낮추는 호르몬은 인슐린 하나밖에 없다.

■ 생식샘

여성의 기본적인 생식기관은 난소(ovary)이다. 난소에는 난포와 황체라는 두 개의 내분비샘이 있다. 난포(follicle)는 알세포(난자)가 발생되는 작은 주머니인데, 여기에서 여성호르몬인 에스트로겐이 분비된다. 에스트로겐(estrogen)은 유방의 발생과 성숙, 외부생식기의 발달, 성인 여자의 몸매, 월경의 시작 등에 관여한다. 황체(corpus luteum)에서는 주로 프로게스테론을 분비한다.

남성의 기본적인 생식기관은 고환(testis)이다. 고환에 있는 일부 세포들이 정자를 생산하고, 나머지 세포들이 정액을 만든다. 고환에 있는 사이질세포가 남자의 성호르몬인 테스토스테론을 만들어 혈액 속에 직접 분비한다. 테스토스테론(testosterone)이 외부생식기 성숙, 수염이 나는 것, 변성기, 남자의 전형적인 몸매나 근육의 발달 등에 관여한다.

■ 기타

내분비계통에 대한 끊임없는 연구 결과로 거의 모든 기관이 내분비기능을 가지고 있다는 사실이 밝혀졌다. 콩팥, 위, 창자, 그리고 기타 기관들의 조직에서 호르몬을 분비하는데, 그 호르몬들이 인간에게 꼭 필요한 여러 가지 기능을 조절한다. 예를 들어 그렐린(ghrelin)은 위의 상피세포에서 분비되며 식욕을 촉진하고, 대사를 느리게 하며, 지방 소 비를 감소시킨다. 다른 예로 심방나트륨이뇨호르몬(ANH)은 심방에서 생산되어 나트륨이 소변으로 배설되는 것을 촉진한다.

그밖에 최근에 발견된 렙틴(leptin)은 전신에 퍼져 있는 지방저장세포에서 분비되며, 배가 고프거나 부른 것을 느끼는 역할과 체내의 지방대사를 조절하는 역할을 한다.

02 운동과 호르몬의 조절

① 에너지대사와 호르몬

■ 당대사와 호르몬

당질(탄수화물)은 생명활동에 꼭 필요한 ATP(아데노신3인산)를 만들기 위한 에너지원의 70%를 차지하지만, 체내에 보유하고 있는 양은 체중의 5% 정도밖에 되지 않는다. 당질 중에서도 글루코스는 뇌신경계통의 유일한 에너지원으로, 농도가 너무 낮아지면 생명에 위험을 줄 수도 있으므로 혈중글루코스농도를 일정하게 유지하기 위한 시스템이 여러 가지 마련되어 있다. 혈액 중의 글루코스농도를 보통 혈당치(blood sugar)라고 한다.

혈중글루코스농도(혈당치)를 낮추는 역할을 하는 호르몬은 인슐린이다. 그런데 소화기관에서 음식물의 영양소를 섭취하면 혈중글루코스농도가 상승하기 때문에 혈중글루코스농도의 항상성 유지에는 글루코스의 흡수를 돕는(혈당을 낮추는) 호르몬인 인슐린의 역할이 매우 중요하다.

혈중글루코스농도의 정상수치는 75~100mg/dℓ 정도이지만, 인슐린 부족이나 인슐린에 대한 조직의 감수성이 저하되면 혈중글루코스농도가 높아진다. 혈중글루코스농도가 180mg/dℓ 정도 이상이 되면 콩팥에서의 재흡수가 따라가지 못한다. 이때 소변으로 글루코스가 배출되는 것이 당뇨병(diabetes mellitus)이다. 당뇨병의 병태는 기원전부터 알려져 있었으나, 인슐린이 발견되어 당뇨병의 치료약으로 이용되게 된 것은 1920년대부터이다.

➤ 인슐린

인슐린(insulin)의 주요 역할은 다음과 같다.

◆ 간에서 글리코겐의 합성을 촉진하고 당신생 억제
◆ 뼈대근육에서 글루코스 흡수 촉진
◆ 지방세포에서 단백질 및 DNA의 합성을 촉진함과 동시에 지방분해를 억제하여 혈중글루코스농도 저하

뼈대근육의 세포막에 있는 인슐린 수용체와 인슐린이 결합되면 수용체가 가지고 있는 타이로신키나제(tyrosine kinase)가 활성화되어 인슐린의 생리작용을 일으킨다. 우리 몸에서 이용되는 글루코스의 약 70%는 뼈대근육이 사용하므로 혈중글루코스농도의 안정에는 뼈대근육의 역할이 대단히 중요하다.

혈중글루코스농도를 높이는 대표적인 호르몬은 글루카곤과 아드레날린이다. 이외에 갑상샘호르몬, 성장호르몬, 당질코르티코이드 등도 혈중글루코스농도를 상승시키는 작용을 한다.

▶ 글루카곤

글루카곤(glucagon)은 혈당치가 너무 낮아지는 것을 방지하기 위하여 간에서의 글리코겐 분해를 촉진하거나 글리코겐 합성효소를 억제하여 혈액 중으로 글루코스가 방출되는 것을 높인다. 또한 지방조직에서 지방을 분해하는 기능도 있어서 당이나 지방을 에너지로 소비하기 위한 열쇠가 되는 호르몬이다.

아드레날린은 간 및 뼈대근육의 β아드레날린수용체에 결합되어 글리코겐분해를 촉진하고, 혈중글루코스농도를 높이는 역할을 한다. 이밖에 심박을 강하게 하여 혈압을 높이거나 기관을 확장시키는 작용을 하며, 운동 시의 당대사에 큰 영향을 미친다. 그밖에 호르몬에 대한 세포의 민감도에 의해서도 혈당치가 영향을 받는다.

■ 지질대사와 호르몬

물에 잘 녹지 않고 유기용매에 녹는 화합물들을 통틀어서 지질(lipid)이라고 한다. 중성지방(triglyceride, neutral fat)은 물을 함유하고 있지 않으므로 체내에 저장할 수 있는 우수한 에너지원이다. 그리고 콜레스테롤이나 인지질은 세포막을 강하게 하면서 호르몬의 원료도 되기 때문에 매우 중요한 영양소이다.

혈액 중의 지질은 중성지방이 25%, 인지질과 콜레스테롤이 각각 35~38% 정도이고, 유리지방산이 2% 정도 들어 있다. 유리지방산(free fatty acid)은 운동 시 중요하게 사용되는 에너지물질이지만, 물에 녹지 않아 혈액 중의 알부민과 결합하여 순환하며, 뼈대근육이나 심장근육이 흡수하여 이용한다.

인슐린은 지방조직에서 지질단백질리파제의 활성을 상승시켜 지방세포 내의 중성지방저장량을 증가시킴과 동시에, 호르몬감수성리파제의 활성을 저하시켜 지방세포 내의 중성지방분해를 억제한다. 인슐린은 지방세포로의 글루코스흡수를 증가시키고, 유리지방산을 중성지방으로 저장하는 기능도 활발하게 할 수 있다.

지방은 아드레날린 및 노르아드레날린에 의하여 분해된다. 이밖에 글루카곤, 갑상샘자극호르몬, 당질코르티코이드, 성장호르몬도 등도 지방분해 작용을 돕는다. 리파제(lipase)는 지방을 분해하는 기능을 가진 효소이다. 지방세포 및 뼈대근육세포에서 지방분해에 직접 작용하는 것은 활성화된 호르몬감수성리파제(hormon sensitive lipase)이다. 이때 아드레날린 등의 호르몬이 세포막에 있는 지방분해시스템을 가동시킨다.

다음은 운동 중에 지방대사가 조절되는 메커니즘을 요약한 것이다.

◆ 장시간 운동을 하면 혈중글루코스와 근육 내의 글루카곤이 고갈된다.

◆ 그러면 지방을 분해해서 글루코스와 글루카곤을 보충한다.

◆ 이때 지방을 분해하는 속도는 글루코스대사에 동원되었던 호르몬들이 조절한다.

◆ 코티솔(cortisol)은 유리지방산(FFA) 사용을 증가시킨다.

■ 단백질대사와 호르몬

뼈대근육은 체중의 50%를 차지하는 인체의 최대 단백질 저장고이다. 건강한 성인은 뼈대근육에서 하루에 50g 정도가 혈중 아미노산으로 합성되고 있다. 또한 단백질은 기아 등과 같은 극단적인 환경에서는 아미노산 공급원으로 이용되기도 한다.

성장호르몬은 뇌하수체앞엽에서 분비되는 펩타이드호르몬으로, 근육에서는 혈액으로부터의 아미노산 흡수를 증가시키고 근육단백질합성을 촉진한다. 근력트레이닝에서 사용되었거나 상해를 입은 근육의 재합성에도 성장호르몬이 이용된다.

성장호르몬은 수면 초기(1~2시간 후)에 대량으로 분비되는 특징이 있다. 따라서 근력트레이닝은 야간에 실시하는 것이 효과적일 수도 있다. 또한 수면 초기에 방출되는 성장호르몬은 낮잠을 잘 때에도 분비되므로 합숙훈련을 할 때에는 트레이닝 후에 낮잠시간을 설정하는 것도 효과가 있다. 왜냐하면 근육은 근력트레이닝 중에 만들어지는 것이 아니라 트레이닝 후 수면 시에 만들어지기 때문이다.

테스토스테론(testosterone)은 단백동화작용을 하는 스테로이드호르몬이다. 주로 고환에서 만들어지는데, 난소나 부신에서도 소량 생산된다. 사춘기 이후에 급속하게 분비량이 증가하여 수염이나 음모의 발모와 같은 남성의 이차성징 전반에 영향을 주며, 근육의 발달에도 강하게 작용한다. 따라서 근력증강을 위한 본격적인 근력트레이닝은 테스토스테론이 증가하는 사춘기 이후부터 실시해야 한다.

테스토스테론은 근력 증강에 효과적이어서 오래전부터 도핑 대상이었다. 그런데 인간의 호르몬은 아니지만 같은 효과를 내도록 개발된 단백스테로이드제를 이용하는 사람이 많다. 물론 단백스테로이드제만으로 근력이 강해지는 것은 아니고 격렬한 트레이닝이 부하되어야 근력이 향상된다.

단백동화스테로이드제(anabolic steroids)에는 고혈압, 간기능장애, 발암, 고환위축, 여성화 유방, 전립샘비대, 무월경 등의 부작용이 있다는 것이 드러났다. 또한 경기의 공평성이라는 관점에서도 스포츠 선수가 사용해서는 안 된다.

❷ 수분과 전해질의 균형과 호르몬 ■■■■■■■■■■■■■■■■■■■■■■■■■■■■■■■■■

체내에 들어 있는 수분과 전해질을 합해서 체액(body fluid)이라 한다. 소변 양이 많고 적음과 갈증이 나고 안 나는 것들은 모두 체액의 균형유지와 관련이 있다. 체액의 균형은 항상성 유지에 필요하므로, 건강하게 살아남기 위해서 반드시 갖춰야 할 조건이다.

체액균형은 체내에서 체액의 총량을 일정하게 유지하는 것과 체액을 종류별로 일정한 양씩 분포시키는 것을 모두 의미한다. 수분이 필요한 양보다 더 많이 체내에 들어가면 제거되어야 하고, 너무 많은 양의 수분을 잃으면 신속하게 보충되어야 한다. 체내에 있는 수분의 총량 또는 1종류 이상의 체액이 정상적인 한계를 넘도록 증가하거나 감소하는 것을 체액불균형이라고 한다.

■ 체액

체내에는 수백 가지의 화합물이 있지만 그중에서 물이 가장 많다. 건강하고, 비만이 아니며, 젊은 어른의 경우 남성은 체중의 평균 60%가 수분이고, 여성은 약 50%가 수분으로 되어 있다.

체내에 있는 수분의 양은 나이와 성별에 따라 차이가 있다. 어린아이는 어른보다 수분의 비율이 높다. 갓난아기는 체중의 약 80%가 수분으로 되어 있기 때문에 설사 등에 의해 수분 불균형이 발생하면 심각한 문제가 된다. 체내 수분 비율은 생후 10

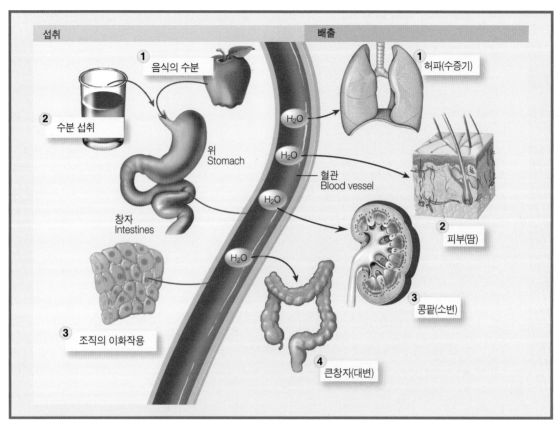

섭취

1 음식의 수분

2 수분 섭취

위
Stomach

창자
Intestines

3 조직의 이화작용

배출

H_2O

H_2O

H_2O

H_2O

혈관
Blood vessel

1 허파(수증기)

2 피부(땀)

3 콩팥(소변)

4 큰창자(대변)

▶ **그림 6-6** 수분의 섭취와 배출의 원천

년 동안 급격하게 감소되어 청소년기가 되면 성인과 비슷해진다. 노인은 체액 비율
이 약 65%인 근육은 감소하고, 체액 비율이 약 20%인 지방은 증가하기 때문에 단
위체중당 체액량이 감소한다.

생리학자들은 체액을 세포바깥액과 세포속액으로 구분한다. 세포바깥액(extracel-
lular fluid)은 세포 밖에 있는 체액이다. 여기에는 혈장(plasma, 혈관에 있는 전혈 중
액체 부분), 세포사이질액(interstitial fluid, 세포를 둘러싸고 있는 액체), 세포관액(림
프액, 뇌척수액, 눈물, 윤활액 등 세포로 만들어진 관에 들어 있는 액체)의 3종류가
있다.

세포속액(intracellular fluid)은 세포 안에 있는 액체이며, 체액의 대부분을 차지한다.

■ 체액균형의 항상성 유지 메커니즘

정상상태일 때 체액총량의 항상성을 유지하거나 회복하는 방법은 다음과 같다.

◆ 수분 섭취량에 맞게 배출량을 조절한다.

◆ 수분 섭취량을 조절한다.

이러한 메커니즘 중에서 수분의 섭취량에 맞추어 배출량을 조절하는 것이 가장 중요하다. 수분의 섭취량과 배출량이 같다면 총체액량은 분명히 변하지 않을 것이다.

수분을 섭취하는 방법에는 음료수 마시기, 먹는 음식에 들어 있는 수분, 음식을 이화시키면서 생기는 수분 등 3가지가 있다.

수분이 빠져나가는(배출하는) 방법에는 날숨에 섞여서 배출되는 수분, 피부를 통해서 배출되는 수분, 콩팥을 통해서 배출되는 수분(소변), 창자를 통해서 배출되는 수분(대변) 등이 있다.

체액의 배출량 중 가장 크게 변하는 것은 콩팥에서 배출되는 소변의 양이다. 즉 신체에서 체액균형을 유지하는 가장 주된 장치는 소변배출량이 수분섭취량에 맞도록 조절하는 콩팥이다. 즉 물을 많이 마시면 소변의 양이 많아지고, 물을 덜 마시면 소변의 양도 줄어든다.

사람이 수분 배출량을 조절하려고 아무리 노력해도 그 사람이 살아 있는 한은 배출량을 0으로 만들 수 없다. 또 수분 섭취량을 조절하려고 아무리 노력한다 해도 전해질과 혈중단백질과 같은 체액총량을 조절하는 요인들의 항상성을 유지하지 못하면 불가능하다.

체액량의 대부분을 차지하고 있는 세포속액의 양을 조절하는 여러 가지 인자 중에서 전해질의 농도, 모세혈관의 혈압, 혈중단백질의 농도에 대해서 알아보기로 한다.

■ 전해질의 농도에 의한 체액조절

소금($NaCl$)처럼 물에 녹아서 이온으로 해리될 수 있는 화합물을 전해질(electro-lyte)이라 한다. 또 글루코스(설탕)와 같이 물속에서 해리되지 않는 화합물을 비전해질(nonelectrolyte)이라 한다. 전해질이 해리된 입자를 이온이라 하는데, 여기에는 +전하를 가지고 있는 양이온과 −전하를 가지고 있는 음이온이 있다.

체액에 포함되어 있는 중요한 양이온에는 Na^+(142), Ca^{++}(5), K^+(4), Mg^{++}(2)가 있고, 음이온에는 Cl^-(102), HCO_3^-(26), 여러 종류의 단백질분자(17), HPO_4^-(2), 기타(6)가 있다[여기에서 ( )안의 숫자는 혈장 속에 들어 있는 양의 비율이다]. 예를 들어 혈장 속에 나트륨이온은 142가 들어 있는 데 비하여 마그네슘이온은 2밖에 없다.

전해질은 체액 사이의 수분 이동에 영향을 미친다. 예를 들어 혈중나트륨농도가 올라가면 체액이 세포사이질액에서 나와 혈액으로 들어가서 혈액량을 증가시킨다. 이것을 "나트륨이 가면 수분이 곧 뒤따라간다."고 외워두면 편리하다.

예를 들어 부상을 당해서 갑자기 피를 많이 흘렸을 때 표준식염수(링거액)를 주사하는 것은 혈중나트륨농도를 올려서 수분이 혈액 안으로 이동하도록 만들기 위해서이다. 그러면 임시방편이지만 혈액량이 늘어서 수혈할 수 있을 때까지 시간을 벌수 있게 된다.

또 다른 예로 조직 안에서 내출혈이 생긴 경우를 생각하여 보자. 내출혈이 되면 혈액 안에 들어 있던 나트륨이온이 세포사이질액으로 들어간다. 그러면 세포사이질액의 나트륨농도가 비정상적으로 증가하여 세포사이질액 안으로 수분이 비정상적으로 많이 들어가게 된다. 그러면 조직이 통통 부풀어 오르는데, 이것이 부종(edema)이다.

■ 모세혈관의 혈압과 혈중단백질의 농도에 의한 체액조절

모세혈관의 혈압은 체액이 모세혈관에서 나와 세포사이질액으로 들어가도록 미는 힘이다. 그러므로 모세혈관의 혈압이 증가하면 더 많은 양의 체액이 혈액에서 나와서 세포사이질액으로 들어간다. 그러면 세포사이질액은 증가하고, 혈액량은 감소한다.

위에서 설명한 것처럼 체액이 모세혈관에서 세포사이질액으로 이동하는 양은 대부분 모세혈관의 혈압에 달려 있다. 반대로 체액이 세포사이질액에서 모세혈관 안으로 이동하는 양은 주로 혈중단백질농도에 달려 있다. 혈중단백질은 수분을 끌어당기거나 유지하는 힘으로 작용하기 때문이다.

혈중단백질은 수분을 혈액에 붙들어 두기도 하고, 세포사이질액에서 혈액으로 끌어당기기도 한다. 예를 들어 심하게 굶주렸을 때처럼 비정상적인 상태에서 혈중단백질농도가 현저히 감소하면 세포사이질액에서 혈액으로 수분이 거의 들어오지 않는다. 그러면 혈액량이 감소하고 세포사이질액의 양이 증가하여 몸이 붓게 된다.

■ 호르몬에 의한 체액조절

비뇨계통을 공부할 때 콩팥세관에서의 수분과 염분의 재흡수가 소변의 양을 결정하는 가장 중요한 요소라고 한 것을 기억하는가? 소변의 양은 주로 뇌하수체뒤엽에서 분비되는 항이뇨호르몬과 부신겉질에서 분비되는 알도스테론에 의해서 조절된다. 그리고 심장의 심방에서 분비되는 심방나트륨이뇨호르몬도 소변의 양에 영향을 준다.

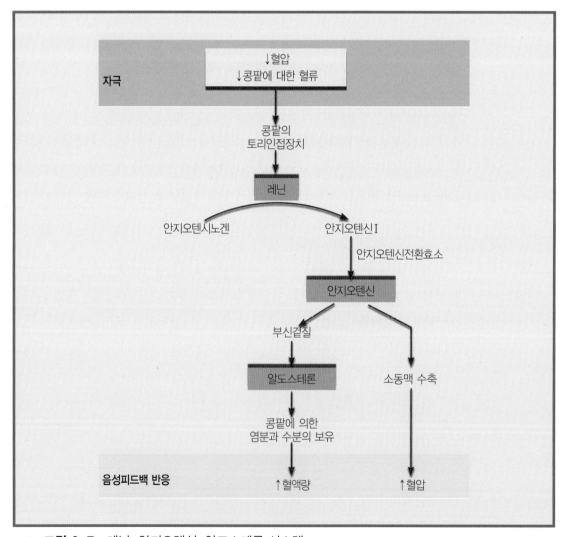

▶ **그림 6-7** 레닌-안지오텐신-알도스테론 시스템

콩팥·허파·간·부신 등 체내 여러 기관이 협동하여 혈압을 조절하는 시스템을 레닌–안지오텐신–알도스테론시스템(renin-angiotensin-aldosterone system)이라 한다. 혈압에 따라 콩팥에서 나트륨과 수분의 재흡수를 조절해서 체액을 조절하기 때문에 여기에서 설명한다.

레닌-안지오텐신-알도스테론시스템이 작동하는 메커니즘은 다음과 같다.

◆ 세포바깥액의 양이 감소하거나 동맥 안에 있는 혈액량이 감소하면 콩팥으로 가는 동맥의 혈압이 낮아진다.

◆ 그러면 토리 옆에 있는 세포에서 레닌이 분비된다.

◆ 레닌은 간에서 생산된 안지오텐시노겐을 안지오텐신 I으로 전환시키고, 안지오텐신 I은 허파와 전신의 혈관 내피에 존재하는 전환효소의 작용에 의해서 안지오텐신 II로 변환된다.

◆ 안지오텐신 II는 혈관을 수축시켜 혈압을 증가시키고, 부신겉질에서 알도스테론을 분비하도록 자극한다.

◆ 부신겉질에서 분비된 알도스테론은 콩팥에서 나트륨과 물의 재흡수를 증가시킨다.

◆ 그러면 혈중나트륨과 수분이 증가해서 체액총량과 혈압이 증가한다.

◆ 항상성이 회복되었으므로 레닌의 분비를 멈춘다.

이와 같은 레닌-안지오텐신-알도스테론시스템의 혈압증가 효과는 심장에서 분비되는 심방나트륨이뇨호르몬의 대항작용을 한다. 즉 혈압이 높아졌을 때에는 심장에서 심방나트륨이뇨호르몬을 분비해서 혈압을 낮추고, 혈압이 낮아졌을 때에는 콩팥의 토리 옆에서 레닌(renin)을 분비함으로써 부신겉질에서 알도스테론을 분비하도록 자극해서 혈압을 올려준다.

이와 같이 콩팥에서 수분과 나트륨 재흡수를 조절함으로써 호르몬이 혈압을 높이거나 낮출 수 있다.

❸ 일시적인 운동에 대한 호르몬의 반응

■ 운동 시 혈중호르몬농도의 변화

운동 중에 필요한 에너지(ATP)를 생산하려면 근육의 글루코스 흡수량이 증가해야 한다. 그러려면 운동 중에는 간과 근육에 저장된 글루코스를 혈액 안으로 방출시키는 호르몬 기능이 활성화되어 혈중글루코스농도가 높아지고, 혈액 속에 들어 있는 글루코스를 근육조직으로 보내는 인슐린의 양이 증가할 것으로 예상되지만, 실제로는 인슐린의 양은 감소한다.

그 이유는 운동 중에 뼈대근육이 수축하면 그 자극에 의하여 근육 속에 저장된 단백질키나제가 활성화되어 인슐린에 의존하지 않고도 글루코스수송체가 세포막쪽으로 이행하는 것을 촉진하기 때문이다. 이것을 운동에 의한 인슐린절약효과라고 한다.

브래디키닌(bradykinin)은 혈장에 있는 칼리크레인(kallikrein)이 혈장글로불린에 작용하여 만들어지는 펩타이드호르몬이다. 브래디키닌은 운동 중에 혈관을 이루고 있는 민무늬근육을 이완시켜서 혈관을 확장시킴으로써 혈압을 낮추는 기능, 뼈대근육의 글루코스수송체를 세포막으로 이행시키는 기능, 혈관의 투과성을 항진시키는 기능 등이 있다.

표 6-2는 일회성 운동에 대한 혈중호르몬의 반응을 요약한 것이다.

■ 운동 시 호흡·순환능력의 항진과 호르몬

운동강도가 높아지면 그 강도에 알맞은 산소와 에너지를 공급하기 위해서 뼈대근육으로 가는 혈류량을 증가시켜야 한다. 혈류량을 증가시키려면 심박수와 심박출량이 증가하고, 말초혈관의 활동이 증대되어야 한다.

안정상태에서 심장박동은 주로 자율신경계통에 의하여 조절되지만, 운동 중에는 호르몬의 영향이 추가된다. 운동강도가 50%VO₂max 정도되면 노르아드레날린 방출량이 증가하고, 60%VO₂max 정도부터는 혈중코티솔농도가 상승하기 시작하며, 75%VO₂max 정도되면 아드레날린 분비량이 많아진다.

즉 운동강도가 강해지면 부신겉질과 속질에서 분비되는 아드레날린·노르아드레날린·코티솔 분비량이 증가되어 심박수와 심장의 수축력을 증가시킴과 동시에 기관지 확장 · 혈당 상승 · 말초혈관 수축 · 항스트레스 작용 등이 항진된다. 특히 아드레날린은 피부나 콩팥의 혈관은 수축시키고, 뼈대근육 · 간 · 심장동맥의 혈관은 확장시켜 산소와 에너지 공급의 효과를 높일 뿐만 아니라 환기효율도 좋게 만든다.

운동 시에 심장에 걸리는 부하가 증가하면 심장에서 심방나트륨이뇨호르몬이 분비되어 혈관을 확장시킴과 더불어 이뇨작용을 높여 혈압도 낮추어준다. 이것은 심장 자체에 과잉부하가 걸리지 않도록 하는 방어반응으로 생각된다.

▶ **표 6-2**   일회성 운동에 대한 혈중호르몬의 반응

호르몬명	일회성 운동에 대한 혈중호르몬의 반응
성장호르몬	상승. 장시간 운동의 후반에 감소
프롤락틴	상승
갑상샘자극호르몬	상승. 장시간 운동에서 감소(?)
부갑상샘자극호르몬	상승. 장시간 운동에서 더욱 상승
생식샘자극호르몬	변화 없음
바소프레신	상승
티록신	변화 없음, 또는 상승(유리형에서도 불일치)
칼시토닌	일반적으로 변화 없음. 그러나 장시간 운동에서 상승
부갑상샘호르몬	변화 없음
광물코르티코이드	시간에 따라 상승
글루코코르티코이드	상승. 그러나 장시간 운동 후반에 안정수치로 감소
노르아드레날린	상승
아드레날린	고강도운동에서 상승
인슐린	감소. 장시간 운동에서 더욱 감소(?)
글루카곤	운동 후반에 상승
소마토스타틴	장시간 운동에서 점차 상승
남성호르몬	격렬한 운동에서 상승 또는 변화 없음. 장시간 운동에서 감소(?)
여성호르몬	격렬한 운동에서 상승 또는 변화 없음
레닌	상승. 장시간 운동에서 더욱 상승
β엔도르핀	상승
cAMP	상승. 장시간 운동에서 더욱 상승

에리스로포이에틴(erythropoietin)은 콩팥에서 생산되는 당단백호르몬으로, 우유와 염소젖에 많이 들어 있다. 에리스로포이에틴은 적혈구를 만드는 세포의 분화를 촉진하고 적혈구를 늘려 빈혈 예방 및 개선에 효과가 있다. 운동 중에 뼈대근육에서 산소를 많이 사용해서 동맥혈의 산소분압이 낮아지면 콩팥에서 분비되는 에리스로 포이에틴의 양이 증가한다. 고지대 적응훈련을 하면 저산소 자극이 지속되기때문에 에리스로포이에틴의 생산이 항진되어 적혈구수를 증가시킨다.

■ 항스트레스호르몬

운동강도가 높아지거나 운동이 장시간 지속되면 스트레스호르몬의 혈중농도가 높아진다. 그러면 시상하부→뇌하수체→부신겉질자극호르몬으로 이어지는 시스템이 작동되어 코티솔이 분비됨과 더불어 교감계통의 활동으로 아드레날린이 부신속질에서 분비된다. 그러면 혈중글루코스농도를 높여 세포가 에너지를 확보하기 쉽게 만들고, 혈관을 확장해서 혈류량을 증가시킴으로써 투쟁 또는 도주반응(fight or flight)을 준비할 수 있게 한다.

50~70%$\dot{V}O_2$max를 넘는 강도의 운동이 몇 분 이상 지속되면 뇌하수체에서 엔도르핀이 분비된다. 엔도르핀의 강력한 진통작용 덕분에 운동이라는 스트레스가 주는 고통은 증폭되지 않는다. 그 대표적인 예로 힘들게 운동을 하는 중간에 행복감/다행감/도취감 등을 느끼는 러너스하이(runner's high)를 들 수 있다.

❹ 장기적인 트레이닝에 대한 호르몬의 반응

일반적으로 운동을 하면 운동시간, 운동강도, 그 운동에 대한 생리적 스트레스 등에 따라 항스트레스호르몬의 분비량도 많아진다. 그러나 같은 강도의 운동이라도 체력이 향상되어 상대적으로 부담을 덜 느끼게 되면 항스트레스호르몬의 분비량도 적어진다는 보고가 많다.

일회성 운동으로 부신겉질자극호르몬의 분비량과 혈중코티솔 농도, 혈중아드레 날린 농도가 상승하지만, 장기간 트레이닝을 하면 상승폭이 적어지는 것으로 알려져 있다. 표 6-3은 장기간 트레이닝에 의한 혈중호르몬의 반응을 요약한 것이다.

▶ **표 6-3**　장기간 트레이닝에 따른 혈중호르몬의 반응

호르몬명	트레이닝 후 혈중호르몬의 반응
성장호르몬	같은 운동에 대한 상승 정도가 적다. 장시간 운동에서 그 수준 유지
프롤락틴	여성은 상승
갑상샘자극호르몬	안정상태의 농도 감소
부갑상샘자극호르몬	같은 운동에 대한 상승 정도가 적다.
황체형성호르몬	여성은 상승(?)(안정상태의 감소 때문)
난포자극호르몬	변화 없음
바소프레신	변화 없음(?)
갑상샘호르몬	운동 시에 비단련자의 안정 수준까지 상승. 장시간 운동에서도 그것을 유지
광물코르티코이드	안정상태의 농도가 감소(?)
글루코코르티코이드	지구력 트레이닝에서 동일한 운동에 대한 상승 정도가 적고 격렬한 운동에서 더욱 상승
노르아드레날린	동일한 운동에 대한 상승 정도가 적다(%최대산소섭취량으로 나타내면 불변?).
아드레날린	동일한 운동에 대한 상승 정도가 적다(%최대산소섭취량으로 나타내면 불변?).
인슐린	안정상태의 농도가 감소하여 동일운동에 대한 감소 정도가 적다.
글루카곤	동일한 운동에 대한 상승 정도가 적다.
남성호르몬	(남성) 안정상태의 수치가 근력트레이닝으로 상승, 지구력 트레이닝으로 감소(?) (여성) 상승
여성호르몬	(남성) 안정상태의 에스트로겐 감소 (여성) 배란기에 감소(안정상태에서 높아지기 때문?)
레닌	안정상태의 농도가 감소하여 동일운동에 대한 상승 정도가 적다(?)
β엔도르핀	상승 정도가 크다
cAMP	변화 없음

■■ 오버트레이닝

트레이닝이 과다하거나 트레이닝 후 충분히 회복하지 못해서 피로가 누적되어 버린 상태를 오버트레이닝(overtraining)이라 하는데, 이것은 내분비계통에도 큰 영향을 미친다.

오버트레이닝은 운동수행능력을 저하시키는 데 그치지 않고 식욕부진, 체중감소, 강한 권태감이나 우울 경향 등을 초래하기도 한다. 이렇게 되면 과훈련증후군 (overtraining syndrome)이라고 하는 병적인 만성피로상태가 되는데, 이 경우 회복

까지 몇 주에서 몇 개월이 필요할 수도 있다.

통상적인 스트레스반응으로는 교감신경계통의 흥분에 따른 카테콜아민분비, 시상하부-뇌하수체-부신겉질시스템의 반응을 들 수 있다. 오버트레이닝 상태가 되면 위의 두 가지 스트레스반응과 성장호르몬의 분비가 정상일 때보다 둔해진다. 오버트레이닝 상태에서는 코티솔 · 테스토스테론 · 아드레날린 등의 합성도 영향을 미쳐서 체액과 전해질의 균형이 무너지고 운동수행능력도 저하된다.

■ 인슐린감수성의 향상

인슐린은 우리 몸에서 여러 가지 기능을 하지만, 가장 중요한 역할은 혈액 속의 포도당을 세포 속으로 넣어주는 것이다. 그런데 어떤 이유로 인슐린이 주는 자극에 매우 둔감해져서 같은 양의 인슐린이 있어도 다른 사람들보다 혈액 속의 포도당을 세포 속으로 넣어주는 효과가 떨어지는 경우가 있다. 이때 "인슐린에 대한 저항성이 높아졌다." 또는 "인슐린에 대한 감수성이 떨어졌다."라고 한다.

인슐린에 대한 저항성이 높아지면(감수성이 떨어지면) 다음과 같은 문제가 발생한다.

◆ 간에서는 포도당 합성이 조절되지 못한다.
◆ 근육에서는 포도당 이용이 촉진되지 못한다.
◆ 지방에서는 혈당이 지방으로 바뀌어 축적되지 못한다.

그 결과 혈낭을 조절할 수 있는 능력이 떨어지고, 사용되지 못한 혈딩이 계속 쌓여 혈당치가 높아지는 현상이 나타나는데, 그것이 당뇨병이다.

인슐린저항성은 유전적인 요인과 환경적인 요인이 복합적으로 작용하여 커진다. 유전적인 요인은 어떻게 하기 어려우므로 차치하더라도, 환경적인 요인인 운동부족, 비만, 과도한 칼로리 섭취 등을 개선하면 인슐린저항성을 낮출 수 있다.

지방 특히 내장지방이 인슐린저항성을 높인다. 그래서 내장지방으로 인한 복부비만(우리나라 사람 기준으로 허리둘레가 남성 90cm, 여성 80cm 이상인 경우)을 인슐린저항성이 높다고 추정해 볼 수 있는 지표로 사용한다.

운동 부족과 과도한 칼로리 섭취를 개선하면 인슐린저항성도 낮아진다. 따라서 당뇨병을 예방하기 위해서는 알맞게 칼로리를 섭취하고, 적절한 운동으로 정상체중을 유지하는 것이 대단히 중요하다. 특히 운동은 시작 직후부터 약 48시간 동안은 인슐린감수성이 높아지므로 적어도 이틀에 한 번씩 꾸준하게 운동을 하여야 인슐린 저항성을 낮추고, 감수성을 높이는 효과를 볼 수 있다.

　　인슐린저항성 또는 감수성을 측정하는 가장 간단한 방법은 일정량의 인슐린을 투여한 다음 정해진 시간이 지났을 때 혈당치가 얼마나 감소하였는지 알아보는 것이다. 혈당치가 많이 내려갔으면 감수성이 좋은 것이고, 조금밖에 안 내려갔으면 저항성이 높은 것이다.

　　인슐린저항성이 높아지는 또 다른 이유로는 인슐린항체의 존재, 인슐린수용체의 부족, 알코올, 약제(특히 이뇨제, 스테로이드호르몬제, 갑상선호르몬제) 등을 들 수 있다.

　　인슐린항체와 인슐린수용체는 다음과 같은 역할을 하는 물질이다.

◆ 인슐린항체 : 면역반응이 잘못되어 인슐린을 우리 몸을 해치는 물질로 잘못 인식해서 공격하는 물질

◆ 인슐린수용체 : 인슐린을 받아들여서 그 효과를 발휘할 수 있도록 해주는 물질

쉽게 말하면 인슐린은 열쇠, 수용체는 열쇠구멍에 해당된다. 열쇠로 자물통을 열어야 열쇠의 효과(인슐린의 효과)가 나타날 텐데, 열쇠구멍(수용체)이 막혀 있거나 이상이 있으면 자물통을 열 수 없는 것과 마찬가지이다. 비만한 사람이 체중을 줄이거나 운동을 시작하면 인슐린수용체가 다시 증가한다는 것이 증명되었다.

제7장

호흡계통과 운동

01 호흡계통의 구조와 기능

살아가는 데 필요한 모든 물질 중에서 산소가 가장 중요하다. 음식 없이는 몇 주, 물 없이는 며칠 동안 살 수 있지만, 산소 없이는 단 몇 분밖에 살 수 없다.

호흡계통(respiratory system)은 신체에 공기를 공급하고, 이산화탄소를 제거하는 역할을 한다. 호흡계통은 가스를 교환하는 역할 이외에 우리가 마시는 공기를 여과하고, 데우고, 촉촉하게 만들고, 말하고 냄새맡는 것과도 관련이 깊다. 호흡계통의 구조가 뒤집힌 나무와 비슷하기 때문에 호흡계통을 호흡나무라고도 한다.

① 호흡점막

호흡계통의 각 기관에 대하여 공부하기 전에 호흡관의 속벽을 이루는 호흡점막 (respiratory mucosa)의 구조와 기능부터 먼저 공부하기로 한다.

호흡점막은 점액을 만들어내는 술잔세포(goblet cell)가 많이 들어 있는 거짓중층 원주상피세포가 덮어 싸고 있고, 머리카락같은 섬모가 상피세포의 바깥면을 덮고 있다. 코로 들어가는 공기는 보통 먼지 · 꽃가루 · 박테리아와 같은 미생물이나 각종 오염물질로 오염되어 있다. 이러한 오염물질은 허파꽈리에 도달하기 전에 호흡점막에서 제거한다.

호흡점막에는 하루에 125㎖ 이상 생산되는 점액들이 만드는 한 장의 담요같은 점액층이 있는데, 이것이 오염물질들을 붙잡아서 안으로 들어가지 못하게 한다. 호흡점막 겉에 있는 수많은 섬모들이 목구멍 방향으로만 움직여 오염물질이 붙어 있는 점액을 인두쪽으로 이동시킨다. 이것을 점막섬모상승작용(mucociliary escalator) 이라 한다. 인두쪽에 모인 오염된 점액은 가래로 배출된다.

또한 호흡점막은 들어온공기를 데우거나 식혀서 허파꽈리에 당도할 즈음에는 체온과 똑같은 온도로 만들고, 습도를 높여서 촉촉하게 한다. 결국 호흡계통이 하는 역할 중 가스교환을 뺀 나머지 역할은 호흡점막이 거의 다 수행한다.

❷ 위숨길

우리가 숨을 쉴 때 공기가 지나가는 길을 숨길 또는 기도(respiratory tract)라 한다. 숨길은 위숨길(상기도)과 아래숨길(하기도)로 나눈다. 위숨길에 속하는 기관(코, 인두, 후두)들은 모두 가슴속공간(흉강) 바깥쪽에 있고, 아래숨길에 속하는 기관(기관과 기관지)들은 거의 전체가 가슴속공간 안에 있다.

보통 위숨길에 있는 증상을 코감기, 아래숨길에 있는 증상을 기침감기라고 한다. 그림 7-1은 호흡계통의 구조이다.

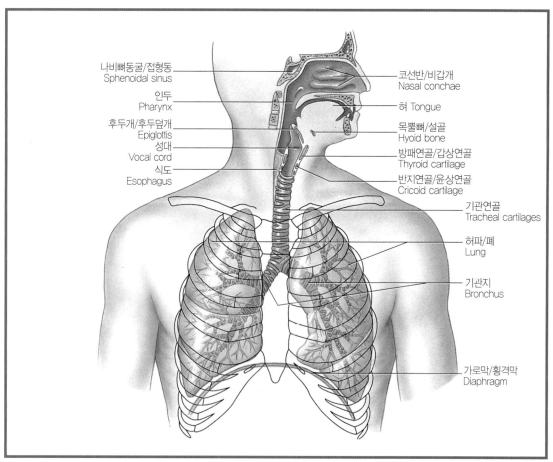

나비뼈동굴/접형동
Sphenoidal sinus
인두
Pharynx
후두개/후두덮개
Epiglottis
성대
Vocal cord
식도
Esophagus

코선반/비갑개
Nasal conchae
혀 Tongue
목뿔뼈/설골
Hyoid bone
방패연골/갑상연골
Thyroid cartilage
반지연골/윤상연골
Cricoid cartilage
기관연골
Tracheal cartilages
허파/폐
Lung
기관지
Bronchus
가로막/횡격막
Diaphragm

▶ **그림 7-1** 호흡계통의 구조

코

공기는 콧구멍을 통해서 숨길로 들어간 다음 코속공간(비강)으로 들어간다. 코속공간의 속벽은 호흡점막으로 이루어져 있다. 콧구멍을 좌우 두 개로 나누는 칸막이를 코사이막(nasal septum)이라 한다. 코속공간의 표면은 점막 때문에 습기가 있고, 점막 바로 밑을 통과하는 혈액 때문에 따뜻하다. 또한 코속공간의 점막에는 냄새를 감지하는 신경종말(후각수용기)이 있다.

코 가까이에 있는 이마뼈(전두골)·위턱뼈(상악골)·벌집뼈(사골)·나비뼈(접형골) 안에 있는 공간을 코곁굴(부비동)이라 한다. 코곁굴은 점막이 속벽을 이루고 있어서 숨길에 필요한 점액을 생산해서 모두 코속공간으로 흘려보낸다. 그밖에 코곁굴은 머리뼈를 가볍게 만들어주고, 소리의 울림통 역할도 한다. 눈물주머니에서 나오는 눈물도 결국에는 코속공간으로 흘러들어간다.

그림 7-1을 보면 3개의 선반처럼 생긴 구조체가 코속공간으로 뻗어 나와 있는데, 이것을 코선반(nasal conchae, 비갑개)이라 한다. 코선반을 덮고 있는 점막 때문에 공기가 코속공간을 지나는 동안 거쳐야 할 호흡점막이 넓어진다. 코선반 위를 지나서 코속공간을 통과한 공기는 따뜻하고 촉촉해진다. 그래서 입으로 숨을 쉬는 것보다 코로 숨을 쉬어야 들어온 공기를 더 효과적으로 데우고 촉촉하게 만들 수 있다.

인두

인두(pharynx)는 흔히 목구멍이라고 부르며, 길이는 약 12.5cm이다. 코인두, 입인두, 후두인두로 나눈다. 인두는 소화관과 호흡관의 역할을 동시에 한다. 즉 공기는 인두를 거쳐서 후두를 지난 다음 허파로 들어가고, 음식물은 인두를 지난 다음 식도를 거쳐서 위로 간다.

코인두(nasopharynx)에 뚫려 있는 귀인두관이 가운데귀(중이)와 연결되어 있기 때문에 가운데귀와 바깥귀(외이)의 공기압이 똑같이 유지될 수 있다. 따라서 코인두에 염증이 생기면 가운데귀에도 염증(중이염)이 생긴다.

편도선(tonsil)이라는 림프조직 덩어리가 인두의 점막에 심어져 있다. 인두편도는 코인두 안에 있고, 목구멍편도(palatine tonsil)는 입인두 안에 있다.

■ 후두

후두(larynx)는 인두 바로 밑에 있으면서 몇 조각의 연골로 구성되어 있다. 그중에서 가장 큰 것이 방패연골(thyroid cartilage)이다.

2개의 짧은 섬유띠가 후두 안쪽을 가로질러 뻗어 있는 것이 성대(vocal cord)이다. 후두연골에 붙어 있는 근육들이 성대를 잡아당겨서 팽팽하거나 느슨하게 만든

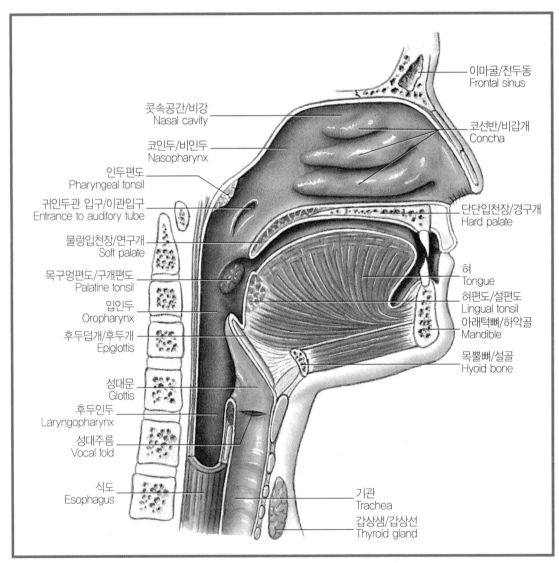

코속공간/비강
Nasal cavity

코인두/비인두
Nasopharynx

인두편도
Pharyngeal tonsil

귀인두관 입구/이관입구
Entrance to auditory tube

물렁입천장/연구개
Soft palate

목구멍편도/구개편도
Palatine tonsil

입인두
Oropharynx

후두덮개/후두개
Epiglottis

성대문
Glottis

후두인두
Laryngopharynx

성대주름
Vocal fold

식도
Esophagus

이마굴/전두동
Frontal sinus

코선반/비갑개
Concha

단단입천장/경구개
Hard palate

혀
Tongue

혀편도/설편도
Lingual tonsil

아래턱뼈/하악골
Mandible

목뿔뼈/설골
Hyoid bone

기관
Trachea

갑상샘/갑상선
Thyroid gland

▶ **그림 7-2** 위숨길의 기관

다. 성대가 팽팽하면 고음이 나오고, 느슨하면 저음이 나온다. 성대를 이루는 두 섬유띠 사이의 갈라진 틈을 성대문(glottis)이라고 한다.

또 다른 연골인 후두덮개(epiglottis)는 천장에 나 있는 들창과 같은 역할을 해서 음식을 삼킬 때 후두를 닫아서 음식물이 기관으로 들어가는 것을 방지한다.

❸ 여러숨길

■ 기관

기관(trachea)은 길이가 약 11cm이고, 목에 있는 후두에서 가슴속공간(흉강)에 있는 기관지까지 뻗어 있다. 기관은 공기가 밖에서 허파까지 갈 수 있는 통로의 일부를 제공하는 역할과 점막섬모 상승작용 중 일부를 담당한다. 또 기관은 공기공급자의 역할과 방어 기능을 수행한다.

손가락으로 복장뼈 위쪽 약 2.5cm되는 곳을 누르면 기관을 만질 수 있는데, 힘을 주어서 누르면 기관이 닫힐 수도 있다. 이 생명선이 항상 열려 있을 수 있도록 연골로 만들어진 15~20개의 C자 모양의 고리가 아주 좁은 간격으로 겹쳐 쌓여 있어서 찌그러지지 않는다.

■ 기관지, 세기관지, 허파꽈리

공기가 지나는 허파를 이루고 있는 수천 개의 관을 뒤집어진 나무라고 가정할 때 기관은 가장 큰 줄기라고 할 수 있다. 이러한 기관의 첫 번째 가지(1차기관지) 중 하나는 오른쪽허파로 가고, 다른 하나는 왼쪽허파로 간다. 각 허파에서 1차기관지는 2차기관지로, 2차기관지는 3차기관지로 차례로 갈라진다. 2차기관지까지는 연골고리가 있어서 항상 열려 있다.

이 기관지(bronchus)들은 점점 더 작은 기관지로 나누어져서 연골고리가 없고 연조직으로만 되어 있는 아주 작은 기관지가 되는데, 이것을 세기관지(bronchiole)라고 한다. 세기관지가 다시 나누어져서 만들어지는 미세한 관이 허파꽈리관(alveolar duct)이다. 허파꽈리관은 큰 포도송이의 가장 큰 줄기처럼 생겼다.

각각의 허파꽈리관은 여러 개의 허파꽈리주머니(alveolar saccule)로 들어간다. 허파꽈리주머니는 한 알의 포도와 비슷하게 생겼다. 허파꽈리는 그 안에 들어 있는 공

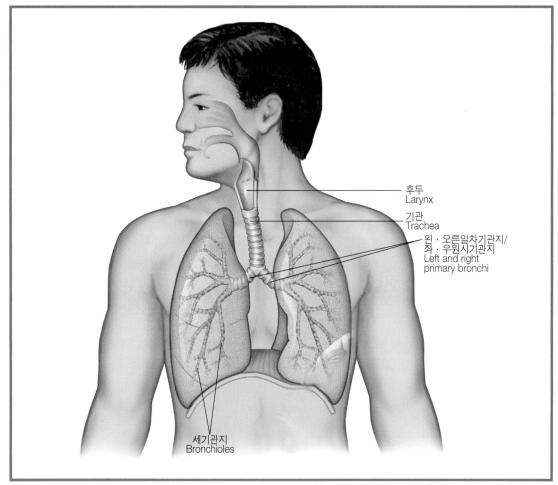

후두
Larynx

기관
Trachea

왼 · 오른일차기관지/
좌 · 우원시기관지
Left and right
primary bronchi

세기관지
Bronchioles

▶ **그림 7-3** 아래숨길의 기관지

기와 허파모세혈관을 흐르는 혈액 사이에서 가스교환이 신속하고 효율적으로 이루어질 수 있는 구조를 이루고 있다.

　다음은 가스교환이 잘 이루어질 수 있도록 만들어진 허파꽈리의 구조적 특징이다.

　❖ 허파꽈리의 벽과 허파꽈리를 둘러싸고 있는 모세혈관의 벽은 모두 단층입방상피세포로 구성되어 있다. 그래서 모세혈관 속을 흐르는 혈액과 허파꽈리 안에 있는 공기 사이에 있는 장벽의 두께가 1마이크론 이하밖에 안 된다. 극도로 얇은 이 장벽을 호흡막(respiratory membrane)이라고 한다.

　❖ 허파꽈리는 수백만 개가 있다. 그래서 허파꽈리를 모두 합한 표면적은 대략

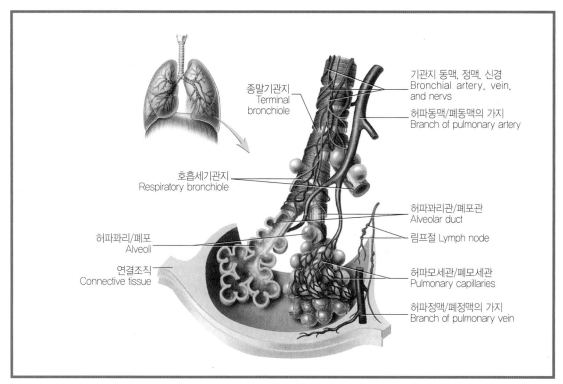

종말기관지
Terminal
bronchiole

기관지 동맥, 정맥, 신경
Bronchial artery, vein,
and nervs

허파동맥/폐동맥의 가지
Branch of pulmonary artery

호흡세기관지
Respiratory bronchiole

허파꽈리관/폐포관
Alveolar duct

림프절 Lymph node

허파꽈리/폐포
Alveoli

허파모세관/폐모세관
Pulmonary capillaries

연결조직
Connective tissue

허파정맥/폐정맥의 가지
Branch of pulmonary vein

▶ **그림 7-4** 허파꽈리의 미세구조

100㎡이다. 이것은 전신의 표면적보다 수십 배나 크기 때문에 가스교환이 대량으로 빠르게 이루어질 수 있다.

❖ 허파꽈리 안에 있는 호흡막의 표면은 표면활성물질(surfactant, 계면활성제)로 덮여 있다. 표면활성물질이 허파꽈리의 표면장력을 줄여주기 때문에 호흡을 하는 동안에 공기가 허파꽈리 안으로 들어갔다 나왔다 하더라도 허파꽈리가 찌그러지지 않는다. 허파꽈리 안에 있는 호흡막과 호흡관나무의 속벽을 이루는 호흡점막을 혼동하지 말아야 한다.

④ 허파, 가슴막, 가로막

허파(lung)는 상당히 큰 기관으로 오른허파는 3개의 엽, 왼허파는 2개의 엽으로 구성되어 있다. 빗장뼈 아래에 있는 부분을 허파꼭대기(apex of lung), 가로막 위에

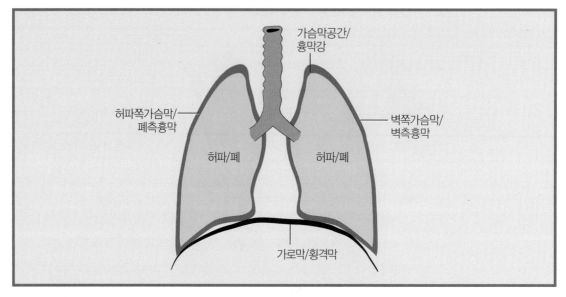

가슴막공간/
흉막강

허파쪽가슴막/
폐측흉막

벽쪽가슴막/
벽측흉막

허파/폐

허파/폐

가로막/횡격막

▶ **그림 7-5**　허파 · 가슴막 · 가로막

놓여 있는 부분을 허파바닥(base of lung)이라고 한다.

허파의 바깥쪽을 덮고 있는 가슴막(pleura)은 두 겹으로 되어 있다. 배막이나 심장막과 같이 가슴막도 조밀하고, 얇고, 촉촉하고, 미끄러운 막이다. 허파와 직접 접하고 있는 막을 내장쪽가슴막(visceral pleura), 가슴우리를 이루고 있는 뼈(갈비뼈와 척추뼈)와 접하는 막을 벽쪽가슴막(parietal pleura)이라 한다. 두 가슴막 사이에 있는 공간이 가슴막속공간(intrapleural space, 흉막강)이다. 가슴막속공간에는 체액이 들어 있어서 촉촉하고 미끄럽기 때문에 숨을 들이마시고 내쉴 때 쉴 때 서로 쉽게 미끄러질 수 있다.

가로막(diaphragm, 횡격막)은 가슴속공간(흉강)과 배속공간(복강)을 구분하는 근육성 막이다. 가로막은 호흡근에서 가장 중요한 근육으로 둥근 지붕 모양으로 생겼으며 숨을 들이쉴 때 수축하고, 내쉴 때 이완한다.

5 호흡운동

호흡(respiration)은 살아 있는 유기체와 그 주위환경 사이에 가스를 교환하는 것이다. 인체는 수십조 개의 세포로 구성되어 있기 때문에 세포와 공기가 너무 멀리 떨어져 있다. 이 때문에 가스를 직접 교환하지 못하고, 허파가 가스를 교환할 장소를 제공하고 있다.

허파 안에서 공기와 혈액 사이에 일어나는 가스교환을 바깥호흡(external respira-tion)이라 하고, 조직 안에서 혈액과 세포 사이에 일어나는 가스교환을 속호흡(internal respiration)이라고 한다. 허파환기 또는 숨쉬기에는 들숨과 날숨이라는 두 가지 국면이 있다. 들숨은 공기가 허파로 들어가는 것이고, 날숨은 공기가 허파에서 나가는 것이다.

■ 들숨

공기는 압력이 높은 곳에서 낮은 곳으로 이동한다. 허파는 가슴우리 안에 들어 있기 때문에 가슴속공간의 크기와 모양이 변하면 허파 안에 들어 있는 공기의 압력도 변한다.

호흡근육이 가슴속공간의 모양을 변화시켜서 가슴속공간이 확대되면 허파가 커

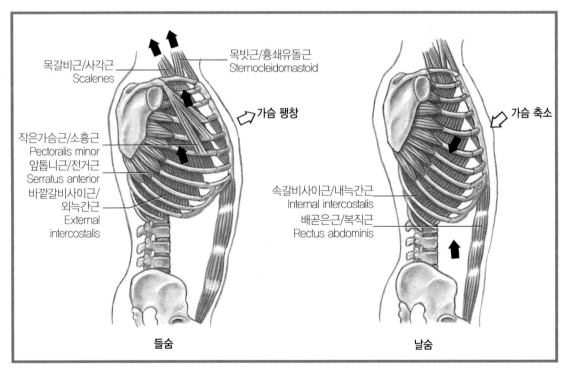

▶ **그림 7-6** 들숨과 날숨

진다. 허파가 커져서 공기가 허파꽈리 안으로 빨려 들어가는 것이 들숨(inspiration, 흡기)이다. 호흡근육 중에서 가로막과 바깥갈비사이근이 들숨근육에 속한다.

가로막은 가슴속공간과 배속공간 사이에 있는 돔(dome) 모양의 근육으로 가로막이 수축하면 돔 모양이 변하여 바깥쪽으로 평평해진다. 그러면 허파의 바닥 부분이 배속공간으로 내려가므로 가슴속공간의 꼭대기에서 바닥까지의 길이가 늘어나서 부피가 커진다.

갈비뼈 사이에 있는 바깥갈비사이근이 수축하면 가슴속공간의 앞에서 뒤까지, 그리고 옆에서 옆까지의 길이가 늘어나서 가슴우리가 확장된다. 그러면 가슴속공간의 부피가 커져서 허파꽈리 속에 있는 공기의 압력이 감소하기 때문에 대기 중의 공기가 허파꽈리로 빨려 들어가게 된다.

운동 시에는 목갈비근(사각근)과 목빗근(흉쇄유돌근)이 추가로 수축해서 들숨근육에 힘을 보탠다.

■ 날숨

날숨(expiration, 호기)은 일반적으로 들숨근육이 이완될 때 발생하는 수동적인 과정이다. 들숨근육이 이완되면 가슴속공간이 원래 크기로 되돌아가는데, 이때 허파조직의 탄성도 날숨에 도움을 준다.

운동이나 말을 하거나, 노래하거나, 힘든 일을 할 때에는 허파환기의 속도와 깊이를 증가시키기 위해서 좀 더 강력한 날숨이 필요하다. 강하게 날숨이 이루어질 때는 날숨근육이 수축하는데, 날숨근육에는 속갈비사이근과 배근육이 있다.

속갈비사이근(innermost intercostal m.)이 수축하면 가슴우리를 압박해서 가슴속공간의 앞뒤크기가 줄어든다. 배근육이 수축하면 배속공간에 있는 기관들이 가로막을 밀어 올려서 뾰족한 돔 모양을 만든다. 그러면 가슴속공간의 꼭대기부터 바닥까지의 길이가 짧아져서 가슴속공간의 부피가 줄어든다. 그러면 허파꽈리 안에 들어 있던 공기가 허파 밖으로 빠져나가게 된다.

⑥ 호흡기능 ···

호흡기능 또는 호흡능력은 1회의 호흡 또는 일정한 시간 동안에 허파에 드나드는 공기의 양(부피)으로 나타내는데, 이 경우 용량과 용적으로 구분한다.

호흡용적(respiratory volume)은 직접 측정해서 알아내는 부피이고, 호흡용량(respiratory capacity)은 2개 이상의 용적을 이용해서 계산해야 알아낼 수 있는 부피이다.

다음은 호흡능력을 나타내는 지표로 자주 이용되는 용량과 용적이다.

❖ **1회환기량**(tidal volume) 안정상태에서 1회에 들이마시는 공기의 부피 또는 1회에 내쉬는 공기의 부피이다. 보통 1회에 내쉬는 공기의 부피를 측정한다.

❖ **최대흡기량**(inspiratory capacity) 안정상태에서 최대한으로 들이쉴 수 있는 공기의 부피이다.

❖ **최대호기량**(expiratory capacity) 안정상태에서 최대한으로 내쉴 수 있는 공기의 부피이다.

❖ **흡기예비량**(inspiratory reserve volume) 안정상태에서 숨을 최대한 들이마셨을 때 평상시 호흡할 때(1회환기량보다)보다 더 들이쉴 수 있는 공기의 부피이다.

  1회환기량+흡기예비량=최대흡기량

❖ **호기예비량**(expiratory reserve voulume) 안정상태에서 숨을 최대한 내쉬었을 때 평상시 호흡할 때(1회환기량)보다 더 내쉴 수 있는 공기의 부피이다.

  1회환기량+호기예비량=최대호기량

❖ **허파활량**(lung capacity, 폐활량) 한 번 공기를 최대한으로 들이마셨다가 내뿜을 수 있는 가스의 최대량을 의미한다. 숨을 최대한 들이마신 다음 힘껏 내쉬면서 측정

▶ **표 7-1** 안정시 허파용적과 허파용량(성인기준, 단위: ㎖)

구분		남자	여자
허파용적	1회환기량	6,000	500
	흡기예비량	3,000	1,900
	호기예비량	1,200	800
	잔기량	1,200	1,000
허파용량	총허파용량	6,000	4,200
	허파활량	4,800	3,200
	흡기량	3,600	2,400
	기능적잔기량	2,400	1,800

하는 날숨 시 허파활량과, 숨을 최대한 내쉰 다음 끝까지 공기를 들이마시면서 측정하는 들숨 시 허파활량으로 구분할 수 있다. 이론상 두 값은 같지만 호흡계통질환(respiratory disease)이 있으면 다르다.

허파활량＝흡기예비량＋1회환기량＋호기예비량

❖ **잔기량**(residual volume) 허파 속에 있는 공기를 아무리 내보내려 해도 허파 속에 남아 있는 공기의 부피인데, 이는 개인에 따라 큰 차이가 있다. 따라서 최대한 공기를 들이마셨을 때 허파 속에 있는 공기의 전체 부피이다.

총허파용량＝허파활량＋잔기량

❖ **기능적잔기량**(functional residual capacity) 안정상태에서 숨을 내쉰 뒤에 허파에 남아 있는 공기의 양이다.

잔기량＋호기예비량＝기능적잔기량

❖ **분당환기량**(minute ventilation) 1분 동안에 들이마시거나 내쉬는 공기의 부피이다. 분당환기량은 1회호흡량에 분당호흡수를 곱해서 계산할 수도 있다. 성인 남자의

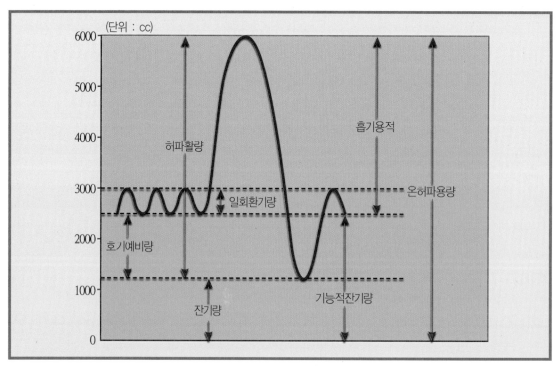

▶ **그림 7-7** 호흡기능을 나타내는 지표

안정상태에서 분당환기량은 약 6ℓ/min이다.

❖ **최대환기량(maximum ventilation)** 아주 힘든 운동을 오랜 시간 동안 해서 분당환기량이 최대치가 될 때의 수치이다. 성인 남자의 최대환기량은 약 100~180ℓ/min, 여자는 약 70~120ℓ/min이다.

❖ **노력날숨량(forced expiratory volume)** 최대로 숨을 들이마신 후 최대한 신속하게 많은 양의 공기를 내뿜으려고 노력할 때 1초 또는 3초 동안 배출되는 공기의 부피이다.

❖ **1초율(% forced expiratory volume in one second)** 1초 동안의 노력날숨량이 허파활량에서 차지하는 비율이다. 즉 '(1초 동안에 내쉰 노력날숨량) ÷ (허파활량)'으로 계산한다. 1초율은 나이가 들수록 떨어지는 경향이 있어서 20대는 0.80, 40대는 0.75, 60대는 0.70 정도 된다. 노력날숨량과 1초율은 환기장애를 진단할 때 사용된다.

❖ **최대노력호흡량(maximal forced vital capacity)** 12초 또는 15초 동안 가능한 한 빠르고 깊게 호흡을 해서 들이마시는 공기의 부피 또는 내쉬는 공기의 부피이다. 12초 또는 15초 동안에 측정한 수치에 5 또는 6을 곱해서 1분 동안 호흡한 양으로 환산한 값으로 나타낸다. 일반적으로 최대노력호흡량이 최대운동 중의 분당환기량보다 높게 나타난다.

❖ **사강(dead space)** 가스교환은 허파꽈리에서만 일어나기 때문에 코와 허파꽈리 사이에 있는 공기는 들락날락은 했지만 가스교환과는 전혀 관계가 없다. 그래서 그 공간을 사강(죽은공간)이라고 한다. 숨을 깊게 쉴수록 사강의 부피가 상대적으로 줄어든다. 일반적으로 안정상태에서 사강의 부피는 남자 약 150ml, 여자 약 100ml이다. 즉 안정상태에서 들이마시는 공기 500ml의 70%만 허파꽈리 환기에 참여하고, 나머지 30%는 사강에 남아 있다.

02 운동 시 호흡계통의 반응과 적응

일시적인 운동에 대한 호흡계통의 반응과 장기간 트레이닝에 의한 호흡계통의 적응(호흡기능의 향상)은 선수, 코치, 스포츠과학자 등의 연구대상이 되고 있다.

여기에서는 운동에 대한 호흡계통의 일시적인 반응과 장기적인 적응에 대하여 환기량의 변화, 허파용량과 허파용적의 변화, 무산소역치의 변화, 산소부채의 변화 등으로 나누어서 알아보기로 한다.

❶ 환기량의 변화

■ 운동 전의 환기량 변화

일반적으로 안정상태에서의 1회호흡량은 $400 \sim 600\text{m}\ell$이고, 호흡수는 분당 $10 \sim 25$회이다. 운동을 시작하기 직전에 환기량이 증가하는 현상이 나타나는데, 이는 운동을 예상해서 대뇌겉질로부터 오는 자극이 숨뇌에 있는 호흡중추를 흥분시키기 때문이다.

■ 운동 중의 환기량 변화

운동 중에는 두 가지 주요한 환기량 변화가 일어난다.

◆ 운동 시작 후 몇 초 이내에 환기량이 급격하게 증가한다. 이는 활동근육과 관절에 있는 고유수용기들이 신경자극을 증가시키기 때문이다.

◆ 환기량이 급격하게 증가된 이후에도 같은 운동을 계속하면 최대수준의 항정상태에 이르기까지 환기량이 느리게 증가한다.

▶ 표 7-2 　운동에 따른 환기량의 변화

구분	변화	조절인자
운동 전	가벼운 증가	대뇌겉질
운동 중		
-운동 초기	급격한 증가	근육 및 관절수용체
-운동 지속	항정상태, 점진적 증가	화학적 인자
회복기		
-회복 초기	급격한 감소	운동 증가
-회복 지속	휴식 수준까지 느린 감소	이산화탄소 감소

운동강도가 올라가면 1회호흡량이 점차 증가하고, 1회호흡량이 증가하기 때문에 기능적잔기량은 점차 감소된다. 운동강도가 높아질수록 호흡수가 현저하게 증가난다.

■ 회복기의 환기량 변화

운동을 끝마친 직후에는 환기량이 급격히 감소한다. 감소 이유는 운동이 끝나서 근육과 관절에 있는 수용기의 자극이 중단되었기 때문이다. 환기량은 급격히 감소한 다음 안정시 수준이 될 때까지 천천히 감소한다.

격렬한 운동일수록 환기량이 안정시 수준으로 되돌아가는 데에 오랜 시간이 소요된다. 이것은 이산화탄소 생성의 감소로 인한 자극의 감소와 관련이 있다.

■ 장기간 트레이닝에 의한 환기량의 적응

안정상태의 환기량은 트레이닝을 해도 변화가 없거나 약간 감소되고, 상대적으로 동일한 강도로 최대하운동을 하면 트레이닝 후에 약간 감소된다.

그러나 최대운동 시 최대환기량은 트레이닝 후에 상당히 증가된다. 최대환기량이 약 120 ℓ /min인 비훈련자가 트레이닝을 하면 약 150 ℓ /min까지 증가한다. 트레이닝 후에 최대환기량이 증가하는 원인은 1회환기량의 증가와 호흡수의 증가 때문이다.

트레이닝 후에는 안정상태와 최대하운동 중의 호흡수가 감소되는 것이 보통이지만, 그것은 미미한 수준이다. 그러나 최대운동 시에는 트레이닝 후에 호흡수가 증가된다. 호흡수의 변화는 트레이닝에 의해서 호흡효율이 증가된 것을 반영한다.

❷ 허파용적과 허파용량의 변화

그림 7-8은 운동 시 호흡용량과 호흡용적의 변화를 그린 그래프이다. 가로축은 분당환기량이고, 세로축은 부피를 리터단위로 나타낸 것이다. 그래프의 오른쪽으로 갈수록 분당환기량이 증가하는 것은 운동강도가 점점 강해지는 것을 뜻한다.

그림에서 운동강도가 강해질수록 1회호흡량이 증가하는 것을 알 수 있다. 1회호흡량이 증가하면 호기예비량 · 흡기예비량 · 기능적잔기량은 저절로 감소할 수밖에

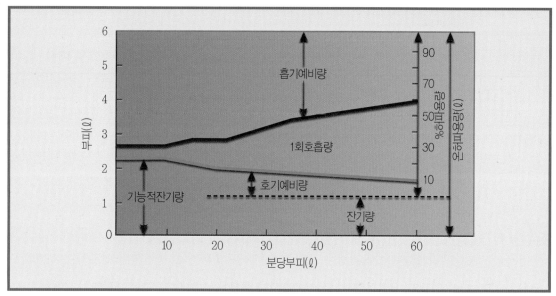

▶ **그림 7-8** 운동 시 호흡용량과 호흡용적의 변화

없다는 것도 그림을 보면 쉽게 알 수 있다.

　운동 중에는 1회호흡량뿐 아니라 호흡수도 증가하기 때문에 1회호흡량의 증가는 분당환기량 증가에 부분적으로 공헌한다. 최대운동 중에는 1회호흡량이 안정상태의 5~6배까지 증가한다.

　운동 중에는 총허파용량과 허파활량이 약간 감소한다. 왜냐하면 허파모세혈관을 흐르는 혈액량이 증가해서 공기가 허파꽈리 안으로 들어갈 수 있는 공간이 감소되기 때문이다.

③ 무산소역치의 변화

　운동강도를 점진적으로 증가시키면 산소섭취량은 운동강도에 비례하여 직선적으로 증가하지만, 환기량은 어느 시점에 급격하게 증가한다. 이처럼 환기량이 급격하게 증가하는 시점을 무산소역치(AT : anaerobic threshold) 또는 환기역치(VT :

ventilation threshold)라 한다.

달리기에 비유해서 설명하면 천천히 달리기 시작해 서서히 스피드를 올려간다고 할 때 처음에는 편안하다가 어떤 속도에 이르면 갑자기 고통을 느끼기 시작한다. 편하게 느끼는 속도에서는 젖산(피로물질)이 축적되지 않지만, 어떤 속도에 달하면 젖산이 축적되기 시작하기 때문에 고통을 느끼기 시작하고, 더 이상의 빠른 속도로 달리면 점점 고통이 커지게 된다. 이때 고통을 느끼기 시작하게 되는 경계선이 바로 무산소역치이다.

무산소역치를 에너지대사와 관련지어 설명하면 다음과 같다.

편안한 느낌으로 달릴 때에는 유산소운동이었지만, 특정 속도를 넘어서면서 무산소운동으로 바뀌게 된다. 그때부터는 무산소대사에 의한 에너지공급이 점점 많아지므로 젖산이 쌓이기 시작한다. 무산소역치는 포인트가 아니고 역치라고 하는 만큼 '어떤 순간이 아니라 어떤 범위(zone)'라고 생각해야 한다.

일반인은 대체로 최대산소섭취량의 55~75%에 해당하는 운동강도에서 무산소역치가 나타나고, 지구성 운동종목선수는 70~85%의 운동강도에서 나타난다. 운동선수들에서 무산소역치가 늦게 나타다는 이유는 운동선수들이 유산소과정에 의해서 에너지를 생성하는 능력이 높기 때문이다.

무산소역치와 비슷한 개념으로 젖산역치(LT : lactate threshold)가 있다. 트레드밀 위를 서서히 속도를 올려가며 달리면서 계속해서 혈중젖산농도를 측정한다고 생각하자. 속도가 증가함에 따라서 혈중젖산농도가 어떻게 변하는지 그래프를 그려보면 대체로 2mmol/ℓ(밀리몰 퍼 리터)에서 그래프가 갑자기 꺾인다. 이 지점을 젖산역치라 한다. 또 혈중젖산농도가 4mmol/ℓ 부근에 가면 그래프가 또다시 급하게 꺾인다. 이 지점을 혈중젖산축적개시점(OBLA : onset of blood lactate accumulation)이라 한다.

운동강도를 서서히 높이면 무산소과정에 의한 에너지공급량이 증가하면서 젖산생성량이 증가한다. 생성된 젖산은 중탄산나트륨과 결합하여 젖산나트륨·물·이산화탄소로 변한다. 이 과정에서 발생된 이산화탄소가 화학수용기를 추가로 더 자극하기 때문에 환기량이 급증하기 시작한다. 그러기 때문에 환기량이 급증하는 시점(무산소역치)이 젖산축적이 개시되는 시점과 거의 동시에 나타나거나 약간 지연되어 나타난다.

장기간 동안 트레이닝을 하면 무산소역치가 증가하는 것으로 알려졌다. 특히 지구성 운동종목 선수들은 무산소역치가 일반인에 비하여 현저하게 높다.

그림 7-9는 무산소역치와 젖산역치를 그린 그래프이다. 그래프에서 가로축은 최대산소섭취량의 퍼센트($\%VO_2max$)이고, 세로축은 위 그래프는 환기량, 아래 그래프는 혈중젖산농도이다. 그러므로 그래프의 오른쪽으로 갈수록 운동강도가 높고, 그래프가 위로 올라갈수록 환기량이 많거나 혈중젖산농도가 높은 것을 나타낸다. 그림에서 VT, LT, OBLA가 나타나는 시점과 그 시점에 그래프의 기울기가 갑자기 증가하는 것을 확인하기 바란다.

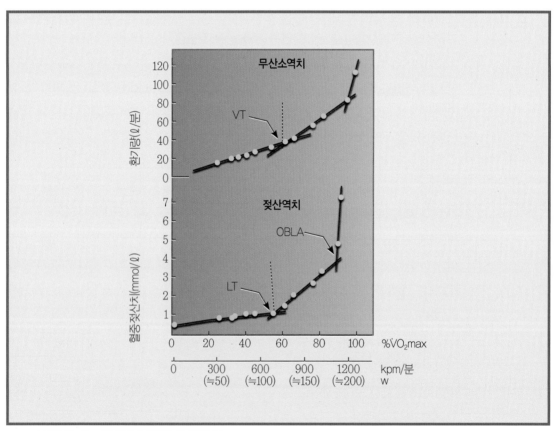

▶ **그림 7-9** 무산소역치와 젖산역치

❹ 산소부채의 변화

운동 시작과 동시에 산소섭취량이 증가하지만, 필요량을 모두 공급하지는 못한다. 운동 초기에 산소공급이 지연되는 것을 산소결핍(oxygen deficit)이라 한다. 운동강도가 중간 이하일 때에는 수분 이내에 산소의 수요와 공급이 균형을 이루는 항정상태가 된다.

운동 종료와 함께 산소섭취량이 감소하지만 곧바로 안정상태의 값까지 감소하지는 않고, 얼마 동안 안정상태보다 더 많은 산소를 섭취한다. 이것은 운동 초기에 모자랐던 산소결핍량을 보충하는 것이기 때문에 '빚진 것을 갚는다'는 의미로 산소부채(oxygen debt)라고 한다.

운동강도가 높으면 산소의 수요량보다 공급량이 항상 적기 때문에 항정상태에 도달하지 못하고, 산소결핍량이 계속해서 증가한다. 그러면 운동이 끝난 다음에 갚아야 할 산소부채량도 계속해서 증가한다.

산소부채량이 한없이 증가할 수는 없고 어떤 한계가 있는데, 그것을 최대산소부채량이라 한다. 강도가 높은 운동을 탈진 시까지 계속하면 최대산소부채량에 이르게 된다. 일반인의 최대산소부채량은 4~5ℓ 정도이지만, 육상 단거리종목의 선수 중에는 15ℓ를 넘는 사람도 있다.

그림 7-10은 중간강도의 운동을 실시할 때 산소결핍량과 산소부채량을 그린 그래프이다. 그림을 보면 운동을 시작하고 약 4분이 경과했을 때 항정상태에 이르렀고, 8분 후에 운동을 끝냈다는 것을 알 수 있다. 항정상태란 산소섭취량과 산소소요량이 균형을 이루는 것을 말한다. 항정상태에 도달하기 전에 모자랐던 산소섭취량이 산소결핍량이고, 운동이 끝난 다음 산소결핍량을 갚기 위해서 안정상태보다 더 많이 섭취한 산소의 양이 산소부채량이다.

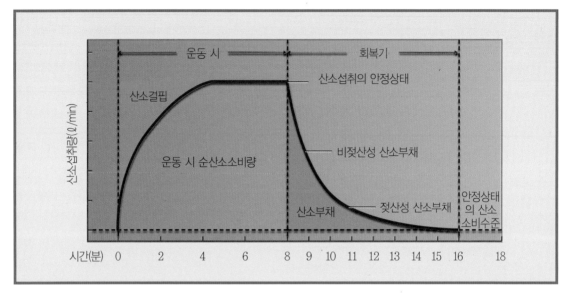

시간(분) 0   2   4   6   8 9 10 11 12 13 14 15 16   18

▶ **그림 7-10** 산소결핍량과 산소부채량

⑤ 허파확산의 변화

허파꽈리 내에서 이루어지는 가스교환은 허파동맥 모세혈관 속에 있던 이산화탄소가 허파꽈리의 공기 속으로 확산되어 나오고, 허파꽈리의 공기 속에 있던 산소가 허파정맥 모세혈관 속으로 확산되어 들어가는 것이다. 그래서 허파꽈리에서 일어나는 가스교환을 허파확산(pulmonary diffusion)이라고도 한다.

안정상태와 최대하운동 시에는 트레이닝 전과 후의 허파확산능력은 거의 차이가 없지만, 최대운동 시에는 트레이닝 후의 허파확산능력이 크게 좋아진다. 트레이닝을 하면 허파로 들어오는 혈류량이 크게 증가함으로써 허파로 들어오는 공기의 양도 크게 증가한다. 즉 가스교환을 하기 위한 혈액과 공기가 더 많이 허파꽈리로 들어올 수 있기 때문에 허파확산능력이 좋아진다.

⑥ 산소이용 효율의 변화

트레이닝을 하여도 동맥혈의 산소농도와 헤모글로빈의 양에는 변화가 거의 없다. 그러나 동맥에 들어 있는 산소농도와 정맥에 들어 있는 산소농도의 차이는 트레이닝을 하면 증가한다. 특히 최대운동 시에 증가된다.

트레이닝을 해도 동맥혈의 산소농도에는 변화가 없었으나 동맥혈과 정맥혈의 산소농도의 차가 커졌다는 말은 정맥혈의 산소농도가 크게 줄었다는 뜻이다. 이것은 트레이닝을 한 훈련자가 비훈련자보다 더 많은 산소를 혈액에서 추출하여 조직에서 사용하였다는 것이므로, 트레이닝을 하면 산소를 이용하는 효율이 더 좋아진 것을 뜻한다.

산소를 이용하는 효율이 좋아졌다는 것은 같은 강도의 운동을 해도 적은 양의 산소를 소비하였다는 뜻으로 해석할 수도 있다.

❼ 과환기증후군

우리 몸은 호흡을 통해 산소를 받아들이고 이산화탄소를 배출시킨다. 동맥혈의 이산화탄소 분압은 37~43mmHg 범위에서 유지된다.

어떤 원인에 의해서 이산화탄소가 과도하게 배출되어 동맥혈의 이산화탄소가 정상 범위 아래로 떨어져서 35~38mmHg 이하가 된 상태를 과호흡증후군(hyperventilation syndrome) 또는 과환기증후군이라고도 한다.

과환기로 인해 이산화탄소 분압이 낮아지면 호흡중추에 대한 자극이 억제되므로 호흡에 대한 욕구가 낮아지고, 숨을 멈출 수 있는 시간도 길어진다. 호흡을 멈추고 있는 시간에도 운동을 계속하면 산소공급이 되지 않는 상태에서 지속적으로 산소를 소비하는 상황이 되어 산소분압이 낮아지기 때문에 중추신경계통을 유지하기 어렵게 된다. 그러면 어지러움, 감각이상, 손발경련, 근육의 힘이 없어지는 증상 등이 나타난다.

대부분의 경우 비닐봉지를 입과 코에 대고 자신이 내쉰 숨을 다시 들이마시게 하면 이산화탄소가 보충되어 증상이 호전되지만, 잘못하면 실신하거나 사망할 수도 있기 때문에 조심해야 한다. 특히 다이빙 선수의 경우 잠수시간을 늘리려고 일부러 숨을 빨리빨리 쉰 다음(과환기 직후)에 호흡을 멈추고 잠수하면 매우 위험한 상태가 초래될 수도 있다.

제8장

순환계통과 운동

01 순환계통의 구조와 기능

일반적으로 심장혈관계통과 림프계통을 합친 것을 순환계통(circulatory system)이라 한다. 순환계통은 인체가 필요로 하는 운송수단을 제공하는 역할을 한다. 순환하는 혈류가 신체의 여러 부위에서 물질을 받아서 다른 부위로 운반함으로써 인체의 내부환경을 상대적으로 일정하게 유지할 수 있도록 돕고, 림프는 방어기능을 담당한다.

1 심장의 구조와 기능

■ 심장의 위치와 크기

그림 8-1에서 볼 수 있는 바와 같이 심장(heart)은 가슴세로칸(종격) 아랫부분 양쪽 허파 사이에 있고, 가로막 위에 심장의 아래쪽 정점(apex)이 놓여 있다. 가슴속공간(흉강)을 좌우로 나누었을 때 심장의 약 2/3는 왼쪽에 있고, 나머지 1/3은 오른쪽에 있다. 심장은 크기와 모양은 꽉 쥔 주먹과 비슷하다.

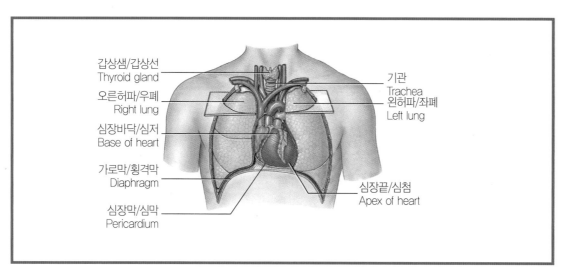

▶ **그림 8-1** 심장의 위치

■ 심방과 심실

심장은 주로 근육과 막으로 구성되어 있고 속이 비어 있다. 심장에는 4개의 공간
이 있는데, 위쪽에 있는 2개를 심방(cardiac atrium), 아래쪽에 있는 2개를 심실(cardiac
ventricle)이라 한다.

심방은 혈액이 심장 안으로 들어오는 방이기 때문에 심실보다 작고, 벽이 얇으
며, 근육도 적다. 심실은 심장 안으로 들어온 혈액을 펌프질해서 동맥쪽으로 밀어내
기 때문에 배출실이라고도 한다.

심방과 심방 사이를 나누는 막을 심방사이막(interatrial septum), 심실과 심실을
사이를 나누는 막을 심실사이막(interventricular septum)이라고 한다. 심장에 있는 4
개 공간의 벽은 3개의 층으로 구성되어 있는데, 바깥부터 심장바깥막(epicardium),

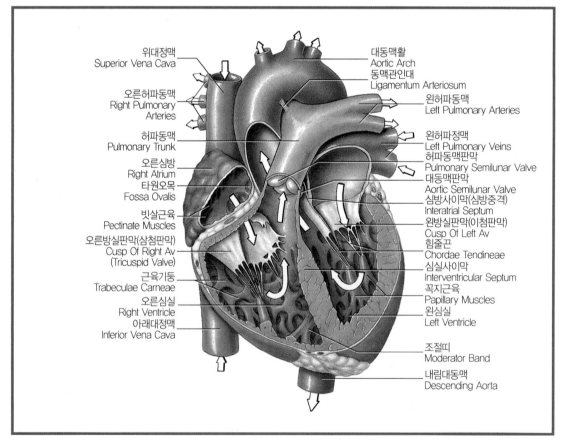

▶ **그림 8-2** 심장의 구조와 혈류의 방향

심장근육층(myocardium), 심장속막(endocardium)이라고 한다.

심장바깥막은 심장을 덮어 싸고 있다. 심장막공간(심장막안, 심낭, pericardial cavity) 안에 액체가 들어 있어서 심장이 마찰 없이 수축할 수 있다. 심장근육층은 가로줄 무늬가 있는 심장근육조직으로 이루어져 있고, 심장속막은 대단히 부드럽고 얇은 조직으로 되어 있어서 염증이 생기기 쉽다.

■ 심장의 판막

심방과 심실을 분리하는 판막을 방실판막(atrioventricular valve)이라 한다. 왼심방과 왼심실 사이에 있는 방실판막은 두 조각으로 되어 있어서 이첨판막(bicuspid valve)이라 한다. 오른심방과 오른심실 사이에 있는 방실판막은 세 조각으로 되어 있어서 삼첨판막(tricuspid valve)이라고 한다. 방실판막은 심실이 수축할 때 혈액이 심방쪽으로 역류하는 것을 방지하는 역할을 한다.

왼심실과 대동맥 사이에는 대동맥반달판막(aortic semilunar valve)이 있고, 오른심실과 허파동맥 사이에는 허파동맥반달판막(pulmonary semilunar valve)이 있다. 왼심실과 오른심실이 동시에 수축하기 때문에 허파동맥반달판막과 대동맥반달판막은 동시에 열리고 닫힌다. 대동맥반달판막과 허파동맥반달판막은 똑같이 세 조각으로 되어 있다. 이 판막은 심실을 떠난 혈액이 대동맥이나 허파동맥으로 흐르는 것은 허

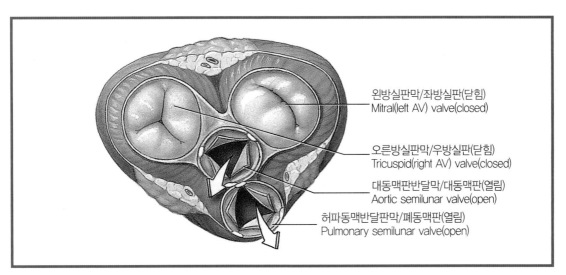

▶ **그림 8-3** 심장에 있는 판막의 구조

용하지만, 다시 심실로 역류하는 것은 방지한다.

■ 심장동맥

생명을 유지하기 위해서는 심장이 규칙적으로 전신에 혈액을 계속해서 펌프질해야 한다. 그러기 위해서는 심장근육에 산소와 영양분이 풍부한 동맥혈을 공급하고, 정맥혈을 회수해야 한다. 심장근육에 동맥혈을 공급하는 혈관을 심장동맥(coronary artery) 또는 관상동맥이라 하고, 정맥혈을 회수하는 혈관을 심장정맥(coronary vein)이라고 한다.

심장동맥은 대동맥에서 갈라져 나오는 첫 번째 가지이고, 오른심장동맥과 왼심장동맥 두 개가 있다. 심장동맥으로 들어가는 구멍이 대동맥반달판막 바로 뒤에 있기 때문에 왼심실이 확장하는 동안에 왼심실로 역류하려다가 반달판막에 막힌 혈액이 심장동맥 안으로 많이 들어간다.

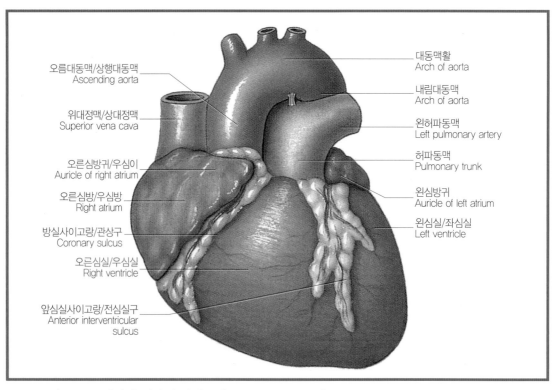

오름대동맥/상행대동맥
Ascending aorta

위대정맥/상대정맥
Superior vena cava

오른심방귀/우심이
Auricle of right atrium

오른심방/우심방
Right atrium

방실사이고랑/관상구
Coronary sulcus

오른심실/우심실
Right ventricle

앞심실사이고랑/전심실구
Anterior interventricular sulcus

대동맥활
Arch of aorta

내림대동맥
Arch of aorta

왼허파동맥
Left pulmonary artery

허파동맥
Pulmonary trunk

왼심방귀
Auricle of left atrium

왼심실/좌심실
Left ventricle

▶ **그림 8-4** 심장의 외관과 심장동맥

어떤 원인 때문에 심장동맥으로 혈액이 흘러들어갈 때 방해를 받으면 심장근육
에 있는 세포들이 정상적으로 혈액을 공급 받지 못하게 되어 죽거나 상해를 입게 된
다. 이러한 조직의 괴사를 의학용어로 심근경색증(myocardial infarction) 또는 심장
마비(cardioplegia)라고 한다.

심장동맥으로 들어간 혈액은 심장근육에 있는 모세혈관을 지나서 심장정맥으로
흘러들어간다. 심장정맥은 심장정맥굴(coronary sinus)로 흘러들어가서 최종적으로
오른심방으로 흘러들어간다.

심장주기

심장이 박동할 때에는 심방이 먼저 수축하여 혈액을 심실로 강제로 보내고, 심실
이 혈액으로 가득 채워지면 심실이 수축하여 혈액을 심실 밖으로 밀어낸다. 이때 심
실이 수축하는 시기를 수축기(systole), 심실이 이완하는 시기를 이완기(diastole)라
한다.

심장이 1회 수축하여 확장될 때까지의 변화를 심장주기(cardiac cycle)라 한다.
심박수가 분당 72회인 경우 심장주기는 약 0.8초이다. 심장이 한 번 박동하는 동안
심실에서 펌프되는 혈액의 부피를 1회박출량(stroke volume), 1분 동안에 심실에서
뿜어져 나오는 혈액의 부피를 심장박출량(cardiac output)이라고 하는데, 성인의 휴
식 시 심장박출량은 약 5리터이다.

심장전도계통

심장근육은 스스로 규칙적으로 수축할 수 있지만, 심장이 효율적으로 혈액을 펌
프하려면 임펄스가 공조해야 한다. 심장근육의 리듬은 자율신경의 신호에 의해서 조
절되지만, 심장에는 내장된 전도계통이 따로 있어서 심장주기 동안 협동해서 수축
을 조절한다.

심장전도계통(cardiac conducting system)의 가장 중요한 특징은 심장의 각 구역
에 있는 심장근육섬유들이 서로 전기적으로 연결되어 있다는 점이다. 사이판(inter-
calated disc)은 심장근육섬유들을 전기적으로 하나의 단위로 묶는 역할을 한다. 심장
근육섬유들은 전기적으로 모두 연결되어 있기 때문에 좌우 심방과 좌우 심실은 각각
동시에 수축할 수 있다. 심장전도계통은 신경조직이 아니고, 특수한 심장근육섬유로

이루어져 있다.

심장전도계통에는 강력한 임펄스를 만들어서 심장벽의 특정 부위로 재빨리 전도할 수 있는 다음과 같은 4개의 구조체가 있다.

❖ **동굴심방결절(sinoatrial node)** 심장의 박동을 조율하는 임펄스를 만들어서 심방의 모든 방향으로 전도한다. 심박조율기(pacemaker)라고도 한다.

❖ **방실결절(atrioventricular node)** 그러면 심방의 근육섬유가 수축하면서 심실로 혈액을 보낸다. 심방의 모든 방향으로 전도되었던 임펄스의 일부가 심방과 심실의

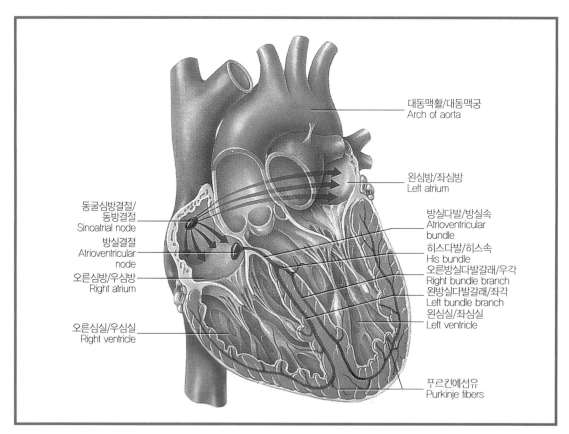

▶ **그림 8-5** 심장전도계통

① 동굴심방결절에서 전기자극이 발생한다.
② 전기자극이 심방 전체에 파도처럼 퍼지면서 심방 전체가 수축한다.
③ 전기자극의 일부가 방실결절에 도착한다.
④ 전기자극이 방실결절에서 히스다발, 방실다발오른갈래와 방실다발왼갈래, 푸르킨예섬유에 전달되어 심실 전체에 한 번에 퍼져나가 심실 전체가 강하게 수축한다.

경계 부근에 있는 방실결절에 다시 모인다.

❖ **방실다발(atrioventricular bundle) 또는 히스다발(bundle of His)** 방실결절에 모인 임 펄스가 방실다발(히스다발)을 따라서 이동하다가 오른다발과 왼다발로 갈라져 서 각각의 심실로 전도된다.

❖ **푸르킨예섬유(Purkinje fiber)** 신경다발과 비슷한 역할을 하는 히스다발을 지나온 임펄스가 좌우 심실 전체로 순식간에 전도되어 강하게 수축할 수 있는 것은 푸 르킨예섬유가 있기 때문이다.

■ 심전도

심장전도계통에 있는 구조체들이 전도하는 임펄스는 약한 전류이다. 그 전류는 심장근육으로만 흐르는 것이 아니라 주위에 있는 체표면으로도 퍼져나간다. 그 전 류를 전극으로 포착한 다음 심전도계라는 장치를 이용해서 육안으로 볼 수 있도록 한 것을 심전도(ECG : electrocardiogram)라고 한다. 즉 심전도는 심장의 전기적 활 동을 기록한 그래프이다.

그림 8-6은 정상적인 ECG그래프이다. ECG그래프는 파동과 비슷하기 때문에 심 전도파라고도 한다. 특징적인 점을 P, Q, R, S, T로 표시한다.

❖ **P파** 동굴심방결절에서 발생한 전기적 흥분이 심방근육 전체로 확산되면서 만들 어진다. 즉 P파는 심방이 탈분극될 때 생기는 파동이고, P파가 시작된 직후에 심 방의 수축이 일어난다.

❖ **P-Q간격** 방실결절에 도달한 흥분이 심실로 전도되기까지 시간적인 지연을 나 타낸다.

❖ **QRS파** 심실근육 전체로 흥분이 확산되는 현상을 나타낸다. 즉 QRS파는 심실이 탈분극될 때 생기는 파동이며, QRS파가 시작된 0.01초 후에 심실이 수축된다.

❖ **T파** 심실의 재분극을 나타내며, 심실이완기 동안 나타난다.

❖ **R-R간격** 연속되는 두 개의 심전도 그래프에서 R과 R 사이의 간격은 심장주기를 나타낸다.

정상적인 ECG에서 심방이 재분극될 때 파동이 생기지 않는 이유는 심방이 재분 극될 때 생기는 파동이 작아서 같은 시기에 생기는 QRS파에 가려지기 때문이다.

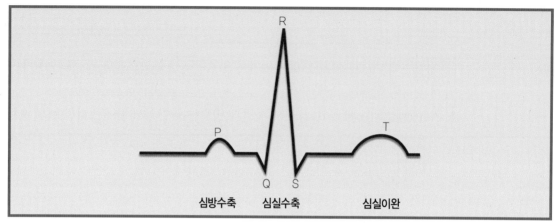

심방수축   심실수축   심실이완

▶ **그림 8-6** 심전도

심전도에 의해 심장이상을 모두 알 수 있는 것은 아니다. 그런데 협심증이나 심
근경색과 같은 허혈성 심장질환, 심실비대나 심근염과 같은 심장근육이상이나 부정
맥을 진단할 때에는 특히 유용하게 이용되고 있다.

허혈성 심근경색과 같은 심장질환이 있을 때에는 안정시 심전도에는 이상이 나
타나지 않는다. 이 경우 운동을 부하하면서 심전도검사를 하는 운동부하심전도검사
를 해야 이상이 나타난다.

❷ 혈관의 구조와 기능

■ 혈관의 종류

심장에서 시작해서 인체의 각 기관을 이루고 있는 조직으로 흘러가는 혈액이 통
과하는 혈관을 동맥(artery), 반대로 각 기관의 조직에서 심장으로 흘러가는 혈액이
통과하는 혈관을 정맥(vein)이라고 한다. 동맥과 정맥은 혈관의 굵기에 따라 대동(정)
맥, 동(정)맥, 세동(정)맥으로 나누어진다.

세동맥과 세정맥 사이를 연결하는 혈관이 모세혈관(capillary)이다. 동맥과 정맥
에서는 혈액이 지나가기만 하지만, 모세혈관에서는 혈액과 주위의 조직세포 사이에
서 물물교환이 이루어진다. 즉 동맥은 혈액을 심장에서 모세혈관쪽으로 운반하고,
정맥은 혈액을 모세혈관에서 심장쪽으로 운반한다. 그리고 모세혈관은 혈액을 세동
맥에서 세정맥쪽으로 운반한다.

■ 동맥과 정맥의 구조와 기능

동맥과 정맥은 3개의 막으로 각각 되어 있다.

가장 바깥에 있는 혈관바깥막(tunica adventitia)은 결합조직섬유로 되어 있으며, 혈압 때문에 혈관이 터지지 않도록 혈관벽이 강화되어 있다.

혈관의 중간에 있는 혈관중간막(tunica media)에는 민무늬근육조직이 있다. 동맥은 심장이 수축할 때 생기는 높은 압력에 견딜 수 있도록 혈관중간막이 두껍고 정맥의 혈관중간막은 얇다. 동맥의 혈관중간막은 민무늬근육조직으로 되어 있기 때문에 자율신경의 지배를 받아 수축하거나 이완해서 혈압을 유지하거나 혈액을 분배하는 역할을 한다. 정맥은 혈압이 낮기 때문에 혈관중간막이 혈관바깥막보다도 얇다.

혈관의 제일 안쪽에 있는 혈관속막(tunica intima)은 동맥과 정맥 모두 단층 편평상피세포로 되어 있다. 심장과 혈관 등 순환계통에 있는 모든 기관의 제일 안쪽 막은 이와 똑같은 구조로 되어 있다.

가장 두꺼운 동맥은 대동맥(aorta)으로 지름은 약 3cm이다. 동맥이 갈라져 온몸으로 퍼지면서 가늘어져 지름이 0.3~0.01mm 정도가 된 것을 세동맥(arteriole)이라고 한다. 세동맥 끝부분은 모세혈관으로 이어진다. 동맥은 가까이에 있는 동맥끼리 연결(anastomosis, 문합)된다. 연결은 바이패스(bypass, 우회로)로 되어 있어서 어딘가가 막혀도 그 앞쪽의 혈류는 유지된다. 한편 연결이 없는 동맥은 끝동맥(end artery)이다.

그림 8-7에서 볼 수 있는 것처럼 정맥에는 동맥에서는 볼 수 없는 정맥판막(venous valve)이라는 구조체가 있다. 이것은 정맥혈이 하체에서 심장쪽으로 흐르다가 중력 때문에 다시 아래쪽으로 역류하는 것을 방지하기 위한 일방통행 장치이다. 정맥판막은 팔에도 있으나, 내장에는 없다.

팔다리정맥의 혈류는 뼈대근육에 의해 이루어진다. 정맥에 접한 뼈대근육이 수축하여 두꺼워지면 정맥이 압박되고, 뼈대근육이 이완되면 정맥의 압박이 풀린다. 이것이 반복됨으로써 정맥에 흐름이 발생하고, 환류가 촉진된다.

정맥과 세정맥은 혈액 저장소 역할도 한다. 왜냐하면 정맥과 세정맥은 동맥보다 낮은 압력 하에서 혈액을 운반하기 때문에 많은 양의 혈액을 수용할 수 있도록 확장될 수도 있고, 적은 양만 남도록 수축될 수도 있기 때문이다.

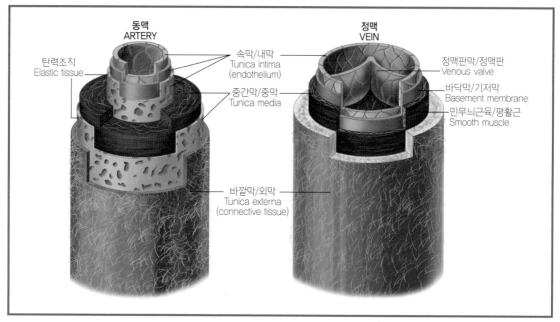

▶ **그림 8-7** 동맥과 정맥의 구조

　　대부분의 정맥은 동맥과 나란히 주행하지만, 혈액의 흐름은 반대방향이다. 정맥에는 전신의 피부 밑을 큰 그물코를 만들어 주행하는 피부정맥(cutaneous vein)이 있다.

■ 모세혈관의 구조와 기능

　　인간의 몸을 해부하면 동맥과 정맥은 볼 수 있지만, 모세혈관은 너무 미세해서 볼 수 없다. 모세혈관은 세동맥에서 이어지는 혈관으로, 그물형태로 전신에 퍼져 있다. 지름은 5~10μm 정도이며, 모세혈관의 벽에는 내피세포가 한 층으로 늘어 서 있어서 극도로 얇다. 모세혈관의 벽은 다른 혈관들과 달리 혈관속막으로만 구성되어 있다. 때문에 글루코스와 산소는 모세혈관의 혈액에서 나와서 사이질액으로 들어간 다음 세포로 가고, 이산화탄소와 기타 노폐물은 세포에서 모세혈관으로 이동한다. 체액도 모세혈관의 혈액과 사이질액 사이에서 교환된다.

　　세동맥이 모세혈관으로 이행되는 부분에 붙어 있는 모세혈관이전조임근이 모세혈관그물로 가는 혈류를 조절한다. 예를 들어 운동을 하여 혈중이산화탄소 및 젖산이 증가하면 조임근이 느슨해져 모세혈관그물로 가는 혈류가 증가한다.

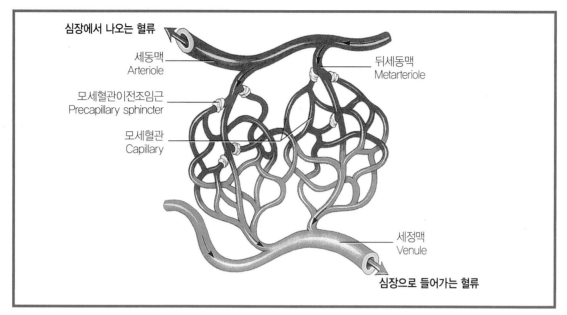

심장에서 나오는 혈류

세동맥
Arteriole

뒤세동맥
Metarteriole

모세혈관이전조임근
Precapillary sphincter

모세혈관
Capillary

세정맥
Venule

심장으로 들어가는 혈류

▶ **그림 8-8**   모세혈관

❸ 혈액의 구성과 기능

혈액은 혈장과 세포로 구성되어 있다. 혈장(plasma)은 각종 이온 · 단백질 · 호르몬 등이 녹아 들어 있는 액체이고, 세포에는 적혈구 · 혈소판 · 백혈구가 들어 있다. 적혈구는 산소를 수송할 때 사용되는 헤모글로빈을 포함하고 있다. 혈소판은 혈액이 응고될 때 중요한 역할을 수행한다. 백혈구는 감염방지에 중요한 역할을 한다.

혈액에서 세포가 차지하는 부피의 비율을 헤마토크리트(hamatocrit) 또는 적혈구용적률이라고 한다. 예를 들어 혈액의 40%는 세포이고, 나머지가 혈장일 때의 헤마토크리트는 40%이다. 혈액에서 적혈구가 가장 큰 비율을 차지하기 때문에 헤마토크리트는 적혈구수의 증가와 감소에 크게 좌우된다.

혈액의 점성은 물보다 몇 배나 더 큰데, 점성의 크기에 가장 크게 영향을 주는 요인이 혈액 내 적혈구농도이다. 그러므로 헤마토크리트가 증가하면 혈액의 점성이 증가하여 혈액순환을 어렵게 만들고, 반대로 빈혈일 때는 혈액의 점성이 낮아진다.

적혈구(eythrocyte, red blood cell)는 뼈의 적색뼈속질에서 조혈세포에 의해서 만들어진다. 새로 만들어진 적혈구에는 핵이 있지만, 완전히 성숙하면 핵을 밀어내서 헤모글로빈을 수용할 수 있는 공간을 더 많이 갖게 된다. 적혈구의 평균수명은 120일이고, 적혈구의 수는 단위부피(mm³)당 여성은 420~540만 개, 남성은 460~640만 개 정도이다.

적혈구의 생산속도는 에리스로포이에틴(erythropoietin ; 적혈구 생산을 촉진시키는 효소)에 의해서 조절된다. 에리스로포이에틴은 대부분 콩팥에서 분비되고, 일부는 간에서 분비되기도 한다. 예를 들어 고지대에 올라가거나 운동을 하면 콩팥의 혈류가 감소하고, 혈중 산소농도도 감소하여 에리스로포이에틴의 분비를 자극한다. 분비된 에리스로포이에틴이 적색뼈속질을 자극하여 적혈구 생산을 촉진한다.

백혈구(leucocyte, white blood cell)는 세포질에 과립을 갖고 있는 과립백혈구(granular leukocyte)와 과립을 갖고 있지 않은 무과립백혈구(agranular leukocyte)로 나눌 수 있다.

과립백혈구에는 중성구, 호산구, 호염기구의 세 가지가 있다.

❖ **중성구(neutrophil)** 전체 백혈구의 54~62%를 차지하며, 감염부위에 가장 먼저

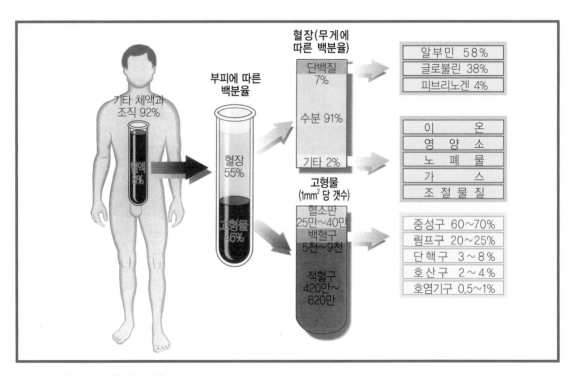

▶ **그림 8-9** 혈액의 성분

나타나 박테리아·균·바이러스 등을 식균작용으로 처리한다.

❖ **호산구(eosinophil)** 전체 백혈구의 1~3%에 해당하며, 알레르기반응에 관여하고 기생충에 대항하는 역할을 한다.

❖ **호염기구(basophil)** 손상된 조직으로 이동하여 히스타민과 헤파린을 분비한다. 히스타민은 손상된 부위의 혈류를 증가시켜 염증반응을 일으키고, 헤파린은 혈액응고를 억제하는 역할을 한다.

무과립백혈구에는 단핵구와 림프구가 있다.

❖ **단핵구(monocytes)** 가장 큰 혈구세포로서 적색뼈속질에서 만들어져 혈액으로 보내지며, 혈액을 순환하다가 혈관 밖으로 나올 때는 큰포식세포(macrophages)가 되어 박테리아나 죽은 세포, 또는 조직의 파편을 식균작용으로 처리한다.

❖ **림프구(lymphocytes)** 전체 백혈구의 20~40%를 차지하며, 림프 내에 있는 세포의 99%를 구성한다. 특히 림프구는 면역계통을 구성하는 중심세포로서 적응면역, 항원특이성, 수용체의 다양성, 기억, 자기와 비자기의 구분 등의 역할을 한다.

림프구는 기능과 세포막의 구성요소에 따라 B세포, T세포, 자연살해세포로 나누어진다.

④ 혈액의 순환·혈압·혈류·맥박

평상시 혈액의 약 60~70%는 정맥, 약 10%는 동맥, 약 5%는 모세혈관, 약 20%는 허파와 심장에 있다. 이 혈액들은 제자리에 멈추는 경우는 거의 없고 계속해서 흐르고 있다. 혈액이 계속해서 어딘가로 흘러가버린다면 혈액을 보충하기 어려울 것이다. 그러나 우리 몸은 닫힌 회로를 따라서 혈액이 흐르기 때문에 혈액이 없어지지 않는다. 혈액이 닫힌회로를 따라 흐르는 것을 혈액순환(blood circulation)이라고 한다.

혈액순환에는 온몸순환, 허파순환, 간문맥순환 등이 있다. 혈액이 심장에서 출발해서 중간에 모세혈관을 거친 다음 같은 심실이나 같은 심방이 아니더라도 심장으로 다시 돌아오기만 하면 순환(circulation)이라고 한다.

■ 온몸순환과 허파순환

그림 8-10에서 볼 수 있는 바와 같이 왼심실에서 출발한 혈액이 모세혈관을 거쳐서 오른심방으로 되돌아오는 것을 온몸순환(systemic circulation) 또는 체순환이라고 한다. 그림에는 없지만 온몸순환을 하는 혈액이 이동하는 경로를 좀 더 자세히 설명하면 왼심실 → 대동맥 → 동맥 → 세동맥 → 모세혈관 →세정맥 → 정맥 → 대

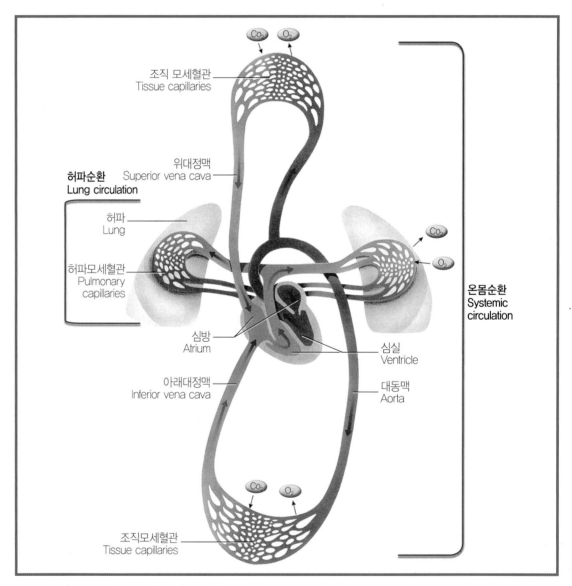

▶ **그림 8-10** 온몸순환과 허파순환

정맥 → 오른심방으로 이어진다. 혈액이 다른 혈관을 흐를 때에는 단순히 흐르기만 하지만, 모세혈관에서는 혈액과 세포 사이에 물질교환이 이루어진다.

그림 8-10에서 볼 수 있는 또 다른 혈액순환으로는 정맥혈이 오른심실에서 출발하여 허파에 있는 모세혈관을 거쳐서 왼심방으로 돌아오는 허파순환(pulmonary circulation) 또는 폐순환이 있다. 허파순환의 경로는 정맥혈이 오른심실에서 출발하여 허파동맥 → 허파세동맥 → 허파모세혈관 → 허파세정맥 → 허파정맥을 거쳐서 왼심방으로 되돌아온다. 허파순환을 할 때에는 허파모세혈관 내에서 산소와 이산화탄소의 교환이 이루어져 정맥혈이 동맥혈로 바뀐다.

그러므로 혈액이 전신을 돌아서 출발했던 자리로 다시 돌아오려면 온몸순환과 허파순환을 한 번씩 마쳐야 한다. 그리고 동맥과 정맥의 구분은 혈관을 흐르는 혈액에 산소가 풍부한가 아닌가로 구분하는 것이 아니라, 혈액이 심장에서 나가면 동맥, 심장으로 돌아오면 정맥이라고 한다.

■ 간문맥순환

그림 8-11에서 심장에서 출발한 혈액이 위장동맥 → 여러 소화기관(위, 이자, 쓸개, 지라, 작은창자, 큰창자) → 간문맥 → 간(모세혈관) →간정맥을 거쳐서 심장으로 돌아오는 것을 간문맥순환(hepatic portal circulation)이라고 한다. 간문맥순환계통은 매우 독특하여 정맥이 2개의 모세혈관바탕(capillary bed, 모세혈관상) 사이에 있다. 간문맥(portal vein)은 복부 내장기관 속에 있는 모세혈관으로부터 혈액을 모아서 간 속으로 흘러들어간다.

간에 있는 모세혈관에서는 다음과 같은 물질교환이 이루어진다.

식사 후에는 소화기관에서 흡수한 영양물질(지방질은 제외)을 간에 저장한다. 소화기관에서 영양물질(지방질은 제외)을 흡수하지 않았을 때에는 간에 저장되었던 영양물질을 혈액으로 방출한다. 그러므로 간문맥순환은 혈액 안에 녹아 있는 영양물질의 농도를 조절하기 위한 순환이고, 소화기관에 있는 모세혈관과 간에 있는 모세혈관을 모두 지나는 특수한 순환이다.

그림 8-11에서 심장 → 위장동맥 → 여러 소화기관 → 림프순환 → 심장도 문맥순환이라고 할 수 있을 것 같지만 문맥순환이 아니다. 왜냐하면 소화기관에 있는 모세혈관만 지났기 때문에 이것은 온몸순환의 일부이다.

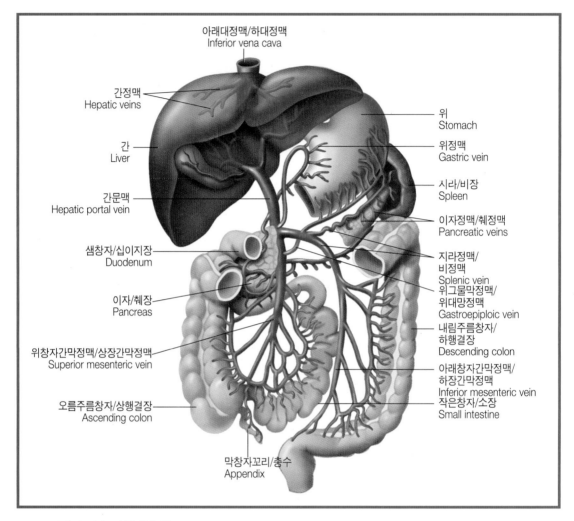

▶ **그림 8-11** 간문맥순환

이 통로는 여러 소화기관에서 지방질을 소화시켜서 흡수한 다음 혈관을 통해서 운송하는 것이 아니라, 림프관을 통해서 간을 지나지 않고 직접 대정맥을 통해서 심장으로 들어간다.

■ 혈압

혈압(blood pressure)은 혈액이 심장혈관계통을 따라 흐르도록 압력을 가하는 힘이다. 그러므로 혈압이 0mmHg가 되면 혈액을 미는 힘이 없으므로 혈액이 흐를

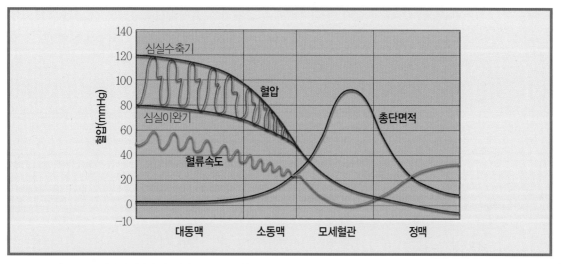

▶ **그림 8-12** 혈관별 혈압 · 혈류속도 · 총단면적

수 없는데, 이것은 사망을 의미한다. 사람이 살아 있는 한 모든 혈관에 혈압이 있으며, 심장에 가까운 동맥일수록 혈압이 높다.

그림 8-12는 혈관의 종류별 혈압, 혈류속도, 총단면적 그래프이다. 그림에는 간략하게 나타냈지만 혈압은 대동맥 → 동맥 → 세동맥 → 모세혈관 →세정맥 → 정맥 → 대정맥으로 갈수록 점점 낮아진다. 대정맥의 혈압이 가장 낮아서 약 1mmHg밖에 안 된다. 동맥에서는 심실 수축기와 이완기의 혈압은 차이가 나지만, 모세혈관 이후부터는 심실 수축기와 이완기의 혈압은 차이가 없다. 혈류속도와 총단면적에 대해서는 다음 절에서 설명한다.

혈압은 목에 있는 경동맥이나 위팔에 있는 상완동맥 또는 아래팔에 있는 노동맥(요골동맥)에서 측정하는 것이 가장 일반적이다.

혈압을 측정한 결과는 수축기 혈압과 이완기(확장기) 혈압을 120/80과 같은 형

▶ **표 8-1** 정상혈압과 고혈압의 기준

	수축기혈압(mmHg)	이완기혈압(mmHg)
정상	120 미만	80 미만
고혈압 전단계	120 이상 140 미만	80 이상 90 미만
고혈압	140 이상	90 이상

식으로 제시해야 한다. 우리나라에서 고혈압과 저혈압을 판정하는 기준은 표 8-1과 같다. 혈압에 영향을 미치는 요인에는 순환하고 있는 혈액의 양(순환혈액량), 심장의 수축력, 심박수, 혈액의 점도 등이 있다.

❖ **순환혈액량(circulating blood volume)** 혈압이 생기는 직접적인 원인은 혈관 안에 있는 혈액량 때문이다. 동맥혈관 안에 혈액의 양이 많을수록 동맥혈관벽에 더 많은 압력을 가하게 되므로, 동맥혈압이 더 높아진다. 반대로 동맥혈관 안에 혈액이 적을수록 혈압은 낮아진다. 예를 들어 출혈이 발생하면 혈액의 양이 감소하여 혈압이 낮아지고, 고혈압을 치료할 때 이뇨제를 사용해서 소변량을 늘리면 체내 수분(혈액량)이 감소해서 혈압이 낮아진다.

❖ **심장의 수축력** 왼심실이 수축할 때마다 동맥으로 혈액을 펌프한다. 수축하는 힘이 강할수록 더 많은 양의 혈액을 펌프하므로 혈압이 높아진다. 예를 들어 1회박출량이 70㎖일 때와 50㎖일 때를 비교하면 70㎖일 때가 더 많은 양의 혈액을 동맥 안으로 펌프하므로 혈압이 더 높아진다.

❖ **심박수** 심박수도 동맥혈압에 영향을 미친다. 심박수가 빨라지면 더 많은 양의 혈액이 대동맥으로 들어가게 되므로 혈액량이 많아져서 결국 혈압이 증가한다. 이러한 논리는 심박수가 증가하더라도 1회박출량이 감소하지 않을 때만 성립된다. 그러나 실제로는 심박수가 증가하면 왼심실이 빠르게 수축하기 때문에 왼심실 안에 혈액을 채울 수 있는 시간이 짧아지고, 1회박출량도 평소보다 감소하는 경우가 많다.

❖ **혈액의 점도** 혈액의 점도가 정상보다 낮아지면 혈압도 낮아진다. 예를 들어 출혈이 발생하면 사이질액이 혈액으로 들어가 혈액을 희석시켜서 혈액의 점도가 낮아지고, 혈액의 점도가 낮아지면 혈압도 낮아진다. 적혈구증가증에 걸린 경우에는 적혈구의 수가 정상보다 많기 때문에 혈액의 점도가 증가하는데, 그러면 혈압도 증가한다. 고도가 높은 곳은 산소가 부족하기 때문에 인체가 더 많은 산소를 끌어당기려고 적혈구를 증가시켜야 하기 때문에 적혈구증가증에 걸린다.

■ 혈류

혈액이 혈관을 따라 이동하는 것을 혈류(bloodstream)라 하고, 단위시간(1초 또는 1분) 동안에 이동하는 거리를 혈류의 속도라고 한다. 혈액은 반드시 혈압이 높은 곳에서 낮은 곳으로 흐르기 때문에 대동맥의 혈압과 대정맥의 혈압 차이가 혈류에 아주 중요하다.

대동맥과 대정맥의 혈압 차이를 중심혈압기울기라 한다. 중심혈압기울기가 크면 혈액 순환이 잘 되고, 중심혈압기울기가 작으면 혈액 순환이 잘 안 된다. 중심혈압 기울기가 0이면 사망선고를 내린다.

그림 8-12를 보면 모세혈관에서의 혈류속도가 가장 느리고, 정맥으로 가면 혈류 속도가 오히려 빨라지는 것을 알 수 있다. 즉 혈압은 모세혈관보다 정맥과 대정맥이 낮지만, 혈류속도는 정맥과 대정맥이 모세혈관보다 더 빠르다. 그것은 혈류속도가 혈압에 의해서 결정되는 것이 아니라, 두 지점 사이의 혈압차이에 의해서 결정되기 때문이다.

그림 8-12에서 혈류속도와 혈관의 총단면적을 비교해 보면 정확하게 반대인 것을 알 수 있다. 즉 대동맥→소동맥→모세혈관까지는 혈류속도는 점점 느려지는 데 반하여 총단면적은 점점 커지고, 모세혈관→소정맥→대정맥까지는 혈류속도는 빨라 지고 총단면적은 줄어든다. 모세혈관 하나하나는 아주 가늘어서 단면적은 작지만, 모세혈관은 개수가 아주 많기 때문에 모두 합한 총단면적은 오히려 넓다.

■ 맥박

혈액이 동맥을 흐를 때는 수축기혈압과 이완기혈압이 다르기 때문에 혈관이 확 장되었다가 줄어들기를 반복하는데, 그것을 촉각으로 느끼는 것이 맥박(pulse)이다. 동맥이 인체 표면에 가까이 있으면서 뼈와 같은 단단한 받침 위에 있어야 손가락끝 으로 맥박을 느낄 수 있다.

인체에는 맥박을 쉽게 느낄 수 있는 진맥점이 머리와 목 부위에 3곳, 팔에 3곳, 다리에 3곳 있다. 그중에서 팔에 있는 겨드랑동맥, 위팔동맥, 노동맥이 가장 접근하 기 쉬운 진맥점이다.

❺ 림프계통

우리는 날마다 해로운 독성물질, 병을 일으키는 박테리아나 바이러스, 침입자로 돌변한 돌연변이 세포 등과 마주치는 위험한 환경 속에서 살아가고 있다. 다행히도

면역시스템 덕분에 엄청나게 많은 적들로부터 보호받고 있다.

적들로부터 우리를 보호해주는 안전 네트워크를 면역계통(immune system) 또는 림프계통(lymphatic system)이라 한다. 림프계통에는 림프기관이라는 특별한 기관과 고도로 특수화된 기능을 가지고 있는 세포와 분자들이 있다.

■ 림프와 림프관

세포가 필요로 하는 물질을 운반하고 세포의 대사과정에서 생긴 노폐물은 모세혈관바탕에서 일어나는 혈액과 체액 사이의 물질교환에 의해서 제거된다. 그러나 죽은 세포의 찌꺼기나 단백질분자와 같이 크기가 너무 커서 모세혈관벽을 통과할 수 없는 물질들은 혈액으로 운반할 수 없다.

조직의 세포와 세포 사이 공간에서 그러한 물질들을 모아서 만들어진 액체를 림프(lymph)라 한다. 림프는 림프관(lymphatic vessel)을 통해서 운반되다가 큰혈관에서 혈류와 합류한다. 그러므로 림프계통은 심장혈관계통과 함께 순환계통을 이루는 필수적인 요소이다.

조직의 공간에서 만들어진 림프액이 처음으로 들어가는 림프관을 모세림프관(lymphatic capillary)이라 한다. 모세림프관 속벽은 모세혈관 속벽과 같이 단층편평상피세포로 이루어져 있지만, 좀 더 엉성한 그물같이 생긴 구조를 하고 있어서 큰 분자도 모세림프관 안으로 들어갈 수 있다.

림프관 속의 림프는 한 방향으로만 이동한다. 림프의 일방통행을 유지하기 위해서 있는 판막 때문에 림프관이 구슬로 장식한 것처럼 보일 때가 많다. 모세림프관을 통과한 림프액은 점점 큰 림프관으로 이동하여 최종적으로 오른림프관과 가슴림프관으로 흘러들어간 다음 목 부위에 있는 큰 정맥을 통해서 혈액과 합류한다. 그러므로 림프는 순환하지 않는다.

작은창자의 벽에 있는 모세림프관을 특별히 암죽관(chyle duct)이라 한다. 암죽관은 음식물에서 흡수한 지방을 림프관을 거쳐서 최종적으로는 혈류로 운반하는 역할을 한다.

림프계통에는 림프와 림프관 외에 림프절, 가슴샘, 지라와 같은 특수한 림프기관이 있다. 그림 8-13은 림프계통에 있는 림프절과 림프기관의 위치를 보여 주고 있다.

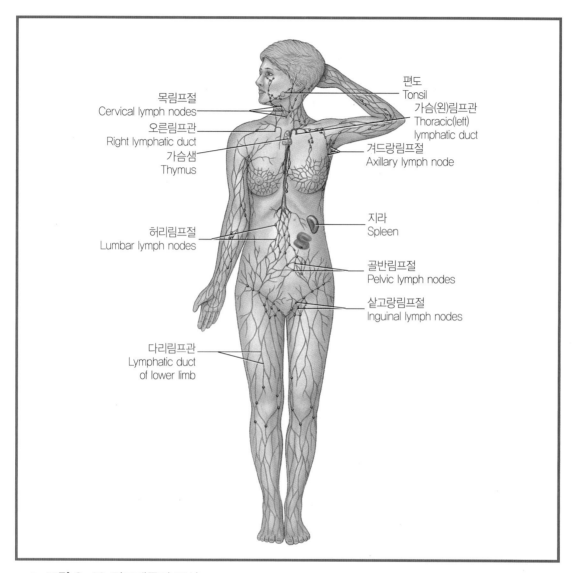

목림프절
Cervical lymph nodes

오른림프관
Right lymphatic duct

가슴샘
Thymus

허리림프절
Lumbar lymph nodes

다리림프관
Lymphatic duct
of lower limb

편도
Tonsil

가슴(왼)림프관
Thoracic(left)
lymphatic duct

겨드랑림프절
Axillary lymph node

지라
Spleen

골반림프절
Pelvic lymph nodes

샅고랑림프절
Inguinal lymph nodes

▶ **그림 8-13** 림프계통의 구성

■ 림프절

　　조직공간에서 만들어진 림프는 점점 더 굵은 림프관쪽으로 이동하다가 중간에 있는 림프절을 만난다. 림프절(lymph node)의 크기는 핀의 머리만큼 작은 것도 있고 리마콩만큼 큰 것도 있다. 그리고 하나씩 떨어져 있는 단일림프절은 수가 적지만 대부분의 림프절은 특정 지역에 무리를 짓고 있다(그림 8-14 참조).

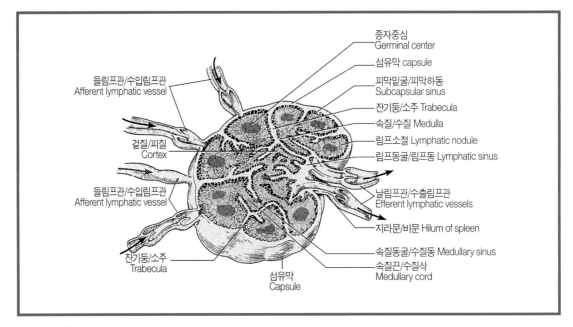

▶ 그림 8-14 림프절의 구조

그림 8-14는 림프절의 구조이다. 여러 개의 들림프관(afferent lymphatic vessel, 수입림프관)을 통해서 림프액이 림프절로 들어오는데, 입구에 판막이 있어서 림프액이 반대쪽으로 역류할 수 없다.

림프절은 속질(medulla, 수질)과 겉질(cortex, 피질)로 구성되어 있다. 림프관을 타고 림프절로 들어온 림프액은 겉질 부위의 피막밑굴을 거쳐 속질 부위의 속질동굴을 거쳐 림프절을 빠져나가게 된다. 겉질 바깥쪽에는 주로 B림프구가 모여 있어 외부 항원을 탐지하고, 겉질 안쪽에는 주로 T림프구가 모여 있다.

림프절은 박테리아나 기타 비정상적인 세포를 포식작용에 의해 여과함으로써 국부적인 감염이 여기저기로 퍼져나가는 것을 방지하고, 감염 등으로 체내로 들어온 병원체를 인식하여 면역반응을 일으킨다. 특히 외부항원을 인식한 B림프구는 림프절겉질의 종자 중심에 모여서 증식하여 외부항원에 대항할 항체를 만들어낸다.

가슴샘

가슴샘(thymus)은 가슴뼈 뒤, 심장과 대동맥으로 이루어진 세로칸오목(mediastinal recess, 종격동) 앞에 위치한 림프면역기관이다. 신생아 때부터 발육하여 사춘기에 가장 커졌다가 점점 크기가 작아져서 성인기에는 상당 부분이 지방으로 대체된다.

겉질에는 림프구, 호중성구, 호산성구, 호염기구 등의 혈구세포가 풍부하게 들어 있다. 속질은 림프구가 적고 그물구조로 이루어져 있다. 어릴 때에는 삼각형의 돛단배 모양으로 생겼다가 사춘기를 지나면서 크기가 점점 작아진다.

뼈속질에서 만들어진 림프구의 전구세포인 가슴샘세포(thymocyte)는 가슴샘에서 성숙과정을 거쳐 성숙한 T림프구로 발달한다.

■ 편도

편도(tonsil)는 목구멍 뒤쪽 입안의 점막 아래에 있는 림프조직 덩어리이다. 편도는 코속공간(비강)과 입속공간(구강)의 입구 주위에 있는 조직을 침범하는 박테리아에 대항하여 그 부위를 보호한다. 편도에는 목구멍편도, 인두편도, 혀편도, 귀인두관편도가 있다.

편도는 대개 5세 전후까지 점점 커지다가 그 이후에는 작아진다. 편도는 입과 코를 통해 들어와 병을 일으킬 수 있는 세균 등 외부물질을 방어하는 역할을 한다. 이런 세균이 침범하면 편도 자체가 감염되는 경우도 흔히 있다.

■ 지라

지라(spleen, 비장)는 인체에서 가장 큰 림프조직이다. 배속공간(복강)을 4등분하였을 때 왼쪽윗부분, 위의 가쪽에 있다. 지라는 혈액이 풍부하여 500㎖ 이상의 혈액이 들어 있을 수도 있어서 혈액저장고 역할도 한다.

지라로 들어간 혈액은 림프구가 축적되어 진하고 걸쭉한 곳을 통해서 흐른다. 혈액은 이렇게 걸쭉한 지라 속을 통과하면서 여과작용 또는 포식작용으로 박테리아나 이물질을 제거하고, 오래된 적혈구를 파괴하여 헤모글로빈 속에 있는 철분을 다음에 사용할 수 있도록 다시 흡수한다.

❻ 면역체계

체내에 침범해 들어온 병원미생물이나 이물질, 체내에 있던 세포가 악성(암)으로 변한 것 등으로부터 신체를 보호하는 역할을 하는 것을 통틀어서 면역체계(immune system)라 한다. 면역체계에는 앞에서 공부한 림프계통을 비롯하여 여러 가지 세포와 분자들이 있다.

면역체계는 크게 비특이면역과 특이면역으로 구분한다.

■ 비특이면역과 특이면역

➤ 비특이면역

인체 내부환경의 항상성을 위협하는 자극적이고 비정상적인 물질을 공격하는 방어체계를 비특이면역(nonspecific immunity)이라고 한다. 다시 말하면 비특이면역은 특이한 종류의 위협적인 세포나 화학물질로부터 인체를 방어하는 것이 아니라, 일반적인 방어를 하는 것이다.

비특이면역의 예는 다음과 같다.

◆ 피부⋯⋯박테리아나 해로운 화학물질이 체내로 들어오는 것을 막아줌.
◆ 눈물⋯⋯눈에 들어오는 해로운 물질을 씻어냄.
◆ 점액⋯⋯공기와 함께 들어오는 먼지가 체내로 들어가지 못하게 함.
◆ 백혈구⋯⋯박테리아를 잡아먹는 포식작용.

비특이면역 중에서 꼭 알아두어야 할 것이 염증반응(inflammatory reaction)이다. 예를 들어 박테리아가 조직을 손상시키면 그 부위로 백혈구를 끌어들이는데, 이때 어떤 매개체는 열이 나거나, 붉어지거나, 통증이 있거나, 부어오르는 등 특징적인 염증 증후를 발생시킨다. 이러한 증후들이 나타나면 해당 부위에 혈류가 증가(붉어짐)하고, 혈관투과성이 증가한다. 그러면 포식작용을 하는 백혈구가 해당 부위로 와서 박테리아를 잡아먹는다.

비특이면역은 특이면역보다 신속하게 이루어진다. 예를 들면 감기에 걸렸다 나았더라도 다시 감기에 걸리듯이, 그 병을 기억하지 못하고 병에 걸릴 때마다 거의 똑같은 반응을 하는 것이다. 태어날 때부터 면역력을 가지고 태어나가 때문에 선천면역(innate immunity)이라고도 한다.

➤ 특이면역

특정한 종류의 미생물이나 독성 물질의 위협에 대하여 특수한 방어를 하는 면역체계를 특이면역(specific immunity)이라고 한다. 특이면역에는 특정한(해로운) 물질이나 박테리아를 인식하는 능력, 반응하는 능력, 반응하는 방법을 기억하는 능력 등이 포함된다.

예를 들어 인체가 홍역을 일으키는 바이러스의 공격을 처음으로 받으면 홍역 바이러스를 파괴하려고 싸우는 과정에서 홍역 증상이 나타난다. 그러나 인체가 홍역 바이러스에 두 번째로 노출되었을 때는 그 바이러스를 파괴하는 방법을 기억하고 있다가 빨리 파괴해버리기 때문에 심한 증상이 나타나지 않는다. 이것을 그 사람이 홍역에 대해 "면역력이 있다"고 하는데, 이것이 특이면역이다.

홍역에 대한 면역력이 있다고 해서 장티푸스에 대한 면역력도 있는 것은 아니다. 특이면역은 매우 선택적이고, 병에 걸렸다 나아야 생기기 때문에 비특이면역보다 반응이 느리다. 특이면역 반응은 같은 항원에 반복적으로 노출되면 더 강하고 빠르게 반응할 수 있게 기억된다. 특이면역은 태어날 때 갖고 태어나는 것이 아니라 새롭게 부딪친 적과 싸워서 적응하는 것이기 때문에 적응면역(adaptive immunity)이라고도 한다.

특이면역은 인체가 해로운 물질에 어떻게 노출되어 있는가에 따라 자연면역과 인공면역으로 나눌 수 있다. 자연면역(natural immunity)은 일상생활 중에 저절로 항원에 노출되어서 생긴 면역력이다. 한편 인공면역(deliberate immunization)은 예방접종처럼 일부러 질병을 일으키는 병균에 노출시켜서 면역력이 생기게 만드는 것이다.

■ 능동면역과 수동면역

능동면역(active immunity)은 자신의 면역계통이 항원에 대하여 반응함으로써 만들어진 면역이다. 수동면역(passive immunity)은 어떤 병에 대한 면역력이 없는 사람이 다른 사람 또는 동물이 가지고 있던 면역력을 옮겨 받아서 면역력을 갖게 되는 것이다. 예를 들어 엄마의 젖 속에 있던 항체가 아기에게 옮겨지는 것이 수동면역이다.

▶ 항원과 항체

우리 몸에 침입해서 병을 일으키는 원인이 되는 물질이나 유기체(박테리아나 바이러스)를 항원(antigen)이라 한다. 항원과 싸워서 우리 몸안에 생긴 단백질 분자를 항체(antibody)라고 한다. 즉 "어떤 병에 대한 면역력이 있다"는 것은 "그 병에 대한 항체 단백질을 만들어서 우리 몸속에 보관하고 있다."는 말과 같다.

항체는 체내에 정상적으로 있는 단백질 복합물이다. 항체에는 결합부위(binding site)라고 부르는 오목하게 들어간 부위가 표면에 있어서 항원과 결합할 수 있는 능력이 있다.

항체가 항원을 파괴하는 방법은 맨 먼저 항체가 특정항원과 결합해서 항원-항체복합체를 만든다. 그다음 항원-항체복합체가 독성을 없애거나, 적이 되는 세포를 응집시켜서 체내에서 돌아다니지 못하게 한 다음 포식세포를 불러들여서 잡아먹게 하거나, 이물질세포 가운데에 구멍을 뚫어서 나트륨을 그 세포 안으로 들어가게 한 다음 수분을 끌어들여서 터져 죽게 만든다.

➤ 림프구

림프구(lymphocyte)는 면역계통에 가장 많은 세포로 항체 생성에 최종적인 책임이 있다. 수백만 개의 림프구가 인체를 돌아다니면서 들어온 적 세포를 찾아내고 있다. 림프절과 림프기관(가슴샘, 지라, 간)에는 많은 림프구가 밀집되어 있다.

모든 림프구는 뼈속질에 있는 원시세포(줄기세포)에서 발생해서 발달단계를 거쳐 B림프구 또는 T림프구가 되는데, 보통 B세포와 T세포라고 부른다. B림프구는 항체를 생성하여 외부의 세포나 단백질을 공격하고, T림프구는 미생물이나 암세포 또는 이식세포를 직접 공격한다.

➤ B세포

줄기세포가 미성숙한 B세포로 변환되는 것을 B세포(B cell)의 분화라고 한다. 태아일 때는 간과 뼈속질 두 곳에서 B세포의 분화가 일어나지만, 성인이 되면 뼈속질에서만 B세포가 분화된다. 분화되어 막 태어난 B세포는 아직 성숙되지 못한 작은 림프구이지만, 형질막 안에는 특정 항체 분자가 수없이 많이 들어 있다.

미성숙한 B세포가 자라서 성숙되면 자신이 만들어진 뼈속질을 떠나서 혈류를 타고 림프절 · 간 · 지라로 이동한다. 성숙되기는 했지만 활성화되지는 않은 B세포들은 림프절 · 간 · 지라 등에서 조용히 항원이 오기를 기다린다.

성숙했지만 활성화되지 않은 B세포가 자신의 표면에 있는 항체 분자의 모양에 딱 들어맞는 모양을 가진 항원을 만나면 활성화된 B세포로 변하는데, 그것을 B세포

발달의 제2단계라고 한다. 그러나 자신에게 딱 들어맞는 항원을 만나지 못한 B세포는 활성화되지 않고 계속해서 기다리기만 한다.

B세포가 활성화되려면 항원을 만나는 것 이외에 또 다른 면역세포인 T세포로부터의 화학적 신호도 받아야 한다. 즉 B세포와 T세포는 독립적으로 활성화되는 것이 아니라 서로 도움을 주고받으면서 활성화된다.

활성화된 B세포는 빠르고 반복적으로 분열해서 똑같이 복제된 B세포를 무더기로 만들어낸다. 복제된 B세포 무더기에는 기억세포와 형질세포가 섞여 있다. 기억세포(memory cell)는 림프절 안에 저장되어 있다. 형질세포(plasma cell)가 항체를 1초에 약 2,000개씩 며칠 동안 만들어 혈액 안에 쏟아 부으면 그 항체가 혈액을 타고 다니면서 항원을 죽인다.

형질세포는 항체를 생산하는 공장 역할을 한다. 형질세포에서 항체를 만들어 적세포와 싸우는 것을 체액면역(humoral immunity) 또는 항체매개면역(antibody-mediated immunity)이라고 한다. 이것은 항체가 체액을 순환하면서 특정 항원과 결합함으로써 병원 미생물에 대해 저항한다는 뜻이다.

기억세포는 림프절에 저장되어 있다가 형질세포가 만든 항체가 부족하면 형질세포로 변해서 항체를 추가로 더 만들어서 병균과 싸운다.

▶ T세포

태아기에 미분화된 줄기세포는 적색뼈속질에서 가슴샘으로 이동한다. 출생 직후에 가슴샘에 있던 줄기세포에서 아주 작은 T림프구가 발생되는 것을 T세포(T cell) 발달의 제1단계라고 한다. 발달된 T림프구는 가슴샘 안에서 자라서 성숙한 T세포가 된다. 성숙한 T세포는 혈류를 타고 림프절·간·지라 등으로 이동해서 항원이 오기를 기다린다.

T세포 표면에 있는 결합체와 항원이 결합하면 T세포가 활성화되는 것을 T세포 발달의 제2단계라고 한다. 항원을 만나지 못한 T세포는 활성화되지 않은 채로 계속해서 림프절·간·지라 등에 머물러 있지만, 아주 적은 양은 혈액을 타고 온몸을 돌아다니면서 항원을 찾는다.

B세포와 마찬가지로 T세포가 활성화되려면 다른 T세포로부터 신호를 받아야 한다. 활성화된 T세포는 빠르고 반복적으로 분열해서 기억세포와 효과기세포를 수없

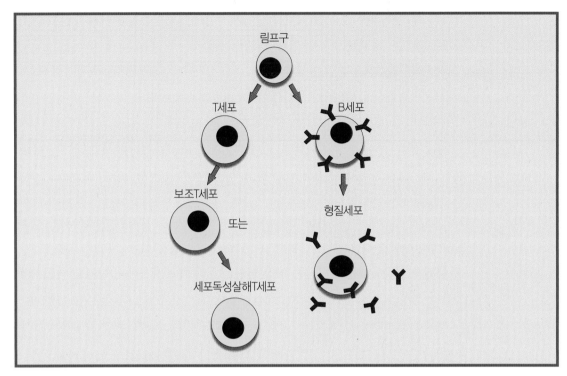

▶ **그림 8-15** 림프구의 분화

이 많이 만들어낸다.

B세포와 마찬가지로 기억세포는 저장용으로 림프절 · 간 · 지라 등에 머물러 있는다. 효과기세포는 면역작용을 하는데, 그것을 세포매개면역(cell-mediated immunity)이라고 한다. 이것은 항체를 만들어서 면역작용을 하는 것이 아니라 세포활동에 의해서 면역작용을 한다는 뜻이다.

활성화된 T세포가 면역작용을 하는 방법에는 3가지가 있다.

❖ 도움(보조)T세포(helper T cell) 적 세포 주위에 화합물질을 분비함으로써 항원세포를 죽게 만든다. 분비하는 물질에는 염증을 일으키는 물질, 포식세포를 유인해서 항원세포를 잡아먹게 만드는 물질, B세포를 활성화시키는 물질 등이 있다.

❖ 세포독성살해 T세포(cytotoxic killer T cell) 암세포나 감염된 세포에 치명적인 독을 분비해서 죽인다.

❖ 조절T세포(regulatory T cell) 항원들이 모두 죽고 나면 면역반응을 중지시키고,

다른 면역세포의 기능을 조절하며, 부적절한 면역반응이 일어나지 않도록 조절한다.

02 운동에 대한 순환계통의 반응과 적응

우리가 1회성 운동을 할 때 필요한 산소와 영양분을 공급하기 위해서 혈류나 혈압에 변화가 생기는 것을 운동에 대한 순환계통의 반응이라 한다. 또, 장기간 트레이닝을 했을 때 혈액의 구성성분이나 심장의 크기가 변화하는 것을 운동에 대한 순환계통의 적응이라고 한다.

❶ 운동에 대한 순환계통의 반응

■ 운동 시 혈류의 변화

안정시에는 혈액을 심박출량의 15~20% 정도만 근육으로 보내고, 나머지 80~85%는 두뇌와 소화기관으로 보낸다. 그러나 운동을 할 때에는 소화기관이나 피부에 있는 세동맥을 수축시키고, 근육과 두뇌로 가는 세동맥을 이완시켜 대부분의 혈액이 근육으로 흐르도록 조절한다.

그리고 운동을 하면 혈류량 자체가 많이 증가해서 산소와 영양분을 근육 등에 충분하게 공급하고, 이산화탄소와 노폐물은 빠른 속도로 제거한다. 운동하는 강도가 강할수록 혈류량이 증가하지만, 한없이 증가시킬 수는 없기 때문에 어느 정도 이상은 증가하지 않는다.

■ 운동 시 혈압과 심박수의 변화

운동을 시작하면 많은 양의 혈액을 근육으로 보내기 위해서 심장이 더 세게 그리고 더 빠르게 박동한다. 그러면 수축기 혈압이 증가하고, 분당 심박수가 증가한다. 보통 사람은 분당 심박수가 '220-나이'까지 증가할 수 있다. 예를 들어 30세인 성인이 최대로 운동을 한다면 '220-30=90회/분'까지 심박수가 증가할 수 있다.

보통 성인의 안정시 혈압은 120/80에서 20을 더하거나 뺀 수치를 정상이라고 본다. 즉 수축기 혈압이 100에서 140 사이이면 정상으로 보고, 이완기 혈압이 60에서

100 사이이면 정상으로 본다. 그러나 운동을 하면 수축기 혈압이 200mmHg까지 증가한다. 운동 중에 혈압이 220mmHg 이상으로 올라가면 불의의 사고를 당할 수도 있으므로 의사와 상의해야 한다.

그러나 운동 중이더라도 이완기 혈압에는 큰 변화가 없다. 그 이유는 이완기 혈압도 올라간다면 심장으로 혈액이 다시 돌아오기 어려워지기 때문이다.

■ 운동 시 박출량의 변화

심장이 1회 박동할 때 동맥으로 내보내는 혈액의 양을 1회박출량(stroke volume)이라 하고, 1분 동안 심장에서 동맥으로 밀어내는 혈액의 양을 심박출량(cardiac output)이라고 한다. 그러므로 심박출량은 '1회박출량×분당심박수'로 계산할 수 있다.

그러나 운동을 하는 중에는 1회박출량과 심박수가 모두 안정시보다 증가하기 때문에 계산에 의해서 추론한 값과는 약간의 차이가 있을 수밖에 없다.

운동을 시작하면 처음에는 1회박출량과 심박수가 모두 증가하지만, 곧 1회박출량이 더 이상 증가하지 않게 되고, 나중에는 심박수도 더 이상 증가하지 않게 된다. 이때 심박출량이 최대심박출량(maximum cardiac output)인데, 이는 사람마다 조금씩 다르다.

❷ 운동에 대한 순환계통의 적응

운동에 대한 순환계통의 적응은 대부분 산소공급 능력과 관련이 있다. 여기에서는 오랫동안 운동을 한 결과로 순환계통에 나타나는 적응효과를 안정시, 최대하운동 시, 최대운동 시로 나누어서 살펴보기로 한다.

■ 안정시의 적응효과

운동의 결과로 안정시 순환계통에서 볼 수 있는 적응효과는 심장의 크기 변화, 심박수의 감소, 1회박출량의 증가, 혈액량과 헤모글로빈량의 증가 등이다.

■ 운동 시 심장크기의 변화

운동선수의 심장이 운동선수가 아닌 사람의 심장보다 크다는 것은 오래전부터

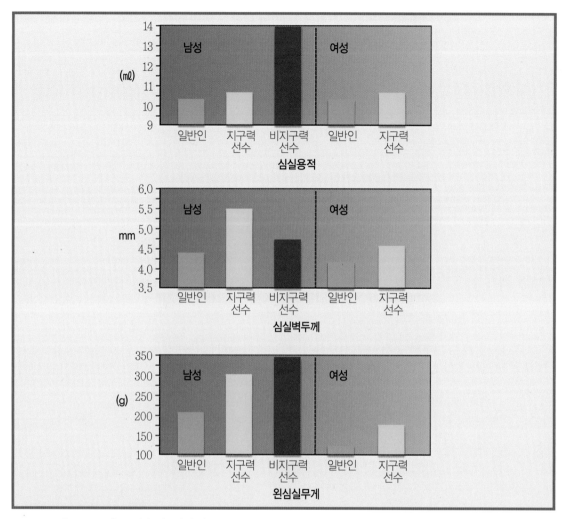

▶ **그림 8-16** 운동선수와 일반인의 심장

잘 알려져 있는 사실이다. X-ray나 초음파로 심장을 촬영해서 심장근육의 두께와 심실의 부피를 측정해서 얻을 수 있는 정보들이다.

　지구력을 요하는 선수의 심장은 심실용적은 크지만, 심실벽의 두께는 차이가 없는 것으로 나타났다. 이것은 심장이 확장될 때 심실에 차는 혈액의 양이 많다는 것을 뜻하므로 지구력 운동종목 선수들은 1회박출량이 커진다.

　레슬링이나 투포환같이 지구력을 필요로 하지 않는 운동종목 선수들의 심장은 심실용적은 보통이지만, 심실벽의 두께는 두껍다. 그러므로 비지구력 운동종목 선수들은 1회박출량이 증가하는 것이 아니라 심장의 수축력이 좋아진다고 할 수 있다.

과거에는 심장용적에 유전적 요인이 큰 역할을 미치는 것으로 생각하였으나, 스포츠 선수들의 활동형태와도 큰 상관관계가 있음이 증명되었다. 즉 지구력 운동종목 선수는 심장용적이 커지고, 비지구력 운동종목 선수는 심실벽이 두꺼워진다.

■ 운동 시 심박수의 감소

장기간 강도 있는 훈련을 계속한 선수들의 안정시 심박수가 보통 사람보다 감소하는 것을 운동성 서맥이라고 한다. 안정시 심박수는 우수한 선수일수록 많이 감소한다. 그런데 지구력 운동종목 선수와 비지구력 운동종목 선수 사이에는 차이가 없다.

■ 안정시 1회박출량의 증가

운동선수와 일반인의 안정시 심박출량은 거의 비슷하지만, 안정시 1회박출량은 운동선수가 더 크다.

지구력 운동종목 선수들에게서 1회박출량의 증가가 가장 뚜렷하게 나타났는데, 이는 장기간의 집중적 훈련 때문에 생긴 것으로 보인다. 그러므로 일반인이 몇 달 정도 훈련받는다고 해도 1회박출량은 증가하지 않는다.

■ 운동 시 혈액량과 헤모글로빈량의 증가

훈련에 의해서 총혈액량과 헤모글로빈량이 증가한다. 총혈액량과 헤모글로빈량은 산소 운반에 아주 중요한 역할을 하는데, 이들은 모두 최대산소섭취량과 밀접하게 관련되어 있다.

혈액량과 헤모글로빈량은 산소가 부족한 고지에서 운동할 때 매우 중요하다. 운동 중에 발생된 열은 혈액에 의해 피부로 운반되어야 식힐 수 있기 때문에 총혈액량과 헤모글로빈량은 고온에서 운동할 때 체온조절에도 아주 중요한 역할을 한다.

■ 최대하운동 시의 적응효과

자신이 최대의 노력을 다해서 운동을 하는 것보다 약간 강도가 낮게(최대운동의 40~80%로) 하는 운동을 최대하운동이라 한다. 최대하운동을 시작한 다음 어느 정도의 시간이 흘러가면 산소·영양물질·이산화탄소·노폐물의 공급과 제거가 균형을 이루게 되는 것을 항정상태(steady state)라고 한다. 최대하운동을 하다가 항정상태에 도달했을 때 운동에 의한 순환계통의 적응이 가장 뚜렷하게 나타난다.

■ 장기간 트레이닝 시 1회박출량의 증가

최대하운동을 수행할 때 운동선수의 심박출량(분당)과 일반인의 심박출량은 거의 동일한데, 그 이유는 확실치 않다. 다만 운동프로그램의 강도·형태·시간과 관계가 있을 것으로 추측할 따름이다.

장기간 트레이닝을 하면 안정시와 최대하운동 시 1회박출량이 모두 증가한다. 1회박출량의 증가는 운동에 의한 심실용적 증가와 주로 관계가 있다. 즉 심장 이완기 동안 심실에 혈액이 많이 들어올수록 1회박출량도 증가한다.

■ 운동 시 산소 이용효율의 증대

트레이닝을 한 운동선수와 일반인이 주어진 강도의 최대하운동을 할 때 산소소비량을 비교하면, 고도로 훈련된 선수의 산소소비량이 일반인에 비하여 현저하게 적다. 또한 우수한 선수와 보통선수를 비교해도 우수선수의 산소소비량이 확실히 적다.

이와 같은 결과는 운동을 하면 산소이용효율이 증대하는 것으로 볼 수 있다.

■ 최대하운동 시 심박수의 감소

운동과 관련된 가장 일관되고 뚜렷한 변화는 훈련 후에는 최대하운동을 할 때 심박수가 감소하는 것이다. 안정시의 운동성 서맥현상은 고도로 훈련된 선수와 훈련되지 않은 피험자를 비교하면 뚜렷하게 차이가 난다. 안정시의 운동성 서맥은 부교감신경의 억제작용 때문이지만, 최대하운동 시 서맥은 교감신경의 신경임펄스 감소 때문이다.

교감신경의 신경임펄스가 감소하는 원인을 심장 내부와 외부로 나누어 다음과 같은 2가지로 설명할 수 있다.

❖ **심장 내부의 기전** 심장근육의 직접적인 효과가 원인이다. 예를 들어 훈련으로 인해서 최대하운동 중의 1회박출량이 증가하기 때문에 (분당)심박출량은 동일하거나 조금 감소한다. 그러면 교감신경의 신경임펄스를 증가시켜서 심박수를 증가시켜야 할 필요성이 크게 감소된다.

❖ **심장 외부의 기전** 훈련에 의해서 뼈대근육이 변화하는 간접적인 효과가 원인이다.

최대하운동 시 순환계통의 변화

동일한 최대하운동을 할 때 근육 1kg당 혈류량은 훈련된 선수가 훈련되지 않은 일반인보다 낮게 나타난다. 왜냐하면 훈련자의 활동근육은 같은 혈류량이더라도 더 많은 산소를 추출해내서 사용할 수 있기 때문이다. 이 현상으로 동맥혈과 정맥혈의 산소분압 차이가 훈련자가 더 큰 것을 알 수 있다. 이것은 뼈대근육의 생화학적 변화와도 관련이 있다.

동일한 부하로 운동할 때 심박출량은 훈련 전과 훈련 후가 거의 같거나 약간 감소한다. 심박출량은 같으면서 근육혈류량이 감소하였다는 것은 피부와 같은 비활동 부위에서 더 많은 혈액을 이용했다는 것을 나타낸다. 다시 말하면 근육으로 순환하는 혈류가 감소하였기 때문에 심박출량이 감소하였다고 설명할 수도 있다.

최대하운동 시 순환계통의 변화는 다음과 같다.

❖ 산소섭취량이 변하지 않거나 다소 감소

❖ 젖산생성량 감소

❖ 심장박출량이 변화 없거나 약간 감소

❖ 1회박출량 증가

❖ 심박수 감소

❖ 근육 kg당 혈류량 감소

최대운동 시 순환계통의 적응효과

장기간 최대운동이 순환계통의 기능에 미치는 효과는 다음과 같다

▶ 최대심박출량과 1회박출량의 증가

최대심박출량은 고도로 훈련된 지구력 운동종목 선수에게서 높게 나타난다. 심박출량은 1회박출량과 심박수에 의해서 결정되고, 최대심박수가 훈련 후에 조금 감소하거나 변하지 않기 때문에 훈련 후의 심박출량의 증가는 주로 1회박출량의 증가에 기인한다.

훈련의 결과로 얻어지는 최대 1회박출량 증가는 심장비대와 심장근육섬유의 수축력 증가와 관계가 있다. 왜냐하면 심실용적이 증가하고 수축력도 증가하면 1회 박동할 때마다 더 많은 혈액을 뿜어낼 수 있기 때문이다.

➤ 심박수의 변화

최대심박수는 훈련 후에 변화가 없거나 약간 감소하게 된다. 특히 지구력 훈련에 관계된 선수들의 최대심박수는 좀 더 감소한다. 훈련에 의해서 감소되는 심박수는 심장비대로 인한 심장부피의 증가와 교감신경의 신경임펄스 감소의 2가지 요소와 관계가 깊다.

➤ 최대산소섭취량의 증가

최대운동 중 분당 소비되는 산소량에 대한 훈련효과에 관해서는 많이 연구되어 왔다. 운동에 의한 최대산소섭취량의 증가는 비교적 적다. 최대산소섭취량의 증가는 여러 가지 요소에 좌우된다.

심박출량의 증가를 통해 활동근육으로 가는 산소 방출량의 증가는 개개의 근육섬유에 대한 산소공급량의 증가를 뜻하는 것이 아니다. 오히려 보다 많은 활동근육의 수에 의해 심박출량이 증가한다고 볼 수 있다. 뼈대근육에 의한 혈액에서의 산소추출량 증가와 개개의 근육세포에 의한 산소추출량은 동정맥산소차의 증가에 의해 최대운동 중에 증가한다.

➤ 총근육혈류량의 증가

운동선수와 일반인은 최대운동 시 단위면적당 근육으로 흐르는 혈류는 차이가 나타나지 않지만, 전체 활동근육으로 공급되는 혈류는 많아지는 것으로 나타났다. 이러한 현상의 발생이유는 운동 후에는 최대운동부하가 증가하기 때문에 운동을 수행하는 데에 필요한 총근육량도 커진다는 사실을 감안하면 근육 전체로 흘러가는 총혈류량은 증가하였지만 단위면적당 근육에 배분되는 혈류량은 일정하게 유지되기 때문이다.

따라서 최대운동 시 산소운반과 관계가 있는 순환계통의 중요한 기능 변화는 다음과 같다.

❖ 최대산소섭취량이 증가한다.

❖ 젖산생성량이 증가한다.

❖ 심장박출량이 증가한다.

❖ 1회박출량이 증가한다.

❖ 심박수는 변화가 없거나 약간 감소한다.

❖ 활동근육 단위면적당 근육혈류량은 변화가 없다.

❖ 동맥벽의 탄력저하를 예방한다.

❖ 혈중 지질농도가 감소한다.

❖ 혈압을 안정적으로 유지할 수 있게 된다.

❖ 총적혈구 수가 증가한다.

❖ 혈장단백질(알부민)이 증가한다.

❖ 혈액점성이 감소되어서 혈류저항이 감소한다.

❖ 혈장량이 증가한다.

제9장

환경과 운동

01 체온의 조절

인간은 항온동물이기 때문에 외부온도의 변화나 열의 생산 또는 방출과 관계없이 체온을 일정하게 유지해야 한다. 인체는 외부환경에 노출되어 있기 때문에 전신의 체온을 똑같게 유지할 수는 없다.

체온은 피부에 가까울수록 약간 낮고, 심부로 갈수록 약간 높게 유지된다. 피부는 영하 20℃ 또는 영상 50℃의 환경에 노출되어도 어느 정도 버틸 수 있지만, 뇌나 간은 38℃에서 0.2℃만 높거나 낮아도 기능에 이상이 생긴다.

① 체열의 생산과 방출

신체 각 부위의 온도는 피부온도를 제외하고는 항상 일정하게 유지되어야 한다. 즉 체열의 생산과 방출이 균형을 이루어야 한다. 외부기온이 30℃일 때 체열의 생산량과 방출량이 최소로 되어 균형이 유지된다. 그렇다고 해서 외부기온이 30℃일 때가 인간이 살기에 가장 쾌적한 온도라는 것은 아니다.

체열의 생산은 소모하는 열량만큼 체열을 생산하는 화학적 방법으로 열량을 조절하고 있다.

안정시에는 간·뇌·심장·모든 내분비샘들이 체열의 약 50%를 생산하고, 뼈대근육에서 약 40%를 생산한다. 그러나 운동 시에는 뼈대근육에서 생산하는 열량이 약 10배로 증가할 수도 있기 때문에 체열의 생산량이 크게 변동될 수 있다. 생산된 열로 데워진 혈액이 전신을 돌아서 체온을 일정하게 유지한다.

체열의 방출은 복사·전도·증발·호흡·배뇨·배변 등과 같은 물리적인 방법으로 열량을 조절한다. 전체 방출량의 18%는 배뇨와 배변, 3.5%는 날숨, 7.2%는 날숨 중의 수증기, 14.5%는 피부에서 복사와 전도에 의해서, 73.0%는 피부에서 증발에 의해서 방출된다.

❷ 체온조절의 기전 ▪▪▪

인체의 체온조절기구에는 온도수용기, 체온조절중추, 그리고 효과기가 있다.

온도수용기(thermoreceptor)에는 피부에 있는 말초온도수용기와 시상하부 · 복부내장 · 척수 · 대정맥 주위에 있는 심부온도수용기가 있다. 심부수용기는 0.1℃의 온도변화에도 민감하게 반응하지만, 말초수용기는 그렇게 민감하지 못하다.

말초온도수용기에는 고온(열)수용기와 저온(냉)수용기가 있다. 고온수용기는 외부온도가 38~43℃일 때, 저온수용기는 외부온도가 15~34℃일 때 체온조절중추쪽으로 신경임펄스를 보낸다.

시상하부에 있는 체온조절중추(temperature regulatory center)가 체온을 조절하는 중추신경기관이다. 시상하부 앞엽은 체온의 증가에, 뒤엽은 체온의 감소에 관여한다.

체온의 변화에 대처하는 효과기(effector)에는 땀샘, 혈관의 민무늬근육, 뼈대근육, 내분비샘 등이 있다. 뼈대근육은 수축하거나 떨어서 열을 생산해서 체온을 높이고, 땀샘은 땀을 증발시켜서 열을 발산시키며, 동맥의 민무늬근육은 피부로 흐르는 혈액의 양을 조절하여 체온조절에 기여한다. 마지막으로 내분비샘은 호르몬을 분비해서 세포의 대사작용을 조절하여 체온을 조절한다.

체온이 상승하면 땀을 분비하라는 명령이 내려옴과 동시에 피부혈관이 확장되어 표면층에 있는 정맥을 통해서 정맥환류가 이루어진다. 통상 심박출량의 약 5%가 피부혈관을 통해서 환류되지만, 피부혈관이 확장되면 약 20%까지 증대된다. 이 변화에 의해서 심부체열이 표면층으로 이동해서 외부로 방출되기 쉬워진다.

반대로 체온이 내려가면 피부혈관이 수축되어 열의 방산을 감소시킴과 동시에 체온조절중추에서 뼈대근육의 긴장도를 조절하는 부위에 근육 떨림 명령을 내려서 열을 생산한다. 그밖에도 온도조절중추에서 갑상샘호르몬과 카테콜아민 분비를 촉진하는 호르몬을 분비해서 열 생산을 증가시키거나 감소시킨다.

▶ **표 9-1** 저온, 열자극 시 인체의 체온조절기전

자극원	요망되는 결과	인체의 조절기전
저온	열손실 감소	피부밑혈관 수축 행동 변화(따뜻한 옷을 입거나, 히터를 켜는 행동)
	열생산 증가	근육의 긴장, 떨거나 수의적인 행동 갑상샘호르몬과 에피네프린 분비 증가 식욕 증가
열	열손실 증가	피부밑혈관의 확장, 발한, 행동 변화(옷을 벗거나, 선풍기를 켜는 행동)
	열생산 감소	근육의 긴장 감소, 수의적인 행동 갑상샘호르몬과 에피네프린 분비 감소 식욕 감소

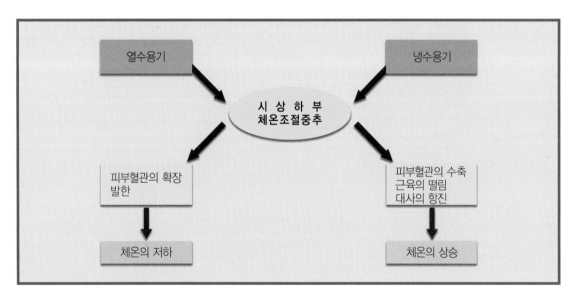

▶ **그림 9-1** 체온조절기관

❸ 열에너지의 이동방법

운동에 의해서 생산되는 열을 발산시키는 방법에는 전도, 대류, 복사, 증발이 있다.
전도(conduction)는 직접 접촉하고 있는 두 물체 사이를 고온에서 저온으로 열
이 이동하는 현상을 말한다. 예를 들어 차가운 마룻바닥에 앉아 있으면 몸에서 마룻

바닥으로 열이 전도되어서 체열을 감소시키고, 따뜻한 온돌바닥에 앉아 있으면 온돌에서 몸으로 열이 전도되어 체열이 증가된다. 전도는 고체와 고체 사이에만 일어나는 것이 아니라 고체·액체·기체 사이에서 모두 일어날 수 있다.

대류(convection)는 인체와 접촉하고 있는 액체(물)나 기체(공기)의 분자가 이동하면서 열에너지를 이동시키는 현상이다. 예를 들어 공기가 인체와 접촉해서 온도가 올라가면 가벼워지고, 가벼워진 공기가 위로 이동하면 열에너지가 저절로 이동한다. 공기보다 물이 수백 배 많은 열을 대류에 의해서 이동시킬 수 있다.

태양과 지구는 멀리 떨어져 있고, 그사이에 아무런 물질도 없지만 태양열이 지구를 따뜻하고 덥혀 주고 있는 것을 복사에 의해서 태양열이 지구로 이동한다고 한다. 즉 떨어져 있는 두 물체 사이에 열파가 열을 이동시키는 현상을 복사(radiation)라고 한다. 예를 들어 난로와 사람이 떨어져 있어도 복사에 의해서 열이 난로에서 인체로 전달된다.

액체(물)가 기체(수증기)로 변하려면 많은 열에너지가 필요하다. 액체분자에 비하여 기체분자의 운동에너지가 많아야 하기 때문에 그 차이에 해당하는 열에너지를 흡수해야 액체가 기체로 변할 수 있다. 액체가 증발하여 기체로 변하는 데에 필요한 에너지를 증발(evaporation)에너지라고 한다. 운동을 하면 땀이 나고, 땀이 증발해서 날아가려면 피부로부터 열에너지를 빼앗아가야 한다.

④ 체열 발산에 영향을 미치는 요인

❖ **체표면적** 물체에서 발산되는 열량은 체표면적에 비례한다. 어린이가 성인보다 체중도 작고 체표면적도 작지만, 체중에 대한 체표면적의 비율(체표면적/체중)을 계산하여 보면 성인이 오히려 적다. 왜냐하면 체중은 신장의 3제곱에 비례하고, 체표면적은 신장의 제곱에 비례하기 때문이다. 즉 체중이 무거운 사람이 가벼운 사람보다 체중에 대한 체표면적의 비율이 낮기 때문에 상대적으로 열을 적게 발산한다. 그러므로 어린이보다는 어른이, 체중이 가벼운 사람보다는 무거운 사람이 추위에 잘 견딘다.

❖ **신체구성** 피하지방은 다른 조직과 비교해서 열의 전도도가 낮기 때문에 뛰어난 단열재이다. 그러므로 체지방이 많은 사람이 마른 사람보다, 또 남자보다는 여자

가 추위에 더 잘 견딘다.

❖ **풍속냉각** 바람이 불면 피부에서 땀이 증발하는 것을 도와주기 때문에 체열을 빨리 잃는다. 그러므로 추운 산속에서 조난을 당했을 때에는 바람을 피해서 굴속으로 들어가거나 사람끼리 서로 부둥켜안고 있어야 체열손실을 줄일 수 있다.

❖ **물속** 잠수하거나 몸이 젖으면 체열손실이 엄청나게 크다. 그 이유는 물이 열을 전도하는 속도가 공기의 약 25배나 되기 때문이다. 우리의 몸도 물속에 들어가면 체열이 엄청나게 손실된다는 것을 알고 있기 때문에 물속으로 들어가면 피부쪽으로 흐르던 혈류를 모두 심부쪽으로 이동시키기 때문에 소변이 마렵게 된다. 따라서 냉수 안에서는 꽤 심한 운동을 하더라도 체온이 오히려 저하된다.

❺ 운동 시의 체온조절

운동을 하면 뼈대근육 내에서 생성되는 열량이 많이 증가하기 때문에 체온이 현저하게 상승한다. 체온이 상승하는 정도는 개인차가 커서 동일한 강도의 운동을 하더라도 체온이 크게 상승하는 사람과 그렇지 않은 사람이 있다.

운동강도를 최대산소섭취량에 대한 비율($\%VO_2max$)로 나타내면 개인차는 거의 없다. 즉 연령차와 성차는 물론이고, 숙련자와 비숙련자의 차이도 없다. 따라서 운동에 의해서 체온이 상승하는 정도는 운동강도를 최대산소섭취량에 대한 비율로 나타낸 것, 즉 상대적인 운동강도에 달려 있다.

운동을 시작 하고 나서 땀이 날 때까지의 시간은 아주 짧아서 온도가 높은 환경에서 운동을 시작하면 1.5~2초 이내에 땀이 분비되기 시작한다. 강도 높은 운동을 하면 많을 때는 1시간에 1,000~2,000㎖의 땀을 흘리고, 장거리 주자는 체중의 6~10%가 땀으로 배출되기도 한다. 공기 중의 습도가 높으면 땀이 잘 증발되지 않기 때문에 열 발산이 잘 안 된다. 그래서 동일한 강도의 운동을 하더라도 체온이 크게 상승한다.

땀을 많이 흘려서 탈수가 진행되면 더 이상 땀 분비가 잘 안 되기 때문에 체온이 지나치게 상승하여 위험해질 수도 있다. 그러므로 운동을 시작하기 전에 다량의 물(2ℓ까지)을 마시거나, 운동하는 도중에 물을 자주 마시면 땀의 분비를 촉진시켜 탈수 예방 및 작업(운동)능력 향상에 도움이 된다.

운동을 하면서 땀을 너무 많이 흘리면 순환계통의 기능에 나쁜 영향을 준다. 운동을 하면 체내에서 발생된 열을 더 많이 방출하기 위해서 피부혈류량이 증가하게 되어 심장으로 돌아오는 혈액의 환류량이 감소한다. 환류량이 감소하면 심장이 충분히 확장될 수 없기 때문에 1회박출량이 줄어든다. 또 피부혈류량이 증가하면 근육혈류량이 줄 수밖에 없는데, 그러면 작업능력이 저하된다.

02 고온환경과 운동

인간은 대부분 10~30℃ 되는 온도에서 생활하고 있지만, 그것보다 30℃ 이상 높거나 낮은 온도에서도 짧은 시간 동안은 버티며 살 수 있다. 즉 인간이 잠깐 동안 살아남을 수 있는 환경온도는 영하 50℃에서 영상 60℃ 정도로 범위가 넓다.

그런데 인간은 항온동물이기 때문에 체온이 변할 수 있는 범위는 환경온도가 변할 수 있는 범위보다 훨씬 적어서 30~45℃ 정도이다. 체온이 44~45℃가 되면 인체를 구성하고 있는 단백질이 비가역적인 변화를 일으켜서 사망하거나 영구적인 상해를 입는다. 반대로 체온이 30℃ 이하로 내려가면 의식을 잃고, 28℃ 이하로 내려가면 심장이 정지되어 사망한다.

고온환경에서 운동을 할 때 발생되는 생리적 변화 중 중요한 것을 설명하면 다음과 같다.

❶ 피부혈관의 확장과 발한의 증가 ▪▪▪▪▪▪▪▪▪▪▪▪▪▪▪▪▪▪▪▪▪▪▪▪▪▪▪▪

무더운 환경에서 지구력 운동을 하면 체열생산의 증가와 체열발산의 감소로 인해 체내에 열이 과하게 축적된다. 그러면 여러 가지 생리적 기능에 장애를 초래할 수 있다. 생리적 기능장애를 예방하려면 체열을 발산시켜야 하는데, 이를 위해서는 피부혈관을 확장시키고 땀분비(발한)를 증가시켜야 한다.

■ 피부혈관의 확장

운동을 하면 인체 심부의 작업근육에 열이 발생하기 때문에 혈액이 따뜻해진다. 이 혈액은 피부로 이동시켜 전도 · 대류 · 복사에 의해서 대기 중으로 방출시켜야 한다. 그러기 위해 세동맥과 동 · 정맥연결 부분에 있는 판막을 모두 열어 피부혈관의 저항을 낮춘다. 그러면 심부혈류량은 감소하고, 피부혈류량이 증가되어 체열을 대기로 이동시키는 효율이 증대된다.

피부에서의 체열손실에 영향을 미치는 가장 큰 요인은 심부온도와 피부온도 사이의 온도차와, 피부와 외부환경 사이의 온도차이다. 즉 말초조직의 온도가 심부조직의 온도보다 낮을수록, 그리고 피부온도보다 외부환경의 온도가 낮을수록 전도 · 대류 · 복사에 의한 체열손실이 많아진다.

그러나 고온환경에서는 외부환경온도가 피부온도보다 낮아지는 것을 기대할 수 없기 때문에 전도 · 대류 · 복사에 의한 체열손실은 기대하기 어렵고, 증발을 통한 열손실에 의존하는 비율은 높아지게 된다.

■ 발한

체온이 상승할 때 증발에 의해서 체열을 발산시키기 위한 적극적인 방법이 발한이다. 분비된 땀은 증발을 통해 피부온도를 낮추게 된다. 땀의 기화열은 1㎖당 0.58kcal이므로 100㎖의 땀이 증발하면 체중이 70kg인 사람은 체온이 1℃ 낮아진다.

체열발산의 가장 불리한 환경조건은 기온이 높으면서 동시에 습도도 높을 때이다. 습도가 높으면 피부표면과 대기 간의 수증기압 차이가 감소해서 땀이 잘 증발되지 않기 때문이다. 반대로 기온이 높아도 습도가 낮으면 땀이 쉽게 증발하기 때문에 체열발산이 잘 된다.

❷ 운동수행능력의 저하

고온환경에서 운동을 하면 체열을 발산시키기 위해서 피부혈류량을 증가시켜야 하고, 운동을 수행하기 위해서 활동근육으로 가는 혈류량을 증가시켜야 하므로, 두 혈류 사이에 경쟁관계가 이루어진다.

인체의 총혈액량은 일정하므로 피부에 분포된 정맥혈관이 확장되면 정맥 안에 머물러 있는 혈액량이 증가한다. 그러면 정맥에서 심장으로 돌아와야 할 정맥환류량이 감소한다. 정맥환류량이 감소하면 심장에서 박출하는 1회박출량이 감소될 수밖에 없다.

1회박출량이 감소하면 필요한 혈액량을 박출하기 위해서 심박수가 증가한다. 즉 같은 부하의 운동을 하더라도 심장이 빨리 박동해야 하기 때문에 결과적으로는 운동수행능력의 저하로 이어질 수밖에 없다. 보고에 의하면 기온과 습도가 높은 환경에서는 운동수행능력(특히 지구력)이 저하된다고 한다.

일반적으로 고온환경에서 1시간 이상 운동 후에는 최대산소섭취량이 3~8% 감소하는 것으로 알려져 있다. 이것은 피부혈관의 혈액저류에 의해 심장으로의 정맥환류량이 감소하는 것과 작업근육으로 흐르는 혈류량의 감소로 인해 동정맥산소차가 감소되는 것이 그 원인으로 생각되고 있다.

고온환경에서의 운동수행력 저하현상은 15분 이상 지속되는 운동이나 장시간 반복되는 간헐적인 운동 시 나타난다. 또 고온환경에서 고강도 운동을 하면 운동 초기에는 1회박출량이 감소하더라도 심박수가 증가하기 때문에 심박출량이 유지되지만, 최대심박수에 도달하면 더 이상 심박수를 증가시킬 수 없기 때문에 최대심박출량과 최대산소섭취량은 감소하게 된다.

❸ 근육글리코겐의 감소와 혈중젖산농도의 증가

고온환경에서 운동을 하면 체내 수분이 땀으로 손실되어 혈액이 농축되어 인체의 순환 및 체온조절 부담을 가중시킬 수 있다. 혈액이 농축되면 혈장량이 감소하고, 혈장량이 감소하면 혈액량이 줄어서 피부로 가는 체온조절성 혈류와 작업근육으로 가는 활동성 혈류가 모두 부족하게 된다.

그러면 활동근육으로 가는 혈류 감소로 인해 근육피로현상이 나타나거나, 피부혈류 감소로 인한 체온의 과도한 상승이라는 두 가지 어려움에 직면하게 된다. 운동 중 근육혈류량이 감소되면 그 운동을 무산소에너지대사과정에 더욱 의존케 하고, 나아가 내장혈류를 더욱 감소시켜 젖산제거율을 감소시킴으로써 동일한 최대하운동강도에서 혈중젖산농도를 상승시킨다.

Fink 등(1975)의 연구결과에 의하면 고온환경에서 운동을 하면 체온·심박수를 증가시킬 뿐만 아니라 활동근육이 더 많은 글리코겐을 사용해서 더 많은 젖산을 생산한다. 그림 9-2와 9-3은 고온환경과 저온환경에서 운동 시 혈중젖산농도와 근육의 글리코겐저장량의 변화를 그래프로 그린 것이다.

　그림에서 고온환경에서 운동을 하면 저온환경에서 운동하는 때보다 혈중젖산농도가 항상 높게 유지되고 있다는 것과, 근육에 저장되어 있는 글리코겐의 양이 시간이 갈수록 점점 더 작아진다는 것을 알 수 있다.

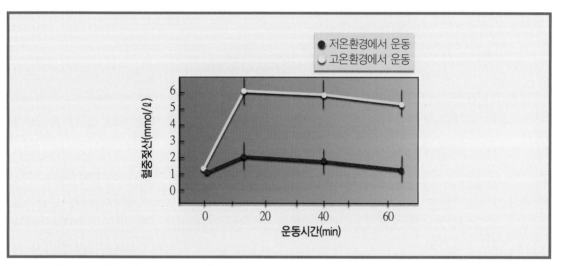

▶ **그림 9-2**　혈중젖산농도의 변화

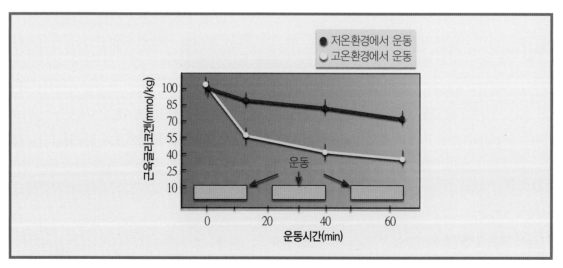

▶ **그림 9-3**　고온과 저온환경에서 운동할 때 근육글리코겐의 변화

❹ 체액과 전해질의 손실

■ 체액과 수분의 균형

수분은 체중의 약 50~70%로, 체성분 중에서 가장 많은 부분을 차지한다. 체액은 크게 세포속액과 세포바깥액으로 구분된다.

세포바깥액(extracellular fluid)에는 혈액 속에 있는 혈장과 세포와 세포 사이에 위치하여 세포를 직접 둘러싸고 있는 사이질액(interstitial fluid)이 있는데, 이것은 체중의 약 15%를 차지한다.

세포속액(intracellular fluid)은 세포 안에 있는 세포질을 이루고 있는 수분으로 남자는 체중의 약 45%, 여자는 약 35%를 차지한다. 여자가 남자보다 지방조직이 많기 때문에 남자의 세포속액이 더 많다(근육 · 피부 · 심장 · 간 등 체내 대부분 조직의 수분함량은 70% 이상이지만 지방조직의 수분함량은 20% 미만이다).

체내 수분균형은 수분의 섭취량과 배설량이 같을 때 이루어진다. 수분섭취량이 배설량을 초과하면 수분중독이 초래되고, 수분섭취량이 배설량보다 적으면 탈수가 일어난다. 성인의 1일 수분섭취량은 2,600㎖ 정도인데, 그중 음료수 형태로 섭취되는 수분이 1,500㎖로 가장 많고, 음식물에 함유되어 있는 수분이 800㎖, 나머지 300㎖는 영양소가 체내에서 대사될 때 부산물로 생성되는 대사수이다.

한편 1일 수분배설량은 2,600㎖ 정도이다. 그중에서 소변을 통한 수분손실은 약 1,500㎖이고, 대변으로 배설되는 양은 약 100㎖이다. 나머지 1,000㎖는 우리가 느끼지 못하는 사이에 피부와 허파(호흡)를 통해 배설되는데, 이를 불감손실량(insensible loss)이라고 한다.

고온환경에 노출되거나 운동 시에는 허파와 피부를 통한 불감손실량이 증가하므로 추가로 수분을 보충하지 않으면 탈수가 올 수 있다. 체액량의 8% 정도가 손실되는 탈수상태에서는 심박수가 빨라지고, 체온이 상승한다. 또 20% 이상 손실되면 심부전 · 순환부전 · 신부전 등으로 생명이 위험해진다.

■ 운동과 체액손실

고온환경에서 마라톤과 같은 운동을 하면 땀으로 시간당 약 2ℓ 이상의 수분을 잃게 된다. 이와 같은 수분의 양은 체중의 7~8%에 해당된다. 대부분 사이질액으로부터 비롯된 손실이지만, 운동을 계속하면 결국 혈장량이 감소한다. 그 이유는 사이질액의 수분이 감소하면 삼투질농도가 증가함으로써 혈관 내에 있던 혈장이 사이질쪽으로 이동하기 때문이다.

혈장량의 감소는 활동근육으로의 혈류증대 요구와 체온조절을 위한 피부혈류 증대 요구에 대한 부담을 더욱 가중시켜 1회박출량·심박출량·혈압 등을 감소시키는 원인이 된다. 운동 중 체액이 2~3ℓ 손실되면 체내 수분보유를 위한 인체반응기구가 작동하여 땀분비가 감소되며, 그 결과 체온이 상승한다. 그러므로 발한을 지속시키고 체온을 낮은 수준으로 유지하기 위해서는 체액보충이 필수적이다.

혈장량이 10% 이상 감소되거나 혈장삼투질농도가 1~2% 이상 증가되면 수분섭취 욕구가 유발되고, 뇌하수체뒤엽에서 항이뇨호르몬(ADH)의 분비를 촉진시켜 콩팥에서의 수분재흡수를 통해 체액의 삼투질농도를 정상으로 회복시킨다.

운동 후 체액보충을 위해 충분한 수분을 자발적으로 섭취하지 않았을 때 체액을 정상 수준까지 회복시키려면 1~2일이 소요된다. 따라서 운동을 할 때에는 갈증을 느끼기 전이라도 수분을 섭취하여야 한다.

■ 운동과 전해질 손실

고온환경에서 운동을 하면 훈련시작 초기에 다량의 염분이 땀에 섞여서 손실된다. 식사나 음료를 통해 손실된 전해질, 특히 염분을 섭취하지 않으면 근육섬유막 내외의 Na^+, K^+ 및 Cl^- 농도가 변해서 열경련을 일으키기 쉽다.

땀을 통한 염분손실의 또 다른 부작용은 땀이 증발할 때 피부표면에 잔류소금막을 형성하는 것이다. 잔류소금막이 남아 있으면 뒤이은 발한 시 땀의 염분농도를 상승시켜 땀의 증발을 방해한다. 그러므로 땀을 씻어내서 피부표면의 잔류소금을 제거하는 것이 좋다.

고온환경에서 장시간 작업을 하거나 행군 시에는 하루에 몇 개의 식염정제 섭취가 도움이 된다. 그런데 이 경우 전해질음료의 섭취가 더 바람직하다.

한편 운동 전후에 다량의 염분섭취는 바람직하지 못하다. 왜냐하면 식염정제나 농도가 짙은 식염수를 섭취하면 복통이나 구토를 유발하여 세포의 탈수상태를 더욱 악화시킬 염려가 있기 때문이다.

⑤ 고온환경에서 운동 시 수분섭취 요령

고온환경에서 운동 시 나타날 수 있는 운동수행능력 감소를 방지하고 열병에 걸릴 위험을 최소화하기 위해서는 다음과 같은 방법으로 수분을 섭취해야 한다.

❖ 운동을 시작하기 20~30분 전에 8~10℃의 수분을 400~500㎖ 정도 미리 섭취한다. 운동을 시작하기 전에 수분을 미리 섭취하면 운동 중 수분손실로 인한 탈수를 완화시킬 수 있지만, 갈증이 유발된 상태에서 수분을 섭취하면 체액을 보충하는 데에 시간이 걸리기 때문이다. 지나치게 차가운 음료수를 지나치게 마시면 위경련을 일으킬 우려가 있다.

❖ 섭취음료는 Na^+, K^+ 등의 전해질과 포도당이 포함된 저장성 또는 등장성(체액보다 농도가 낮거나 같은) 음료수가 바람직하다. 빠른 시간 내에 위에서 창자로 넘어가고 흡수가 빨리되는 것이어야 좋은 음료수이다. 식염정제나 농도가 짙은 음료는 일단 체액과 농도가 같아진 다음에 흡수될 수 있기 때문에 흡수속도가 느릴 뿐 아니라 복통 등을 유발할 수 있고, 체내 탈수상태를 심화시킨다. 또한 보통의 물보다는 전해질이나 포도당이 약간 포함된 음료가 창자로 더욱 빠르게 흡수된다.

❖ 운동 중에는 약 15분마다 100~200㎖의 전해질과 포도당 혼합액을 섭취하는 것이 좋다. 운동 중 수분섭취는 손실된 체액을 보충해서 체온과 심박수를 감소시키고 지구력 운동의 수행능력과 열내성을 증가시킨다. 한꺼번에 많은 양의 음료를 마시면 위에서의 불쾌감, 출렁거림, 구토 등이 있을 수 있다.

❖ 체중의 3% 이상이 손실되는 탈수가 있으면 그날 중에는 다시 운동하지 않는 것이 바람직하다. 체중이 3% 이상 손실되면 혈장량은 약 10% 감소되고, 체내 수분 및 전해질 감소로 열병에 걸릴 위험이 높아진다.

⑥ 고온환경과 습도

인체에 가해지는 열 스트레스의 정도는 온도와 상대습도의 상호작용에 따라 달라진다. 온도가 높다 하더라도 습도가 낮으면 증발을 통해 체열이 활발하게 발산되기 때문에 열질환 발생위험은 비교적 적다. 그러나 온도와 상대습도가 모두 높은 환경에서는 전도 · 대류 · 복사에 의한 체열발산뿐만 아니라 증발을 통한 체열발산마저도 저해된다.

그림 9-4는 열질환이 발생될 위험 수준이 기온과 상대습도에 따라 어떻게 변하는지를 그래프로 보여주고 있다. 그림에서 기온과 상대습도가 '금지영역'에 속하는 기후조건에서는 운동을 피해야 하고, '위험영역'에 속할 때는 운동 중 수분섭취와 휴식을 자주 해야 한다.

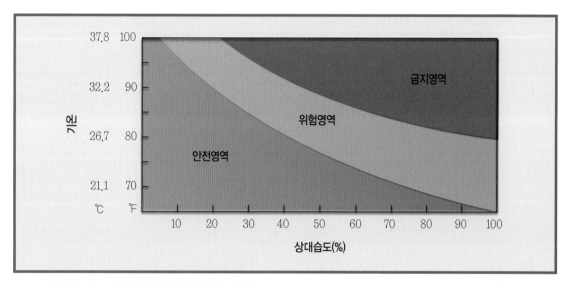

▶ **그림 9-4** 열질환이 발생될 위험 수준

❼ 열적응

고온환경에서 운동을 자주하면 우리의 몸이 그러한 환경에 적응해서 고온환경에서 운동할 수 있는 능력이 점차적으로 향상되는 현상을 열적응(heat acclimation)이라고 한다.

고온환경에서의 운동에 익숙하지 않은 초보자들은 수분을 충분히 섭취하면서 운동을 하더라도 열질환이 발생될 위험이 높다. 그러므로 덥고 습도가 높은 환경에서 장거리달리기와 같은 지구력 운동을 해야 한다면 적어도 1주일 전부터 고온환경에 적응하는 훈련을 해야 한다.

고온환경에 적응하기 위한 훈련을 할 때 발생하는 열적응변화는 훈련 4일 후부터 나타나기 시작해서 12~14일에 완료된다. 열적응훈련 시에는 반드시 적절한 수분섭취가 뒷받침되어야 한다.

열적응훈련에 따른 적응현상은 다음과 같다.

❖ **발한반응 개선** 심부체온이 일정 수준 이상으로 상승하면 땀의 분비가 급속히 증가하는데, 이때의 체온을 발한역치라고 한다. 열적응훈련은 발한역치를 낮추고 땀분비율을 증가시킨다. 즉 훈련 전보다 땀을 일찍 분비하기 시작하고, 땀샘이 확장되어 더욱 많은 땀을 흘릴 수 있게 된다. 발한적응에 의해 열적응된 사람은 동일한 작업부하에서 피부체온과 심부체온이 모두 낮은 수준으로 유지된다.

❖ **전해질 손실의 감소** 열적응된 사람의 땀은 수분손실에 따른 전해질손실이 상대적으로 적다. 즉 열적응된 사람은 땀 속에 있는 Na^+ 등 전해질농도가 현저하게 감소한다.

❖ **체내수분량의 증가** 열적응 시 특히 중요한 생리적 적응은 체내수분량의 증가이다. 체내수분량이 증가하면 고온환경에서 운동 시 경쟁적 관계를 갖는 피부혈류

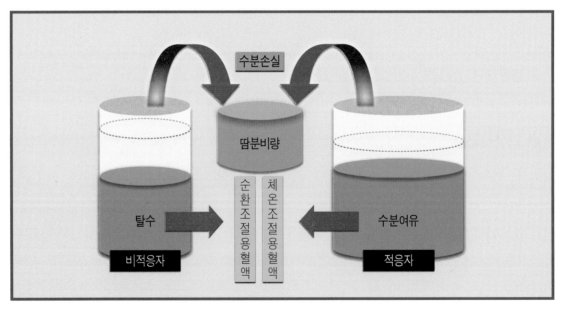

▶ **그림 9-5** 열적응자와 비적응자의 체내 수분량

와 활동근육혈류를 공급하는 데에 필요한 체내수분에 여유가 생긴다는 점에서 중요하다. 적응자는 발한반응을 통한 체열 발산능력이 크기 때문에 비적응자에 비해 피부혈류가 상대적으로 적다. 그림 9-5는 열적응자가 비적응자에 비해 더 많은 체내수분량을 갖고 있기 때문에 같은 양의 수분을 땀으로 배출하더라도 체내수분량에 여유가 있다는 것을 보여주고 있다.

❖ **체온 증가의 감소** 그림 9-6의 A는 열적응자와 비적응자의 체온변화를 그래프로 나타낸 것이다. 그림에서 적응자가 비적응자보다 체온이 서서히 증가하는 것을 알 수 있다. 이는 발한반응이 개선됨에 따라 체열을 효과적으로 발산시켰기 때문이다.

❖ **심박수 증가의 감소** 그림 9-6의 B는 열적응자와 비적응자의 심박수 변화를 그린 그래프이다. 그림에서 열적응자가 비적응자보다 심박수가 서서히 증가하는 것을 알 수 있다. 이는 피부체온과 심부체온이 감소하는 데 따르는 반사적 반응으로 생각된다.

❖ **1회박출량의 증가** 열적응에 따라 1회박출량이 증가하는 기전은 정확하게 알려지지 않았지만 체내수분량의 증가에 따른 혈장량의 증가가 하나의 원인이며, 심박수 감소 역시 1회박출량의 증가와 관련되어 있을 것으로 생각된다. 그밖에 열적응자의

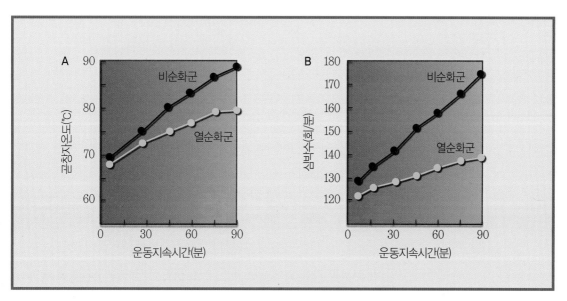

▶ **그림 9-6** 열적응자와 비적응자의 체온 변화(A)와 심박수 변화(B)

체열발산은 피부혈류의 증가보다는 땀의 증발에 더 많이 의존하기 때문에 피부혈류가 감소해서 1회박출량이 증가한다고 생각할 수도 있다.

▶ **표 9-1**   열적응에 따른 열환경 운동 시 생리적 적응

	생리기전	생리적 반응
순환계통	심박수	감소
	1회박출량	증가
	혈장량	증가
	혈압	안정적 조절
	피부혈류	감소, 반응의 적절성
발한기전	분비율	증가
	발한역치	감소
	땀 중 염분농도	감소

⑧ 열장애

여름에 날씨가 무더울 때 운동을 하거나 야외활동을 해서 생기는 질환을 열장애 또는 온열질환이라 한다. 열장애에는 다음과 같은 것들이 있다.

■ 고체온증

체온이 비정상적으로 높은 상태, 특히 심부체온이 높은 상태가 고체온증(hyper-thermia)이다. 보통 외부환경으로부터 열이 유입되어 발생하지만, 체내에서 과도한 열이 발생해서 생기기도 한다.

■ 열경련

열경련(heat cramp)은 일종의 근육경련이다. 주로 손가락, 팔, 다리 혹은 복부 근육에서 경련이 일어난다. 높은 온도에서 과도하게 힘을 쓰거나 탈수되었을 때 발생한다. 일반적으로 정신상태는 맑지만 현기증 및 어지러움, 신체에 힘이 없음을 느끼

게 된다. 체온은 정상적이거나 약간 높고, 피부는 축축하고 따뜻한 상태이다.

열경련환자들을 응급처치할 때에는 시원하고, 그늘지고, 통풍이 잘되는 곳에 환자를 안치해야 한다. 경련이 심할 때 의식이 명료하고 삼킬 수 있다면 식염수나 스포츠 음료를 마시게 한다.

그러나 절대로 정제소금을 직접 섭취하게 해서는 안 된다. 정제소금은 바로 흡수되지 않고 위경련이나 위궤양, 고나트륨혈증의 원인이 될 수 있기 때문이다. 환자가 입으로 음료를 섭취할 수 없을 경우에는 생리식염수를 주사로 투여한다.

■ 열피로

열피로(heat exhaustion)는 열에 노출되어 나타나는 급성 반응으로, 비교적 경미한 열손상으로 간주된다. 일반적으로 고온환경에서 일을 할 때에는 시간당 $1{\sim}2\ell$의 수분이 땀으로 상실되는데, 그 안에는 ℓ당 $20{\sim}50mg$의 염분이 포함되어 있다.

땀이 많이 배출되면 탈수증세와 나트륨결핍증상이 나타난다. 체온은 $37.8℃$ 이상으로 상승하고, 피부는 차갑고 냉습해진다. 호흡은 빠르고 얕으며 맥박은 약하다. 설사와 근육경련과 같은 열방산 현상이 있을 수도 있다. 허약감을 느낄 수 있고 심하면 의식을 잃기도 한다. 두통, 불안, 지각이상, 분별력 감소나 정신이상 등 중추신경계이상 증상이 나타날 수도 있다.

열피로환자의 응급처치는 즉각적인 냉각과 수액요법이다. 먼저 환자를 그늘진 곳이나 에어컨시설이 갖춰진 곳으로 이동시킨다. 오한을 느끼지 않을 정도로 냉각시키기 위해 옷의 일부를 벗기고 부채질을 해준다. 부채질은 발한을 증가시키고 체온을 떨어뜨린다. 이때 주의할 점은 환자가 오한을 느끼지 않도록 하는 것이다. 환자가 오한을 느끼기 시작하면 부채질을 멈추고 가볍게 덮어준다. 환자에게 식염수나 스포츠음료를 마시게 한다.

■ 열사병

열사병(heat stroke)은 열에 노출된 상태에서 과다한 활동을 오래 하거나, 주위온도가 지나치게 높아진 경우 발생한다. 고체온증을 제대로 처치하지 못해서 시상하부에 있는 체온조절중추가 능력을 잃어버린 심각한 상황이다.

열사병에 걸리면 체온이 최소 $40.6℃$ 이상 올라간다. 열사병은 뇌 · 간 · 콩팥 등의 손상을 초래할 수도 있다. 중추신경계의 기능장애증상이 나타나고, 땀샘이 파괴되어서 땀의 배출이 중단된다.

열사병환자를 응급처치할 때에는 환자를 그늘진 곳이나 에어컨시설이 완비된 시원한 곳으로 이동시켜 체온이 39℃ 이하로 낮아지도록 해야 한다. 옷을 벗기고 미지근한 물에 적신 수건으로 덮는다. 필요한 경우 부채질을 하고 분무기로 미지근한 물을 뿌려준다. 지나치게 온도를 떨어뜨리면 오한을 발생시켜 심부온도를 다시 상승시킬 수 있기 때문에 조심해야 한다. 특히 얼음주머니와 찬물은 혈관수축과 오한을 일으킬 수 있으므로 주의해야 한다.

03 추운환경과 운동

추운환경에서 운동할 때에는 고온환경에서 운동할 때보다 체온조절상의 문제가 덜 심각하게 발생된다. 그것은 열을 보존하기 위해서 따뜻한 옷을 입고 있으며, 운동하면서 생기는 체열이 추위 때문에 생기는 열손실을 어느 정도 보충해주기 때문이다.

❶ 추운환경에 대한 생리적 반응

인체가 추위에 노출될 때 체내 열손실을 줄이기 위한 생리적 반응을 요약하면 다음과 같다.

❖ 피부혈관을 수축시켜 체열이 외부로 발산되지 못하게 한다.

❖ 불수의적인 뼈대근육의 떨림을 통해서 열생산을 증가시킨다. 떨림은 일이나 운동을 수행하지 않기 때문에 100% 열로 전환되어 체온상승에 크게 도움을 준다. 떨림에 의한 열발생은 안정시 대사를 3배 정도로 증가시킬 수도 있으므로 추울 때에는 운동을 별로 하지 않더라도 많은 양의 칼로리를 섭취해야 한다.

❖ 피부혈관의 수축에 의해 보다 많은 혈액이 인체의 심부로 흐르게 되고, 이로 인해 외부환경과 신체의 심부 사이에 단열효과가 증대된다.

❖ 심부혈류의 증가로 인해 심장으로 돌아가는 정맥환류량이 증가하고, 심장의 1

회박출량도 증가한다. 그러나 저온환경에서는 심박수가 감소하기 때문에 (분당)심박출량은 변하지 않는다.

❖ 피부혈관의 수축은 말초혈관의 저항을 높여서 혈압을 증가시키고, 혈압의 상승은 압력수용기를 자극해서 심장활동을 억제한다.

❷ 추운환경과 운동수행

격렬한 운동 중에는 체열생산이 20배까지 증가하기 때문에 추운환경에서도 지속적으로 운동을 하면 체온을 쉽게 유지할 수 있다. 그러나 피부에서 복사로 잃는 열이 많아서 피부온도가 극도로 낮아질 가능성이 있으므로 말초의 피부조직이 얼지 않도록 적절한 단열조치를 취해야 한다.

다음은 추운환경이 운동수행능력에 미치는 영향을 간추린 것이다.

❖ 추운환경에서 장시간 운동 시에는 심부 및 근육의 온도가 저하될 수 있고, 그러면 최대산소능력이 저하된다.

❖ 외부의 한랭자극에 의해서 근육 및 심부체온이 감소된 상태에서 운동을 수행하면 심박수가 감소하기 때문에 결국 최대심박출량도 감소한다.

❖ 혈액온도가 감소되면 혈액 안에 녹아들어 있는 산소의 양이 줄고, 그러면 조직으로 산소를 운반할 수 있는 능력이 감소해서 결과적으로 최대산소섭취량이 감소한다.

❖ 근육온도가 저하되면 순발력 저하를 초래한다. 왜냐하면 근육온도가 낮아지면 근육세포 안에 들어 있는 수분의 점도가 증가하고, 그러면 액틴과 마이오신이 결합하는 연결다리의 움직임에 대한 물리적 저항이 증대하거나, 근육세포 안에서 ATP를 합성하는 화학반응의 속도가 느려지거나, 최대근육수축에 이르기까지 걸리는 시간이 증가하기 때문이다.

❸ 추운환경에서 발생하는 열 관련 장애

추운환경에서 운동 시 자주 발생하는 열 관련 장애에는 저체온증과 동상이 있다.

■ 저체온증

심부체온이 35℃ 이하로 떨어진 상태를 저체온증(hypothermy)이라 한다. 저체온증은 체열생산량이 감소되거나 체열손실이 증가할 때 발생한다.

저체온증을 일으키는 원인은 다음 3가지로 요약할 수 있다.

❖ **우발성(환경성) 저체온증** 추운환경에 노출되면 건강한 사람도 빠질 수 있는 저체온증이다. 특히 옷을 충분히 입지 않고 비에 젖거나 바람에 노출되면 위험하다. 물의 열전도율은 공기의 수백 배나 되기 때문에 물에 완전히 젖거나 빠지면 체열을 더 많이 잃게 된다. 특히 수온이 16℃ 이하인 물에 빠졌을 때에는 특히 조심해야 한다.

❖ **대사성 저체온증** 갑상샘기능저하증, 부신기능저하증, 뇌하수체기능저하증 등 내분비계통질환 때문에 대사율의 감소로 인하여 발생하는 저체온증이다. 저혈당이나 중추신경계이상에 의해서도 체온증이 유발될 수 있다. 또한 알코올중독이나 약물중독환자에게 저체온증이 자주 나타난다.

❖ **의인성 저체온증** 병적 원인으로 빠지는 저체온증이다. 패혈증이나 피부질환에 의해서도 시상하부 온도조절중추기능이 마비되거나 저하되어 저체온증이 유발될 수 있다. 병원에서 대량의 수액을 정맥주사하거나 머리에 심한 외상을 입었을 때에도 저체온증에 빠질 수 있다.

인체는 추운환경에 노출되면 떨림과 근육긴장, 대사량증가 등을 통해 체온을 유지하려는 반응이 일어난다. 그러나 저체온증에 걸리면 혈액순환과 호흡 · 신경계통의 기능이 느려진다.

심부체온이 33~35℃인 경우를 경증 저체온증이라 한다. 이때에는 떨림 현상이 두드러지고, 피부에 닭살이 돋으며, 피부혈관이 수축하여 피부가 창백해지고 입술이 청색을 띠게 된다. 자꾸 잠을 자려고 하고 발음이 부정확해지기도 한다.

젖은 옷을 입고 있으면 빨리 제거하고, 몸통을 마른 담요로 따뜻하게 감싸준다. 따뜻한 음료수나 물을 주는 것은 좋지만, 알코올 · 카페인 등이 섞인 것은 피한다. 저체온증환자에게 섣불리 심폐소생술을 실시하면 오히려 심실세동이 촉발될 수 있으므로 주의해야 한다.

추운 날씨에는 옷을 충분히 두껍게 입어 체온을 유지하고, 산행이나 여행 시 불필요한 알코올섭취를 삼가는 것이 저체온증을 예방하는 지름길이다.

■ 동상

심한 추위에 노출되어 피부의 연조직이 얼어 그 부위에 혈액공급이 안 되는 상태를 동상(frostbite)이라고 한다. 동상이 자주 발생하는 부위는 귀 · 코 · 뺨 · 손가락 · 발가락 등이다. 머리의 피부에 분포된 혈관은 혈관수축반응이 약하기 때문에 다량의 열손실이 일어나기 쉽다.

얼어버린 부위는 창백하고 부드러우며 광택이 있을 수 있다. 통증 등의 자각증상은 없으나 일단 따뜻하게 해주면 조직손상의 정도에 따라 증상과 피부병변이 나타난다. 손상 받는 정도는 노출된 추위의 온도와 얼어 있던 시간과 직접적인 관계가 있다.

피부가 붉어지고 통증이나 저림 등의 불쾌감이 생길 수 있지만, 손상 정도가 심하지 않다면 수시간 내에 정상으로 회복된다. 심한 경우에는 조직이 죽으면서 물집이 발생할 수 있다. 만약 물집이 생기면 터뜨리지 말고 그냥 두어서 세균에 감염되지 않도록 해야 하고, 손상 받은 부위를 문지르거나 마사지를 하면 안 된다.

37~42℃ 정도의 따뜻한 물에서 피부가 말랑말랑해지면서 약간 붉어질 때까지 녹이는 것이 좋은데, 이 경우 보통 30~60분 정도 걸린다. 이때 심한 통증이 발생할 수 있으므로 특별한 금기사항이 없다면 진통제를 복용하는 것이 좋다. 동상에 걸린 부위가 녹았다가 다시 얼면 영구적인 손상을 입을 수도 있다. 따라서 다시 얼 가능성이 있으면 아예 녹이지 않는 것이 좋다.

동상을 예방하기 위해서는 먼저 피부가 심한 추위에 노출되지 않도록 해야 하며, 불가피할 경우에는 옷 · 양말 등으로 보온을 철저히 해주어야 한다. 손가락 · 발가락 · 귀 등 말단부위뿐만 아니라 전신을 따뜻하게 유지하는 것이 중요하다.

하이킹이나 스키, 오리엔티어링, 등산 등의 활동을 장시간 수행할 경우 동상의 위험이 높아진다. 이 경우에는 땀이나 비 · 눈 등으로 의복이 젖은 채 장시간 추위에 노출될 위험이 있기 때문이다. 젖은 옷은 마른 옷에 비해 20배나 빠르게 열을 손실시킨다. 그러므로 운동 시 의복이 젖으면 그 의복, 특히 양말과 장갑을 바꾸어 착용한다. 의복은 방수와 방풍이 잘되는 겉옷을 입고, 안에는 운동으로 발생한 땀이 잘 증발되는 옷을 입는다.

04 고지환경과 운동

해발 2,250m의 고지대에서 치러진 멕시코올림픽을 계기로 고지환경이 경기력과 인체의 생리적 기능에 미치는 영향에 대한 연구가 활발하게 진행되어 왔다.

고지환경이 인체의 생리적 반응에 영향을 미치는 주요인은 기압과 산소분압의 저하이다.

1 고지환경의 이해

평지보다 높은 지대의 자연환경을 고지환경이라 한다. 해발 10,000m(10km) 이상의 고지대는 지구상에 없다. 고지환경에서 문제가 되는 것이 대기압·기온·산소분압 등이기 때문에 지구를 둘러싸고 있는 대기층에 대해서 먼저 알아야 할 필요가 있다.

지구를 둘러싸고 있는 대기층의 두께를 약 600km로 보고, 그 이상은 외기권이라고 한다. 대기층을 대기의 온도에 따라서 대류권·성층권·중간권·열권 등으로 나누기도 하지만, 오존층·전리층·오로라층과 같은 용어도 자주 사용한다.

대기층에서 대류권은 해발 0~20km이고, 공기가 이동하는 즉 날씨변화가 있는 층이라는 뜻이다. 성층권은 해발 20~50km이고, 층을 이루고 있는 층이라는 뜻이므로 날씨 변화가 없다. 보통 여객기들은 성층권을 비행하다가 이착륙할 때에만 대류권으로 내려오기 때문에 항상 구름 위 맑은 날씨 속에서 비행하는 것이다. 지구상에서 가장 높은 산의 높이가 10km가 안 되기 때문에 고지환경은 해발 10km 이하를 말하는데, 거기는 대류권에 해당된다.

대기층이 공기를 덮어 싸고 있기 때문에 지표면 가까운 곳은 공기밀도가 높을 뿐만 아니라 대기압도 높다. 그러나 위로 올라가면 갈수록 그보다 위에 있는 대기층의 두께가 얇아지기 때문에 대기압이 점점 낮아진다. 또한 지구(육지 또는 바다)가 흡수한 태양열에 의해서 공기가 데워지기 때문에 지표에서 위로 올라가면 갈수록 공기의 온도(기온)도 내려간다.

보통 해수면에서의 대기압이 760mmHg 또는 1013hPa(헥토파스칼), 기온이

15.5℃ 또는 288.5K(절대온도)인 것을 표준대기모델(standard atmosphere model)이라 한다. 표준대기모델에서는 고도가 100m 올라살 때마다 기압은 7.9mmHg, 기온은 0.65℃씩 내려가는 것으로 계산한다.

예를 들어

지표면의 기압	760mmHg
해발 3000m 고지의 기압	760-7.9×30=523mmHg
지표면의 기온	15.5℃
해발 3000m 고지의 기온	15.5-0.65×30=-4℃

가 된다.

한편 대기의 구성성분은 질소가 약 78%, 산소가 약 21%이고, 나머지 1%를 아르곤·이산화탄소·헬륨 등이 차지하고 있다. 기압 중에서 산소 때문에 생기는 기압을 산소분압(oxygen tension)이라 한다.

대류권에서는 산소가 전체의 약 21%를 차지한다고 하였으므로

지표면에서의 산소분압	760×0.21=159.6mmHg
3000m고지의 산소분압	523×0.21=109.8mmHg

가 된다.

물론 위에서 설명한 비율은 대류권에서만 맞고, 지표면에서 30km 이상 올라간 성층권부터는 가벼운 수소와 이온들이 많은 부분을 차지할 뿐만 아니라 기체들이 층을 이루고 있으므로 기체들이 섞이지 않아서 성분비가 일정하지 않다.

대기 중에 포함된 수증기는 바다와 지표면에서 증발한 것으로 대류권 내에 약 10일 정도 머물면서 구름이나 안개를 만들기도 하고, 비나 눈이 되어 지표면으로 되돌아오기도 한다.

❷ 고지환경에서 인체의 생리적 변화

■ 산소섭취량의 감소

고지환경에서는 대기압과 산소분압이 낮아지기 때문에 같은 양의 공기를 흡입하더라도 그 속에 들어 있는 산소의 양은 감소한다.

앞 절에서 계산한 것처럼 3,000m 고지에 올라가면 산소분압이 159.6mmHg에서

109.8mmHg로 변한다. 그러면 산소분압이 $109.8 \div 159.6 = 0.688 =$ 약 70%로 낮아진 것이다.

위에서 계산한 것은 공기 중에 들어 있는 산소가 줄은 양이다. 실제로는 혈액 속에 들어 있는 헤모글로빈이 산소와 결합하는 능력도 떨어지고, 동맥과 정맥의 산소분압 차이도 떨어지기 때문에 산소섭취량은 30%보다 훨씬 더 많이 줄어든다.

■ 환기량의 증가

위에서 고지환경에 가면 공기 중에 들어 있는 산소의 양이 줄기 때문에 같은 양의 공기를 흡입하더라도 산소섭취량이 감소한다는 것을 설명하였다.

평지에서 하던 운동을 고지환경에서도 똑같이 하려면 당연히 부족한 산소섭취량을 채워야 한다. 위에서 3,000m 고지에 가면 산소섭취량이 약 30% 감소한다고 하였으므로 그것을 보충하려면 환기량을 약 30% 늘려야 할 것이다. 즉 분당호흡수가 약 30% 증가해야 한다.

그러나 실제로는 공기 중에 들어 있는 산소의 비율 또는 산소분압도 낮아졌고, 헤모글로빈의 산소결합능력도 떨어졌기 때문에 환기량이 더 많이 증가해야 한다.

그림 9-7은 고지환경에서 운동 시 산소섭취량과 환기량의 변화를 그래프로 그린 것이다. 그래프를 보고 알 수 있는 것은 다음과 같다.

그래프의 오른쪽 끝은 최대산소섭취량을 나타낸다. 해수면에서의 최대산소섭취량이 가장 커서 3.5ℓmin이고, 고지로 올라갈수록 최대산소섭취량이 적어진다. 예를 들어 산소섭취량 2.0ℓmin에서 수직선을 그린다면 같은 양의 산소를 섭취하기 위해서 흡입해야 하는 공기의 양(환기량)이 얼마인지 알 수 있다. 이때도 해수면에서는 40ℓmin보다 약간 크지만 5,800m 고지에는 약 120ℓmin이고, 7,400m 고지에서는 최대산소섭취량이 2.0ℓmin보다 적다.

■ 심혈관계통의 변화

고지환경에서 최대하운동 시 동일한 운동부하에 대해 심박수가 평지보다 증가한다. 이에 따라 고지대에서 최대하운동 시 심박출량은 약 50%까지 증가하는 반면 심장의 1회박출량은 변화를 보이지 않는다고 한다.

고지에서 심박수가 증가하는 현상은 혈중 산소분압의 감소를 보상하기 위한 반

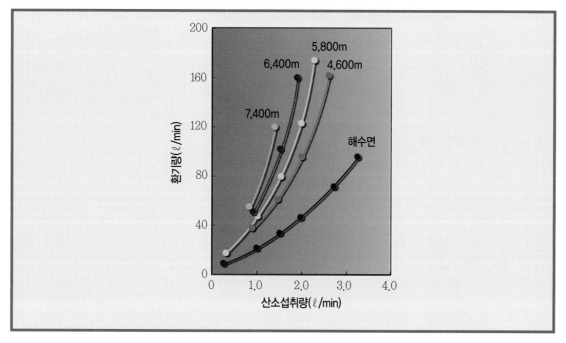

▶ **그림 9-7**   고지환경에서 운동 시 산소섭취량과 환기량의 변화

응 때문이다. 그런데 심박수가 증가한다고 해서 정맥환류량이 증가하는 것도 아니기 때문에 1회박출량에는 큰 변화가 없다. 그리고 심박출량은 '심박수×1회박출량'으로 계산하기 때문에 1회박출량에 변화가 없더라도 심박수가 증가했으므로 심박출량이 증가한 것이다.

❸ 고지환경과 경기력

■ 경기력의 감퇴

역도나 단거리달리기처럼 순발력을 필요로 하는 경기는 고지대로 올라가더라도 크게 영향을 받지 않는다. 이런 종목들은 인체의 산소운반계통에 크게 의존하지 않고 무산소에너지대사에 의해서 운동이 수행되기 때문이다.

고지환경에서는 공기밀도가 희박해서 공기저항이 줄기 때문에 도약과 던지기 종목처럼 공기저항이 경기력에 미치는 영향이 큰 종목에서는 고지환경이 오히려 유리하다. 그래서 올림픽경기에서는 3,000m 이상의 고지에서 도약이나 던지기 종목은 신기록을 수립하더라도 인정하지 않는다.

반대로 지구력 종목과 같이 유산소에너지대사에 크게 의존하는 종목들은 고지환경에 가면 경기력이 크게 감소된다. 가장 큰 원인은 산소섭취량이 감소되기 때문이다.

■ 상대적 운동강도의 증가

그림 9-8은 해수면과 4,300m 고지에서 분당 2ℓ의 산소가 필요한 운동을 똑같이 할 때 선수가 느끼는 상대적 운동강도가 어떻게 다른지를 보여주는 그림이다.

해수면에서는 최대산소섭취량이 4.0ℓ이기 때문에 분당 2.0ℓ의 산소를 필요로 하는 운동이 50%의 강도로 느껴지지만, 4,300m 고지에서는 같은 선수일지라도 최대산소섭취량이 3.0ℓ 이하로 줄어들었기 때문에 2.0ℓ의 산소가 필요한 운동이 70% 강도로 느껴진다. 즉 고지환경에서 운동을 하면 같은 운동을 하더라도 운동강도가 더 강하게 느껴지고, 그러면 운동을 지속할 수 있는 시간도 줄 뿐만 아니라 빨리 피로해진다.

그밖에 고지환경에서는 기온이 낮고 숨을 내쉴 때 수분을 많이 잃기 때문에 갈

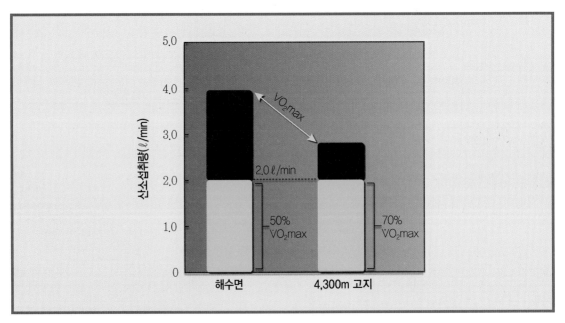

▶ **그림 9-8** 상대적 운동강도의 변화

증이 자주 나고 잠을 설치게 된다는 단점도 있다.

❹ 고지적응과 고지트레이닝

■ 단기 고지적응

앞 절에서 고지환경에서는 산소섭취량이 저하되고 환기량이 증가하며, 심박수가 증가하는 등의 변화가 생겨서 지구력 운동의 경기력이 저하되고 피로를 빨리 느끼게 된다고 하였다.

그러나 고지환경에서 1~4주 머무르면서 훈련을 하면 몸이 고지에 적응해서 평지에서와 비슷하거나 약간 부족한 경기력을 발휘할 수 있게 되는데, 이것을 단기고지적응이라고 한다.

단기고지적응에 필요한 시간은 고도에 따라 다르다. 즉 2,700m이면 약 7~10일, 3,600m이면 15~21일 정도 걸리고, 4,600m이면 21~25 정도가 소요된다. 그러나 고지적응에는 개인차가 매우 크다. 전혀 적응하지 못하여 고산병에 걸리는 사람도 있다.

고지환경에 적응되었을 때 나타나는 가장 뚜렷한 변화는 적혈구 수가 증가하고, 그로 인해서 헤모글로빈농도가 증가하는 것이다.

고지환경에서 산소섭취량이 감소하면 혈중 산소분압의 감소로 이어진다. 그로 인해서 장기적인 체내 저산소상태가 초래되면 콩팥에서 에리스로포이에틴 분비를 자극하게 된다. 에리스로포이에틴이 분비되면 적색골수에서 적혈구생성이 촉진되기 때문이다.

그밖에 적혈구 안에 있는 헤모글로빈으로부터 산소를 분리해서 조직으로 옮겨주는 효소인 DPG(diphosphoglyceric acid)의 활성도도 증가한다.

■ 장기 고지적응

보다 장기적인 고지적응의 결과로 근육조직에 작은 변화가 나타나는 것을 장기고지적응이라고 한다.

장기 고지적응의 결과로 나타나는 현상은 다음과 같다.

❖ 근육조직 내 모세혈관의 밀도가 증가한다.
❖ 근육조직 내 마이오글로빈의 농도가 증가한다.

❖ 근육조직 내 미토콘드리아의 밀도가 증가한다.

❖ 근육세포 내 산화효소의 활성도가 증가한다.

이러한 변화는 저산소상태 하에서 산소공급과 산소이용의 감소를 보상하기 위한 반응이라고 할 수 있다.

고지 트레이닝

▶ **표 9-2**   고지환경에 단기적응과 장기적응의 결과

생리기능	단기간의 변화	장기간의 변화
호흡	과호흡	과호흡
최대심박수	감소	감소
최대하운동심박수	증가	증가
최대심박출량	감소	감소
혈장량	감소	평지수준
적혈구수	증가	증가
모세혈관 밀도	–	증가
마이오글로빈 함량	–	증가
미토콘드리아수	–	증가
산화효소 활성도	–	증가

고지환경에서 장기적으로 훈련을 해서 장기적응을 하면 산소를 이용할 수 있는 능력이 향상된다고 하였으므로, 평소에 고지에서 훈련을 하다가 평지로 내려와서 경기를 하면 경기력에 크게 도움이 될 것이라고 기대할 수 있다.

또한 에티오피아나 케냐, 중국의 고지에서 훈련한 마라톤이나 장거리 선수들이 세계적인 기록을 내는 것으로 보아도 확실히 그럴 것 같지만, 실제로 실험한 결과는 그렇지 못하다.

대표적인 예로 Adams(1975) 등이 중장거리 선수 12명을 집단 1과 2로 나눈 다음 최대산소섭취량의 75% 수준으로 3주간씩 2회 훈련을 시키면서 측정한 결과가 그림 9-9이다.

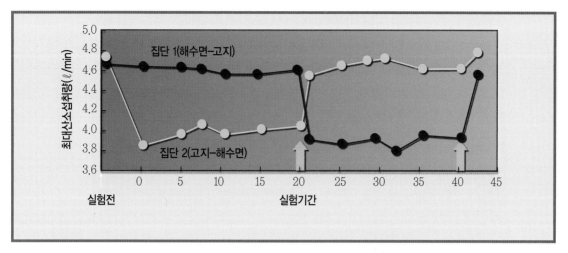

▶ **그림 9-9**　평지와 고지에서 교대로 훈련했을 때 최대산소섭취량의 변화

집단 1은 평지에서 3주간 훈련을 한 다음 고지에서 3주간 훈련을 하였고, 집단 2는 고지에서 먼저 3주간 훈련을 한 다음 평지에서 3주간 훈련을 하였다. 실험결과에서 알 수 있는 것은 "고지적응의 결과가 남아 있으면 고지에서 먼저 훈련을 한 집단 2가 집단 1보다 최대산소섭취량이 더 많아야 하는데, 실험 결과는 그렇지 못하다."는 것이다.

즉 고지환경에서 훈련하면 고지환경에서의 경기력이 향상되는 것이지 평지에서의 경기력이 향상되는 것은 아니다. 이와 같은 결과가 나온 원인을 고지에서는 평지에서와 같은 질적 수준으로 연습을 하지 못하기 때문이라고 해석한다. 즉 최대산소섭취량의 75% 수준으로 훈련했다는 수치는 같지만, 평지에서의 최대산소섭취량이 더 많기 때문에 실제로 훈련하는 질적 수준은 다르다.

⑤ 고지환경에서 운동 시 자주 발생하는 장애

■ 저산소증

동맥혈의 산소분압이 비정상적으로 낮은 경우를 저산소혈증(hypoxemia), 조직세포의 산소분압이 비정상적으로 낮은 경우를 저산소증(hypoxia)이라고 구별하기도 하지만, 보통 동맥혈의 산소분압을 측정해서 알아낸다.

　　저산소증은 생기는 원인에 따라 몇 가지로 구분하지만, 여기에서는 고지환경에서 생기는 저산소증만 설명한다.

　　저산소성 저산소증은 고지환경처럼 흡입하는 공기 속에 있는 산소의 농도가 낮거나, 허파꽈리에서 가스교환을 잘하지 못하거나, 조직에서 산소를 너무 많이 소모해서 생기는 저산소증이다.

　　저산소증이 주요 장기에 미치는 영향은 다음과 같다.

❖ **중추신경계통** 뇌조직은 다른 조직에 비해 저산소증의 영향을 많이 받는다. 행동이 이상해지고 점점 정신이 혼란해지다가 의식을 잃을 수도 있다. 판단력 장애, 운동실조, 어지럼증, 졸림 등의 증상을 유발할 수 있다. 척추에 심한 손상이 올 수 있다.

❖ **심장혈관계통** 전신혈관이 확장되어 혈압이 떨어진다.

❖ **호흡계통** 허파혈관이 수축하는데, 이것은 일종의 방어작용으로 볼 수 있다. 환기량과 호흡수가 증가한다.

고산병

　　고산병(high altitude sickness)은 적응과정 없이 고도가 낮은 곳에서 해발 2,000~3,000m 이상 되는 고지대로 이동하였을 때 산소가 희박해지면서 나타나는 신체의 급성반응이다. 이전에는 몇몇 등산전문가에게만 해당되는 것이었으나, 전문가가 아니더라도 고지대를 등산하는 인구가 늘면서 점차 중요한 환경질환으로 대두되고 있다.

　　고지대로 올라가면 점차 공기 중 산소농도가 떨어져 산소분압이 감소해서 조직에는 저산소증이 발생한다. 이에 대한 보상반응으로 숨을 많이 쉬어 산소부족량을 보충하고, 산소함유량이 저하된 혈액을 많이 순환시키며, 뇌의 혈관을 확장하여 뇌에 많은 혈액이 흐르도록 한다. 하지만 이러한 생리적 적응에는 한계가 있고, 개인마다 생리적 적응능력에 차이가 심하기 때문에 고산병이 발병되기도 한다.

　　고산병의 증상으로는 심한 두통과 식욕저하, 구역(메슥거림), 구토 등의 소화기 증상, 그리고 권태감, 소변 양 감소, 수면장애 등을 들 수 있다. 심하면 허파부종이나 뇌부종을 초래하여 사망할 수도 있다.

　　고산병을 예방하기 위해서는 등산 초반에 무리해서 올라가지 말고, 적응기간을 가져야 하고, 등산 1일 전부터 고산병약을 하루 2번 또는 3번씩 복용하는 것이 좋다.

고산병증상이 나타나면 하산하는 것이 상책이다.

■ 허파부종 또는 뇌부종

인체는 고지환경의 저압·저산소상태에 적응하여 각 조직에 산소를 공급하기 위하여 환기량과 혈류량을 상승시킨다. 이것들은 호흡수 및 심박수의 증가에 의해 나타난다. 활동근육에서는 혈관이 확장되고 혈류량이 증가한다. 또한 교감신경계통의 항진 및 스트레스성반응에 의하여 수분의 체내 저류가 발생하고, 악화되면 허파부종(pulmonary edema)이나 뇌부종(cerebral edema)을 초래하게 된다.

■ 지구력 저하

고지는 습도가 낮고 탈수에 의한 혈장량의 저하로 혈액점성이 높아질 가능성이 있으므로 수분보급에도 충분히 유의할 필요가 있다. 저압환경에서는 호흡·순환계통의 부담이 커지므로 지구력이 저하된다.

고지에서의 지구력저하는 동일강도의 운동이 평지에 비하여 힘들어지는 것을 의미한다. 그러므로 고지트레이닝을 하면 평지트레이닝보다 지구력 향상 효과가 높고, 혈청에리스로포이에틴·적혈구량·헤모글로빈농도 등에 유의한 변화가 발생하며, 산소운반능력의 향상이 한층 기대된다.

05 수중환경과 운동

① 수중환경의 이해

사람은 공기 중의 산소를 흡입하고 이산화탄소를 배출해야 생명을 유지할 수 있는데, 물속에 들어가면 공기가 없다. 숨을 참으면서 물속에서 활동을 하다가 물 밖으로 나와서 숨을 쉰 다음 다시 물속으로 들어가기를 반복하는 것을 스킨스쿠버(skin scuba)라 한다. 또 공기를 가지고 잠수하거나 잠수해 있는 곳까지 공기를 보내서 중간에 물 밖으로 나오지 않아도 되는 것을 스쿠버다이빙(scuba diving)이라고 한다.

■ 압력의 증가

지구는 공기가 약 50km 두께로 둘러싸고 있고, 공기가 그 무게로 누르는 힘을 대기압이라 한다. 고지대로 올라갈수록 위에서 누르는 공기의 두께가 얇아지므로 기압이 낮아진다.

해수면보다 위로 올라가는 고지환경과는 반대로 해수면 밑으로 내려가는 것이 수중환경이다. 해수면에서의 대기압을 1기압 또는 760mmHg 또는 1,013헥토파스칼(hPa)이라 하는데, 그 뜻만 간단히 설명하면 다음과 같다.

❖ **1기압** 공기가 해수면을 누르는 힘을 1기압으로 정하면 다른 환경에서 대기압이 0.5기압이라고 하면 응! 누르는 힘이 반으로 줄었구먼! 하고 쉽게 알 수 있다는 의미이다.

❖ **760mmHg** 공기가 해수면을 누르고 있는 힘이 "수은(Hg)이 760mm 두께로 덮어 싸서 누르는 힘과 똑같다."는 의미이다.

❖ **1,013헥토파스칼** 공기가 해수면을 누르고 있는 힘이 "물이 1,013cm 또는 약 10m 두께로 덮어 싸서 누르는 힘과 똑같다."는 의미이다.

다시 말해서 1기압은 해수면 위에 물이 약 10m 두께로 덮어 싸고 있는 것과 같다. 그러므로 수중환경에서의 압력은 물의 깊이가 10m 깊어질 때마다 1기압씩 증가한다. 예를 들어 물의 깊이가 10m인 곳의 압력은 2기압, 깊이가 20m인 곳의 압력은 3기압이 된다.

수중 20m에서의 압력이 3기압이라는 것을 우습게 생각하면 안 된다. 보통 승용차 타이어의 압력이 2.5기압(240kpa 또는 35psi) 정도이므로 아무런 장치도 없이 수중 20m인 곳까지 호스를 연결해서 숨을 쉰다면 타이어에 바람을 넣는 기계로 허파에 공기를 주입하는 셈이 된다.

■ 체열손실의 증가

열을 전도하는 속도는 물이 공기보다 약 20~25배 빠르다. 같은 양의 물과 공기를 데워서 온도를 올리려고 하면 물이 공기보다 약 800배나 더 많은 양의 열이 필요하다. 물의 열용량은 공기의 약 800배이다.

우리는 체온보다 낮은 수중환경에서 활동을 하기 때문에 물속에 들어가면 체열을 잃을 수밖에 없다. 거기에 더해서 여름에는 수온이 기온보다 항상 낮기 때문에 체열을 더 많이 빼앗기는 것처럼 느끼게 된다.

그러므로 수중운동을 할 적에는 항상 체온유지에 힘을 써야 한다. 수중에서 체온을 유지할 수 있는 가장 효과적인 방법은 물과 피부가 직접 접촉하지 않도록 하는 것이다. 즉 수트를 입어서 물과 피부 사이를 단열시키는 것이 가장 효과적인 방법이다.

■ 체중의 감소

물속에서는 부력을 받는다. 인체를 구성하는 물질 가운데 물이 약 75%를 차지하고, 뼈는 물보다 약간 무겁고, 지방은 물보다 약간 가벼워서 밀도가 거의 물과 같으므로 물속에 잠기는 것이 옳다. 그러나 체내에는 배속공간(복강), 가슴속공간(흉강), 머리속공간(뇌강)과 같이 비어 있는 곳이 있기 때문에 사람이 물속에 들어가면 저절로 뜬다. 물에 떠서 공기 속으로 노출된 부분이 코면 숨을 자유롭게 쉴 수 있지만, 그렇지 않으면 익사할 염려가 있다.

물속에 들어가면 거의 무중력상태에 가까운 환경을 경험할 수 있기 때문에 물속에서 하는 운동의 효과와 공기중에서 하는 운동의 효과는 많이 다르다.

❷ 수중환경에서의 생리적 변화

물속에 잠수하거나 몸을 담글 때 나타나는 반응을 총칭하여 잠수반사라 한다. 잠수반사는 일종의 적응현상으로 볼 수 있다.

잠수반사에는 다음과 같은 것들이 있다.

■ 말초혈관의 수축

물속에 들어가면 체열을 잃지 않으려고 피부혈류가 감소하고, 심부혈류가 증가한다. 슈트를 입어서 체열이 손실되는 것을 예방했더라도 물을 보는 순간 반사적으로 그렇게 된다. 피부혈류를 감소시키려면 피부쪽에 많이 있는 말초혈관을 수축시켜야 하고, 말초혈관이 수축되면 뒤따라서 동맥혈압이 올라간다. 심부혈류가 증가해서 콩팥을 자극하기 때문에 물가에만 가거나 목욕탕에 들어가기만 해도 소변이 마렵다.

■ 서맥현상

운동선수들의 심장이 정상인보다 커져서 1회 심박출량은 증가하고 심박수가 줄어드는 이른바 운동선수심장증후군에 의해서 생기는 서맥을 말하는 것이 아니다. 맥박은 건강한 성인이 60~80회/분, 유·소아는 90~140회/분, 노인은 70~80회/분이다. 보통 맥박수가 분당 60회 이하이면 서맥이라고 한다.

물속에 들어가면 건강한 사람도 반사적으로 서맥과 함께 부정맥이 자주 나타난다. 그러므로 심장질환자나 고혈압환자는 잠수활동을 할 때 특히 유의해야 한다.

가슴 이상까지 물속에 들어가면 수압이 가슴을 압박해서 날숨예비량이 감소되고 가슴속공간 안의 혈액량이 현저히 증가한다. 다리와 배 부위의 정맥이 압박받아 보다 많은 정맥혈이 심장방향으로 되돌아오기 때문에 가슴속공간 안의 혈액량이 증가한 것이다. 가슴속공간 안의 혈액량이 증가하면 1회박출량이 증가하고, 그 결과 심박수가 감소하게 된다.

■ 근육혈류량의 감소

물속에 들어가면 피부혈류만 감소하는 것이 아니라 근육으로 흐르는 혈류도 감소한다. 체열을 잃어서 피부나 근육의 온도가 저하되는 것은 크게 문제가 되지 않지만, 뇌·심장·간·콩팥과 같은 기관의 온도가 내려가면 생명에 위협이 되거나 영구적인 손상을 초래할 수 있기 때문에 생명유지의 수단으로 근육혈류량이 감소하는 것으로 여겨진다.

■ 젖산축적

근육혈류량이 감소되면 근육에 산소와 영양분을 충분히 공급할 수 없게 된다. 그러면 활동에 필요한 에너지를 무산소성 대사과정에 의존할 수밖에 없어 자연스럽게 젖산이 축적된다.

그러므로 수중에서는 별로 많은 활동을 하지 않았는데도 젖산이 축적되어서 피로를 느끼게 된다. 특히 수심이 65m가 되는 곳에서는 가만히 머물러 있기만 해도 젖산이 축적되기 시작한다.

❸ 수중운동의 활용 ••

수심이 2m 이하이고, 수온이 약 15℃인 수중에서 하는 운동을 수중운동이라 한다. 대표적인 경기종목에는 수영과 싱크로나이즈드스위밍이 있다. 경기 이외에 재활치료나 장애인의 운동능력을 향상시킬 목적으로 고안한 수중운동도 많다.

수영이나 수중운동은 호흡근육의 단련에 효과적인 운동이므로 천식환자의 운동요법 등으로 이용되고 있다. 물속에서 운동을 하면 수압에 대항하여 호흡근육이 활동해야 하기 때문에 호흡근육을 단련시킬 수 있다. 특히 수영을 할 때에는 수중에서 숨을 내뱉거나 빠르게 호흡을 하게 되므로 호흡근육에 대한 부하를 더욱 더 높일 수 있다.

수중에서는 부력에 의하여 몸이 뜨기 때문에 관절환자들은 물속에서 무릎에 통증을 느끼지 않고 편안히 운동할 수 있다. 무릎관절에 이상이 있는 환자가 수중운동을 통해서 관절 주위 근육의 힘을 증가시키면 통증도 완화된다.

과체중인 비만환자들도 수중운동을 활용하면 체중을 줄이는 효과를 기대할 수 있다.

물에 들어가면 부교감신경의 활동이 활발해진다는 사실도 확인되었다. 그러므로 교감신경기능항진증 환자들이 물속에 들어가서 운동을 하면 치료효과를 기대할 수도 있다.

그밖에 단거리선수가 무릎 정도 깊이의 물속에서 달리기 연습을 하였더니 추진력이 크게 향상되었다는 실험결과도 있다.

❹ 스노클링 ••

긴 호스의 한쪽 끝을 입에 물고 잠수활동을 하는 것을 스노클링(snorkeling)이라고 한다. 스노클의 길이가 길면 더 깊은 곳에서 오랫동안 호흡하면서 머물 수 있을 것 같지만, 다음 두 가지 이유 때문에 스노클의 길이와 굵기가 제한될 수밖에 없다.

첫째, 수면 밑으로 내려갈수록 가슴에 가해지는 수압이 증가한다. 수심이 1m만 되어도 호흡근육(가로막)만의 힘으로는 수압을 이기고 가슴속공간을 확장시켜 호흡

▶ **그림 9-10** 스노클링

을 할 수가 없다. 그래서 입 주위에 있는 근육과 배근육의 힘으로 공기를 빨아들여야 한다. 그런데 입 주위의 근육과 배근육이 힘을 쓰는 데에는 한계가 있다.

둘째, 스노클(숨대롱)이 굵고 길수록 사강(dead space, 죽은공간)이 증가한다. 우리가 숨을 쉴 때 공기가 드나드는 곳은 코·인두·후두·기관·기관지·세기관지·허파꽈리이다. 그러나 산소와 이산화탄소의 교환이 실제로 이루어지는 곳은 허파꽈리뿐이기 때문에 코에서 세기관지까지는 쓸데없는 공간이므로 '사강'이라고 한다. 스노클을 통해서 호흡을 하면 사강의 크기가 스노클의 부피만큼 커지게 된다. 만약 사강의 부피가 1회환기량보다 커지면 공기는 사강 안에서만 왔다갔다 하고 허파꽈리 안에 있는 공기는 바뀌지 않는다. 그러면 숨을 쉬나마나가 된다. 그래서 스노클의 길이는 약 38cm, 직경은 약 2.1~2.5cm로 만드는 것이고, 그보다 더 길거나 굵게 만들면 숨을 참으면서 수중활동을 하는 것과 똑같다.

❺ 스킨다이빙

스노클링은 수면 가까운 곳에서 바다 속을 내려다보는 것이 특징인 반면에 스킨다이빙(skin diving)은 흥미를 끄는 것이 있으면 수심이 깊은 곳까지 잠수한다는 것이 특징이다. 스노클링과 스킨다이빙은 공기탱크가 없지만, 스쿠버다이빙은 공기탱크를 가지고 잠수해서 공기탱크에 저장되어 있는 공기로 호흡을 한다는 것이 다르다. 한마디로 해녀들이 잠수하는 것이 스킨다이빙이다.

스킨다이빙에는 다음과 같은 문제가 뒤따른다.

■ 잠수 전 과호흡

잠수하기 직전에 가급적 많은 양의 공기를 빠르게 들이마셔서 숨을 참고 물속에 있을 수 있는 시간을 증가시켜야 한다.

숨을 참고 있을 수 있는 시간의 한계점은 동맥혈의 이산화탄소분압이 50mmHg에 도달할 때이다. 평소 공기 중에서는 동맥혈의 산소분압이 약 100mmHg, 이산화탄소분압이 40mmHg이기 때문에 이산화탄소분압이 10mmHg만 올라가면 숨을 다시 쉬어야 한다.

그런데 잠수하기 전에 과호흡을 하면 동맥혈의 이산화탄소분압이 15mmHg 수준까지 감소한다. 이산화탄소분압이 50mmHg까지 감소하려면 상당한 시간이 걸리기 때문에 숨을 참고 있을 수 있는 시간이 연장되는 것이다.

그러면 다이버는 더 깊이 잠수할 수 있게 되고, 더 깊이 잠수할수록 수압이 증가하여 가슴안의 공기압도 증가하게 된다. 가슴안의 공기압이 증가하면 산소가 혈액 속으로 더 잘 녹아들어가게 된다. 결과적으로 더 깊은 곳까지 잠수했더니 산소공급도 증가해서 아무런 문제가 없이 수중활동을 할 수 있게 된다.

그러나 이산화탄소분압이 50mmHg가 되어서 물 밖으로 나올 때에 문제가 생긴다. 수심이 깊은 곳에 있다가 위로 올라가기 시작하면 수압이 점점 낮아지면서 가슴안의 공기압도 감소하게 된다. 그런데 가슴안 공기 속에 들어 있던 산소는 거의 다 사용해버렸으므로 산소분압은 매우 낮아져 있다.

그러면 가슴안 공기에서 혈액으로 산소가 들어가는 것이 아니라, 반대로 혈액 안에 있던 산소가 공기 속으로 빠져 나온다. 그러면 일시적으로 혈액 속에 산소가 부족하게 되어서 뇌에 필요한 산소를 공급할 수 없게 되고, 그러면 순간적으로 정신을 잃게 된다.

■ 잠수 깊이의 한계

일반적으로 허파의 최대부피가 허파용량인데, 성인은 약 6ℓ 정도 된다. 숨을 들이쉴 때와 내쉴 때를 가리지 않고 항상 허파 속에 남아 있는 공기의 부피가 잔기량인데, 성인은 약 1.5ℓ 정도 된다.

사람이 물속에 들어가면 수심 10m마다 수압이 1기압씩 증가한다고 하였으므로 수심 40m인 곳은 수압이 5기압이 된다. 그러면 허파 속에 들어 있던 공기의 부피가 6ℓ에서 1.2ℓ로 줄어들어 그 부피가 잔기량 1.5ℓ에도 못 미치게 된다.

잔기량이 항상 허파 속에 남아 있는 이유는 어떤 경우에도 허파 속에 공기가 하나도 없는 경우가 없도록 하려는 것과 허파가 완전히 압착되지(찌그러지지) 않도록 하기 위해서이다. 그러므로 허파가 잔기량 이하로 압착되지 않는 범위 즉 수심 30m 이상은 잠수하지 말아야 한다.

잠수할 수 있는 최대수심은 개인차가 심해서 해녀나 해저폭파대처럼 훈련받은 사람 60~70m까지도 잠수할 수 있다고 한다.

수심이 깊은 곳까지 잠수해서 허파가 심하게 압착되면 허파모세혈관이 터져서 혈액이 허파꽈리 안으로 흘러들어 가서 가스교환을 할 수 없기 때문에 익사하게 된다. 또 가슴우리(흉곽수압)를 이루고 있는 갈비뼈가 수압을 견디지 못해서 골절이 된다.

❻ 스쿠버다이빙

스쿠버(scuba)는 영어로 Self Contained Underwater Breathing Apparatus의 머리글자를 딴 것으로, 개인이 휴대할 수 있는 수중 호흡장비를 뜻한다. 스쿠버다이빙(scuba diving)을 즐기려면 고압으로 압축된 공기를 저장한 공기통, 공기통의 공기를 체내로 흡입 및 배출하게 하고 수압에 의해 공기양을 자동조절해주는 수중호흡기, 부력조절기, 공기압력계, 수심계, 나침반, 비상호흡기 등을 기본적으로 갖추어야 한다.

스쿠버다이빙에서는 압력을 나타낼 때 psi라는 단위를 많이 쓴다. psi는 pounds per inch의 첫글자를 딴 것이고, 영미권에서 사용한다. 국제적으로는 기압(atm)이라는 단위를 사용한다. 1psi=0.068046atm, 반대로 1atm=14.67psi이다.

■ 특성 및 효과

스쿠버다이빙은 수영과는 전혀 다른 운동이기 때문에 수영을 전혀 못하는 사람도 교육을 받으면 스쿠버다이빙을 즐길 수 있다.

스쿠버다이빙은 물에 대한 공포심은 떨쳐버릴 수 있고, 바다 속 잠수를 통해 흥미롭고 신기한 바다속 여행을 즐길 수 있으며, 자연의 신비와 체험을 통해 삶을 풍요롭게 해줄 수 있다.

스쿠버다이빙을 하면 심장허파기능과 지구력이 향상되고, 무중력상태에서 활동하므로 평형감각과 유연성이 발달된다. 수중에서는 머리부터 발끝까지 수압을 받게 되므로 최고의 지압효과를 얻을 수 있고, 전신운동이므로 균형 잡힌 몸매를 갖는 데에 도움이 된다.

■ 감압병

스쿠버다이빙 시 착용하는 공기통 안에는 약 200기압으로 압축된 공기가 저장되어 있지만, 호흡조절기를 통해서 허파 속으로 들어오는 공기의 압력은 수압과 똑같게 조절되어서 들어온다. 그러므로 수심 30m에서 숨을 쉬었다고 하면 허파 속으로 들어온 공기의 압력은 4기압이다. 이렇게 수압과 허파 속으로 들어오는 공기의 압력이 같으면 대기 중에서 호흡하는 것과 다를 바가 거의 없어서 자연스럽게 호흡을 할 수 있다.

그러나 수면 위로 올라갈 때는 문제가 될 수 있다. 예를 들어 수심 30m에서 숨을 들이 쉰 다음 수면으로 올라왔다고 하면 공기의 부피가 4배로 팽창해버리기 때문에 허파꽈리가 터져버릴 수도 있으므로 수면 위로 상승할 때에는 항상 숨을 내쉬면서 천천히 올라와야 한다.

수면 위로 올라오는 것은 수압이 감소는 것이고, 수압이 너무 빨리 감소하면서 어떤 탈이 생기는 것을 통틀어서 감압병(compressed-air disease) 또는 벤드증상(bends)이라고 한다.

물속 깊이 잠수해서 호흡을 하면서 수중활동을 하다가 수면 위로 너무 빨리 올라온 경우에 생기는 일을 사이다에 비유해서 설명한다. 사이다는 탄산가스가 고압으로 들어 있는 탱크에 설탕물을 놓아두었다가 병에 넣고 뚜껑을 단단하게 막은 것이다.

탄산가스가 고압으로 들어 있는 탱크에 설탕물을 넣어두면 설탕물 안에 이산화탄소가 수백 배나 많이 녹아들어가는데, 그 상태에서 뚜껑을 막은 것이 사이다이다. 그러므로 사이다병 뚜껑을 열어서 압력이 갑자기 낮아지면 녹아들어 있던 탄산가스가 물 밖으로 나오면서 기포가 생겨서 뽀글뽀글한다. 사이다병 뚜껑을 아주 천천히 따면 기포는 생기지 않지만, 그 속에 들어 있던 탄산가스는 모두 물 밖으로 배출된다.

수심 30m인 곳에서 숨을 쉬었다고 하면 압력이 4기압인데, 그것은 대기압의 4배이다. 그러므로 공기 중에 들어 있던 질소와 산소도 혈액 속으로 4배 녹아 들어간다.

수면 위로 빨리 올라왔을 때 발생할 수 있는 증상은 다음과 같다.

❖ **공기색전증**(aeroembolism) 혈액 속에 있던 질소나 산소가 기포가 되어서 혈류를 막은 것

❖ **공기가슴증**(pneumothorax, 기흉) 허파꽈리가 터져버려서 그사이로 공기가 새어나가 가슴속공간에 공기가 가득 찬 것

❖ **산소중독증**(oxygen toxicity) 수심 깊은 곳에서 순수한 산소를 호흡조절기를 통해서 흡입하면 혈액 속에 들어 있는 산소가 너무 많아 적혈구와 산소가 분리되지 않게 되고, 그러면 체내에 산소와 이산화탄소가 지나치게 축적되어서 감각이 얼얼하고, 시각장애, 환청, 근육경련 등을 일으키는 것

❖ **질소마취** 혈액 속에 많이 녹아있던 질소가 중추신경계통과 접촉해서 알코올중독과 비슷한 증상을 보이는 것

참|고|문|헌

강희성 외 역(2011). 운동과 스포츠생리학(Physiology of Sport and Exercise). 대한미디어.

권영미 외 역(2015). Structure and Function of the Body. 대경북스.

김기진 외역(2014). NASM 스널 트레이닝. 한미의학.

김용수 외(2011). 비주얼 아나토미. 대경북스.

김재구 외(2010). 운동처방총론. 대경북스.

김창국 외(2014). 인체해부학아카데미. 대경북스.

김창국 외(2014). 체력 및 퍼포먼스 향상을 위한 트레이닝 방법론. 대경북스.

김창균(2008). 운동생리학의 이해와 적용. 대경북스.

서영환(2016). 운동생리학 아카데미. 대경북스

서영환 외(2010). 퍼포먼스 향상을 위한 뉴 스포츠영양학. 대경북스.

서영환 외(2013). 운동처방과 질환별 운동치료프로그램. 대경북스.

이윤관 외(2012). 스포츠의학 총론. 대경북스.

이윤관 외(2014). 스포츠의학 특강. 대경북스.

정일규(2010). 휴먼퍼포먼스와 운동영양학. 대경북스.

정일규(2012). 휴먼퍼포먼스와 운동생리학(전정판). 대경북스.

한상숙 외 역(2010). 해부생리학(Anatomy & Physiology). 메디시언.

한용봉 외(1999). 최신 영양생리학. 효일문화사.

Åstrand, P.-O. & Rodahl, K.(1986). *Textbook of Work Physiology*(3rd eds.), New York : McGraw-Hill Book Company.

Åstrand, P.-O. & Saltin, B.(1967). Maximal oxygen uptake in athletes, *J. Appl. Physiol., 23* : 353-358.

Basmajian, J. V.(1974). *Muscle Alive*, Baltimore : Williams & Wilkins.

Baxter, M., Middleton, B., & White, D. A.(1984). *Hormones and Metabolic Control*, Edward Arnold.

Billings, C. E., Mathews, D. K., Fox, E. L., Bartels, R. L., & R. Bason(1973). Fitness standards for male college students, *Int. Z. Angew. Physiol., 31* : 231-236.

Borkman, M., Cambell, L. V., Chisholm, D. J., & Storlien, L. H.(1991). Comparison of the effects on insulin sensitivity of high carbohydrate and high fat diets in normal subjects, *J. clin. Endocrinol. Metab. 72* : 432-437.

Bowers, R. W., Foss, M. L., & Fox, E. L.(1989). *The Physiology Basis of Phyical Education and Athletics,*. Wm. C. Brown Publishers, Dubuque, Iowa.

Broeke, L. J., Demacker, P. N. M., Groot, M. J. M., Katan, M. P, Mensink, R. P., & Severijnen-Nobles, A. P.(1989). Effects of monounsaturated fatty acids and comples carbohydrates on serum lipoproteins and apoprotein in healthy men and women, *Metabolism, 38* : 172-178.

Brooks, G. A.(1985). Anaerobic threshold : Review of the concept and direction for future research, *Med. Sci. Sports Exer.*

Brooks, G. A., & Fahey, T. D.(1984). *Exercise Physiology : Human Bioenergetics and Its Applications*. New York : John Wiley & Sons, Inc..

Brooks, G. A., Fahey, T. D., & Baldwin, K. M.(2005). *Exercise Physiology : Human bioenergetics and its applications*(4th ed.). New York : McGraw-Hill.

Carola, R., Harley, J. P., & Noback, C. R.(1992). *Human Anatomy and Phsiology,* McGraw-Hill.

Close, R.(1967). Properties of motor units in fast and slow skeletal muscles of the rat. *Journal of Physiology(London), 193,* 45-55.

Colbert, Bruce J. ; Ankney , Jeff; Lee, Karen(2007). *Anatomy & Physiology for Health Professions,* Prentice Hall.

Costill, D. L.(1974). Muscular exhaustion during distance running, *Phys. Sportsmed. 2(10)* : 36-41.

Costill, D. L., & E. L. Fox(1969). Energetics of women to exercise, *Med. Sci. Sports. 1* : 81-86.

Costill, D. L., & Wilmore, J. H.(1995). *Physiology of Sport and Exercise,* London : Human Kinetics.

Costill, D. L., Daniels, J., Evans, W., Fink, W., Krahenbuhl, G., & Saltin, B.(1976). Skeletal muscle enzymes and fiber composition in male an female track athletes. *Journal of Applied Physiology, 40,* 149-154.

Costill, D. L., Fink, W. J., & Pollock, M. L.(1976). Muscle fiber composition and enzyme activities of elite distance runners. *Medicine and Science in Sports, 8,* 96-100.

Costill, D. L., Fink, W. J., Flynn, M., & Kirwan, J.(1987). Muscle fiber composition and enzyme activities in elite female distance runners. *International Journal of Sports Medicine, 8,* 103-106.

deVries, H. A.(1980). *Physiology of Exercise.* Wm. C. Brown Company Publishers.

Fox, E. L.(1984). *Spors Physiology,* Saunders College Publishing, second Edition.

Hodgin, F. M.(1960). *Conduction of the Nervous Impulse,* Springfield, Ⅲ., Charles C. Thomas.

Horton, E. S.(1983). Introduction : an overview of the assessment and regulation of energy balance in humans, *Am. J. Clin. Nutr. 38* : 972-977.

Howley, E. T., & Powers, S. K.(1990). *Exercise Physiology* ; *Theory and Application to Fitness and Performance,* McGraw-Hill.

Hultman, E., & L. H. Nilssom(1971). Liver glycogen in man, Effect of different diets and muscular exercise, In Pernow, B., and B. Saltin(eds.), *Muscle Metabolism during Exercise,* New York : Plenum Press.

Karlsoon, J. & Saltin, B.(1971). Muscle glycogen utilization during work of different intensities, In Prnow, B. & B. Saltin(eds.), *Muscle Metablism during Exercise,* New York : Plenum Press, 289-299.

Katch, F. I., Katch, V. L., & McArdle, W. D.(1991). *Exercise Physiology, Energy, Nutrition, and Human Performance*(3rd.), Philadelphia : Lea & Febiger.

Lamb, D. R.(1984). *Physiology of Exercise*(2nd ed.), Macmillan Co..

Lehninger, A. L.(1982). *Principles of Biochemistry,* Worth Publishers.

Luciano, D. S., Sherman, J. H. & Vander, A. J.(1990). *Human Physiology* : *The Mechanisms of Body Function.* International Edition Fifth Edition.

MacIntosh, B. R., Gardiner, P. F., & McComas, A. J.(2006). *Skeletal muscle form and Function*(2nd ed.). Champaign, IL : Human Kinetics.

McArdle, W. D., Katch, F. I., Katch, V. L.(2015). *Exercise Physiology.* Wolters Kluwer.

Noble, B. J.(1986). *Physiology of Exercise and Sport.* Times Mirror/Mosby College Publishing.

Power, S. K., Howley, E. T.(1990). *Exercise Physiology.* Wm. C. Brown Publishers.

Saltin, B. & Karlsson, J.(1971). *Muscle Metabolism during Exercise,* B. Pernow & B. Saltin eds. Courtesy of Plenum Press, New York.

Sharkey, B. J.(1990). *Physiology of Fitness*(3rd ed.), Human Kinetics.

WHO(1990). Technical Report Series, No. 724. Diet, nutrition and the prevention of chronic disease, Geneva.

찾아보기

ㄴ

아

자

차

카

타

파

하

저 자 소 개

김알찬

백석대학교 스포츠건강관리과 조교수

박수현

경북대학교 운동생리학 박사과정

박주식

계명대학교 체육대학 태권도학과 학과장

박진기

동주대학교 스포츠재활과 조교수

오경모

부산경상대학교 스포츠레저과 학과장

이애리

제주관광대학교 관광레저스포츠계열 부교수

이중열

가천대학교 평생교육원 학위교육부장

(가나다 순)

운동생리학 [제3전정판]

초판발행/2022년 3월 4일 · 초판2쇄/2024년 3월 5일 · 발행인/김영대 · 발행처/대경북스
ISBN/978-89-5676-885-4

등록번호 제 1-1003호
서울시 강동구 천중로42길 45(길동 379-15) 2F
전화: 02) 485-1988, 485-2586~87 · 팩스: 02) 485-1488
e-mail: dkbooks@chol.com · http://www.dkbooks.co.kr